EL EXPOSITOR BÍBLICO

W9-APU-746

Guía

Bilingüe

*Para el
alumno o discípulo*

El Programa de Educación Senda de Vida se produce originalmente en castellano.

CUARTO CICLO

VOLUMEN

14

AÑO 29

1988-2016

Primer ciclo 1988-1995
Segundo ciclo 1996-2002
Tercer ciclo 2003-2009
Cuarto ciclo 2009-2016

PRÓXIMAMENTE EN VERSIÓN DIGITAL

Senda de Vida Publishers, Co.

Miami, FL 33255

Copyright ©2016-I. Todos los derechos reservados
ISBN 978-1-928686-47-7 ITEM 15023

EDITORIAL

¡Edificadores de Dios!

"Edificamos, el muro, y toda la muralla…
…porque el pueblo tuvo ánimo para trabajar"
(Nehemías 4:6)

Marco T. Calderón
PRESIDENTE

Junta Editorial

Serie de niños
Duanys López
Vilma Moncada

Serie de jóvenes
Luciano Jaramillo
Fernando Rojas
William Fredy Córdova

Serie de adultos
Wilfredo Calderón
Hiram Almirudis

Edición, revisión
y corrección
José Sifonte
José David Son Turnil

Traducción
Ernesto Juan
Oralys Villona

Diagramación
y diseño artístico
Marlen Montejo
José Angel García
Ana María Ulloa

Ventas y Distribución
Niurka Ávalos
Deborah Calderón
Mónica Veranez
Ana González
Mynor Rodríguez
Álvaro Hernández
E-mail: sendadevida@aol.com
1-800-336-2626 Watts
1-305-262-2627 Tel.
1-305-262-5250 Fax

ITEM 15023

El libro de Nehemías trasmite un poderoso mensaje de motivación y edificación para líderes de todos las épocas, y nos provee un buen ejemplo de cómo vencer los obstáculos en el ministerio. Nehemías pudo haberse sentido frustrado y desanimado y haber abandonado la enorme tarea a la que Dios le había llamado: "Reconstruir los muros de Jerusalén". Después de planear la estrategia y comenzar la labor, se encuentra ahora amenazado por enemigos externos que se oponen "…que hacen escarnio y burla", por problemas internos, cansancio y fatiga: "Las fuerzas de los acarreadores se han debilitado"; ante un trabajo que parece imposible: "el escombro es mucho", por un sentimiento de frustración: "no podemos edificar el muro" (4:10).

Todo líder se enfrenta muchas veces al desánimo y a la frustración. Las razones pueden ser muchas: las críticas, el exceso de responsabilidades, falta de tiempo, poco descanso, las innumerables desilusiones, algunas veces la soledad, problemas financieros, la falta de amigos leales en quienes confiar, además de las tentaciones personales a que nos vemos sometidos como líderes. Todo lo anterior nos puede conducir al desánimo, y esto nos lleva a la pérdida de la visión y del entusiasmo.

Algunas investigaciones realizadas reveló un cuadro bastante preocupante de la situación emocional de los pastores: Un 70% de ellos admiten que sufren de depresión y estrés; se calcula que unos 1500 pastores están dejando el púlpito cada mes; el tiempo promedio que duran en sus iglesias es de 2 a 3 años para luego cambiar de ministerio. ¡Esto es alarmante!

¿Qué hacer cuando las cosas no han salido como las planeamos? ¿Qué hacer cuando todo parece imposible? ¿Qué hacer frente a la crítica y la oposición? Nehemías recurrió a un doble recurso: "oración" y "acción". "Entonces oramos a nuestro Dios, y por causa de ellos pusimos guarda contra ellos de día y de noche" (4:9). Como dice el dicho popular: "A Dios rogando y con el mazo dando", que ilustra muy bien las acciones tomadas por Nehemías y las labores que tenemos que continuar haciendo nosotros. Él se fortaleció en la presencia de Dios y movilizó al pueblo a la acción.

Los pastores, maestros y líderes necesitamos toda la ayuda divina, por eso debemos continuar orando; pero también necesitamos redoblar esfuerzos, para no ser presos del desaliento y la frustración. Necesitamos más oración, pero no podemos bajar la guardia a la acción. Debemos continuar edificando su Iglesia: predicando, evangelizando, enseñando, para que Él venga pronto por ella. Si nos mantenemos orando y nos mantenemos ocupados cerraremos las puertas al desánimo.

Hay dos áreas importantes en el ministerio que no podemos descuidar: la comunión con Dios y la acción en el ministerio. Confiamos que este nuevo volumen contribuya a la edificacion del Cuerpo de Cristo, su Iglesia.

Marco T. Calderón
Presidente

ÍNDICE / INDEX

LO QUE SIGNIFICA SER CRISTIANO

Base bíblica
Tito 3:1-8

Pensamiento central

El cristiano es una persona que ha tenido una serie de experiencias con Dios las cuales le hacen vivir en íntima comunión con Él.

Texto áureo

De modo que si alguno está en Cristo, nueva criatura es; las cosas viejas pasaron; he aquí todas son hechas nuevas (2 Corintios 5:17).

Objetivos

Con el desarrollo podrán:
1. Comprender que ser cristiano no es simplemente profesar una religión.
2. Tener la convicción de que ser cristiano consiste en una experiencia que proviene directamente de Dios.
3. Experimentar la presencia de Cristo diariamente en sus vidas.

Fecha sugerida: _____ / _____ / _____

LECTURA BÍBLICA

Tito 3:1 Recuérdales que se sujeten a los gobernantes y autoridades, que obedezcan, que estén dispuestos a toda buena obra.

2 Que a nadie difamen, que no sean pendencieros, sino amables, mostrando toda mansedumbre para con todos los hombres.

3 Porque nosotros también éramos en otro tiempo insensatos, rebeldes, extraviados, esclavos de concupiscencias y deleites diversos, viviendo en malicia y envidia, aborrecibles, y aborreciéndonos unos a otros.

4 Pero cuando se manifestó la bondad de Dios nuestro Salvador, y su amor para con los hombres,

5 nos salvó, no por obras de justicia que nosotros hubiéramos hecho, sino por su misericordia, por el lavamiento de la regeneración y por la renovación en el Espíritu Santo,

6 el cual derramó en nosotros abundantemente por Jesucristo nuestro Salvador,

7 para que justificados por su gracia, viniésemos a ser herederos conforme a la esperanza de la vida eterna.

8 Palabra fiel es esta, y en estas cosas quiero que insistas con firmeza, para que los que creen en Dios procuren ocuparse en buenas obras. Estas cosas son buenas y útiles a los hombres.

INTRODUCCIÓN

El concepto que el creyente tenga de lo que significa ser cristiano determinará la calidad de su vida espiritual. No todos tienen una idea correcta de esto, por ejemplo, hay quienes piensan que serlo significa pertenecer a la raza humana. Otros piensan que equivale a profesar la religión denominada cristiana. Muchos creen que lo son porque fueron bautizados cuando niños o de adultos se han afiliado a una congregación de este tipo, poseen una Biblia, y asisten con regularidad a los cultos de la iglesia. Aunque estas cosas son buenas, no determinan que uno sea cristiano. Por lo tanto, es sumamente necesario saber lo que significa serlo para no ser víctima del perjudicial error del engaño.

DESARROLLO DEL ESTUDIO

I. LOS CRISTIANOS TIENEN DEBERES CIVILES (TITO 3:1-3)

A. Cosas que el cristiano no debe pasar por alto (3:1,2)

El apóstol Pablo, como todos los autores del Nuevo Testamento, tenía la preocupación de que los creyentes en todas partes diesen un buen testimonio. El buen testimonio ante el mundo es una fuerte evidencia de la veracidad del Evangelio. Las palabras de un cristiano pueden ser rebatidas, pero nunca su buen testimonio. Por esto, un tema sobresaliente de esta carta es el de las buenas obras del creyente, en oposición a las malas de los no creyentes. Por ejemplo, Pablo en su carta a Tito, en los pasajes 1:16; 2:7; 2:14; 3:8, ofrece una significativa descripción de la verdadera identidad del cristiano, y de cosas en las cuales debe estar ocupado. El creyente tiene el deber de practicar todo lo que es bueno y de abstenerse de todo lo malo. Es así que el apóstol exhorta a Tito a que les recuerde que deben estar sujetos a los gobernantes y a las autoridades civiles.

B. La condición del que no conoce a Cristo (3:3)

El apóstol Pablo, en varias de sus cartas, describe como es la condición de aquellos que no han sido alcanzados por la gracia redentora de Dios. En nuestro texto cita nueve características de tales personas. En 1 Corintios 6:9,10 menciona once depravaciones que también son típicas entre los que no conocen a Cristo. En Romanos 1:29-31, el mismo apóstol cita veintidós degradaciones de las personas que estamos considerando. Pero el v.4 empieza con una palabra que es extraordinariamente significativa en el texto griego. La palabra es "Pero", y se usa para establecer un contraste, un cambio radical. Todas las aberraciones citadas eran el medio ambiente en que se movían los cretenses antes de conocer a Cristo, "¡pero!", cuando se manifestó la bondad de Dios, sus vidas cambiaron. ¡El cristiano fue… pero ya no es! ¡En otro tiempo éramos… pero ahora ya no somos!

1 BIBLE STUDY

WHAT IT MEANS TO BE A CHRISTIAN

Biblical foundation
Titus 3:1-8

Objectives
Upon completion of this study, you will be able to:
1. Comprehend that being a Christian is more than professing a religion.
2. Have the conviction that being a Christian is an experience that comes straight from God.
3. Daily experience Christ's presence in their lives.

Main idea
A Christian is a person who has had a series of experiences with God which make him live in intimate communion with Him.

Golden verse
Therefore, if anyone is in Christ, he is a new creation; old things have passed away; behold, all things have become new (2 Corinthians 5:17).

Suggested date: _____ / _____ / _____

RESPONSIVE READING

Titus 3:1 Remind them to be subject to rulers and authorities, to obey, to be ready for every good work,
2 to speak evil of no one, to be peaceable, gentle, showing all humility to all men.
3 For we ourselves were also once foolish, disobedient, deceived, serving various lusts and pleasures, living in malice and envy, hateful and hating one another.
4 But when the kindness and the love of God our Savior toward man appeared,

5 not by works of righteousness which we have done, but according to His mercy He saved us, through the washing of regeneration and renewing of the Holy Spirit,
6 whom He poured out on us abundantly through Jesus Christ our Savior,
7 that having been justified by His grace we should become heirs according to the hope of eternal life.
8 This is a faithful saying, and these things I want you to affirm constantly, that those who have believed in God should be careful to maintain good works. These things are good and profitable to men.

INTRODUCTION

The concept a believer has of what it means to be a Christian will determine the quality of his spiritual life. Not everybody has the right idea about this. For example, there are those who believe that to be a Christian means to belong to the human race. Others believe that it is equivalent to practicing a religion called Christianity. Many believe that they are Christians because they were baptized as infants or because, as adults, they joined a congregation of this type, own a Bible, and attend church services regularly. Although these things are good, they do not determine if a person is a Christian. Therefore, it is extremely necessary to know what it means to be a Christian to not become a victim of the harmful error of deception.

STUDY DEVELOPMENT

I. CHRISTIANS HAVE CIVIL DUTIES (TITUS 3:1-3)

A. Things that Christians should not overlook (3:1,2)

The Apostle Paul's concern, as it was the concern of all the authors of the New Testament, was for believers to have a good testimony everywhere. A good testimony before the world is a strong evidence of the authenticity of the Gospel. The words of a Christian can be refuted, but never his good testimony. That is the reason one of the most notable subjects of this letter is that of the good works of the believer, as opposed to the bad ones of non believers. For example, Paul, in his letter to Titus, in the passages 1:16; 2:7; 2:14; 3:8, offers a meaningful description of the true identity of the Christian and of things with which he must occupy himself. The believer has the duty to practice everything that is good and to abstain from everything bad. In this manner the apostle exhorts Titus to remind them to be subjected to rulers and civil authorities.

B. The condition of those who do not know Christ (3:3)

In several of his letters, the Apostle Paul describes the condition of those who have not been reached by God's redeeming grace. In our text he quotes nine characteristics of such persons. In 1 Corinthian 6:9,10 he mentions eleven depravities that also are typical among those who do not know Christ. In Romans 1:29-31, the apostle himself quotes twenty-two degrading conditions of the people we are considering. Nevertheless, v.4 starts with a word that is extraordinarily significant in the Greek text. The word is "But", and it is used to establish a contrast, a radical change. All the mentioned aberrations formed the environment in which the Cretans lived before knowing Christ, "but!", when God's kindness was manifested, their lives were changed. The Christian was … but he is not anymore! In

II. LOS ATRIBUTOS DE DIOS (TITO 3:4-6)

A. La intervención de Dios en el mundo (3:4,5)

El apóstol ha hecho una descripción franca de lo que es el hombre sin Cristo. En primer lugar, para señalar la necesidad de redención que el hombre posee, en segundo lugar para enfatizar la intervención soberana de Dios con el propósito de redimirlo de su condición miserable. Cuando el apóstol dice: "¡Pero! cuando se manifestó la bondad de Dios nuestro Salvador, y su amor para con los hombres" (v.4), enfatiza la iniciativa de Dios en el plan de redención. Dios no preparó el plan de redención porque el hombre se lo haya solicitado, si no a pesar de no haberlo solicitado. El ser humano se encontraba muerto en delitos y pecados; en tinieblas; en ignorancia (Efesios 2:1; 4:18; 5:8); en una crasa idolatría; sumido en la inmundicia; sin ningún interés en Dios (Romanos 1:23,24,28). "¡Pero!", a pesar de esa antipatía hacia Dios, a Él le agradó intervenir en el devenir histórico para redimir su creación y deshacer los indescriptibles daños que Satanás causó con su rebeldía.

B. El cristiano, blanco de los favores divinos (v.6)

La intervención de Dios en el mundo fue con actos redentores. El apóstol habla en Tito 3:4-7 de siete actos redentores: (1) salvación de la condenación; (2) lavamiento de nuestros pecados; (3) regeneración por la vida nueva; (4) renovación al hacer nuevas todas las cosas; (5) derramamiento y llenura del Espíritu Santo; (6) justificación ante el Padre y (7) herencia de la vida eterna. ¡Es imposible describir de una manera exhaustiva todo lo que abarcan estos siete beneficios! ¡Y todos son recibidos gratuitamente porque Dios es (1) bondadoso; (2) amoroso; (3) misericordioso, y 4) lleno de gracia! De manera que hay una hermosa conjugación entre los atributos divinos y sus obras. Los atributos divinos no pueden ser vistos como abstracciones filosóficas, como dilucidaciones académicas, sino como aspectos dinámicos de la Deidad.

III. ALGUNOS DE LOS BENEFICIOS DE SER CRISTIANO (TITO 3:7,8)

A. Por causa de la gracia de Dios (3:7)

Vemos que el creyente es centro de una serie de beneficios cuyo objetivo principal es la reconciliación con Dios. Esta reconciliación es una declaración forense en la cual el hombre ya no es visto por Dios como pecador sino como justo. Ya no hay acusación en su contra porque Dios, valiéndose de la muerte expiatoria de Su Hijo, ve al converso como alguien que nunca hubiese pecado. No queda ya más registro de sus pecados: "Yo soy el que borro tus rebeliones por amor de mí mismo, y no me acordaré de tus pecados" (Isaías 43:25). Por el lado, del hombre hay maldad, pecado, iniquidades; por el lado, de Dios hay, "perdón, olvido…no retuvo para siempre su enojo…se deleita en misericordia…" (Miqueas

7:18,19). Todo este acto salvador lo expone el apóstol Pablo de una manera magistral: "Y todo esto proviene de Dios, quien nos reconcilió consigo mismo por Cristo…" (2 Corintios 5:18,19).

B. Dios hace al hombre bueno y útil (3:8)

Una de las palabras con que los autores del Nuevo Testamento describen el cambio que experimenta quien se convierte a Cristo, es: Transformación. Mateo y Marcos usan esta palabra para describir la transfiguración de Cristo, mientras que el apóstol Pablo la usa para describir el cambio que experimenta la persona al encontrarse con Cristo. El verbo "transformar" que aparece en nuestra Biblia en español, es la traducción del griego "metamorfosis" que describe el ciclo en la formación de una mariposa: huevo, larva, crisálida y mariposa. Esta es la palabra que utiliza el apóstol Pablo para explicar los cambios que suceden en el creyente: "No os conforméis… sino transformaos ("pasen por una experiencia de metamorfosis") por medio de la renovación de vuestra mente para que comprobéis lo que es la voluntad de Dios…" (Romanos 12:2). Una vez que el creyente ha pasado por esa transformación es que queda apto para hacer lo bueno, lo agradable, lo útil y lo que es perfecto.

RESUMEN GENERAL

Estudiamos acerca de lo que significa ser cristiano. Unos creen que significa "ser humano"; otros creen que significa pertenecer a una religión. A esto muchos denominan "creyentes profesantes". Otros que es recibir el bautismo en agua, ya sea de niño o de adulto. Otros piensan que consiste en obtener una Biblia, afiliarse a una iglesia y asistir a ella con regularidad. Pero, enfatizamos que todo esto, aunque útil, no es una descripción correcta. La persona que se rinde a Cristo experimenta beneficios divinos que nadie puede producir más que Dios: 1) Salvación, 2) Lavamiento 3) Regeneración. 4) Renovación. 5) Derramamiento del Espíritu Santo. 6) Justificación. 7) Herencia, ¡La herencia de la vida eterna! ¡Cuán enorme es la dicha de los redimidos! Por esta razón, el apóstol Pablo hace varias veces referencia en su carta a Tito a la importancia que tienen las buenas obras en el diario vivir.

PREGUNTAS

1. ¿Está exento el cristiano de sujetarse a las autoridades civiles?
2. ¿De quién fue la iniciativa en el proceso de salvación de los perdidos?
3. ¿Cuáles son los atributos de Dios que han hecho posible la salvación del mundo?
4. ¿Cuáles son los favores divinos como actos redentores mostrados hacia el pecador?
5. ¿Qué significa la palabra: "Transformación", y como se aplica al creyente?

another time we were… but now we are not anymore!

II. THE ATTRIBUTES OF GOD (TITUS 3:4-6)

A. The intervention of God in the world (3:4,5)

The apostle has made an authentic description of what man is without Christ. First, to draw attention to the need man has of redemption; second, to emphasize God's sovereign intervention with the purpose of redeeming man from his miserable condition. When the apostle says: "But! when the kindness and the love of God our Savior toward man appeared," (v.4), he emphasizes God's initiative in the plan of redemption. God did not prepare the plan of redemption because man asked for it, but in spite of him not requesting it. Man was dead in trespasses and sins; in darkness; in ignorance (Ephesians 2:1; 4:18; 5:8); in gross idolatry; plunged into uncleanness; without any interest in God (Romans 1:23,24,28). "But!," in spite of this antipathy toward God, it pleased Him to intervene in the course of history to redeem His creation and undo the unspeakable damage that Satan caused with his rebellion.

B. Christians, targets of divine favors (v.6)

God's intervention in the world occurred through redemptive acts. The apostle speaks in Titus 3: 4-7 of seven redemptive acts: (1) salvation from condemnation; (2) washing of our sins; (3) regeneration through a new life; (4) renovation by making all things new; (5) pouring and filling of the Holy Spirit; (6) justification before the Father, and (7) inheritance of eternal life. It is impossible to describe in a comprehensive manner everything included in these seven benefits! And all are received free because God is (1) kind; (2) loving; (3) merciful, and (4) and gracious! There is a beautiful conjunction between God's divine attributes and His works. The divine attributes cannot be seen as philosophical abstractions or academic elucidations but as dynamic aspects of the Godhead.

III. SOME OF THE BENEFITS OF BEING A CHRISTIAN (TITUS 3:7,8)

A. Because of God's grace (3:7)

We see that the believer is the recipient of a series of benefits whose main objective is reconciliation with God. This reconciliation is a forensic declaration in which man is no longer viewed by God as a sinner but as righteous. There is no longer an accusation against him because God, through the atoning death of His Son, sees the convert as one who has never sinned. There is no longer record of his sins: "I, even I, am He who blots out your transgressions for My own sake; and I will not remember your sins" (Isaiah 43:25). On man's side there is wickedness, sin, iniquity; on God's side there is, "pardon … passing over the transgression … He

does not retain His anger forever … He delights in mercy …" (Micah 7:18,19). This entire saving act is presented by the Apostle Paul in a masterly manner: "Now all things are of God, who has reconciled us to Himself through Jesus Christ …" (2 Corinthians 5:18,19).

B. God makes man good and useful (3:8)

One of the words the authors of the New Testament use to describe the change in whoever turns to Christ is transformation. Matthew and Mark use this word to describe the transfiguration of Christ, while the Apostle Paul uses it to describe the change that occurs in the person that meets Christ. The verb "transform" that appears in our Bible is the translation of the Greek word "metamorphosis" which describes the butterfly's life cycle: egg, larva, pupa and butterfly. This is the word used by the Apostle Paul to explain the changes that occur in the believer: "Do not be conformed… but be transformed ("go through a metamorphic experience") by the renewing of your mind, that you may prove what is the will of God … " (Romans 12:2). Once the believer has undergone such a transformation, he will be suitable to do what is good and acceptable and useful and perfect.

GENERAL SUMMARY

We studied what it means to be a Christian. Some believe that it means to be a "human being"; others believe it means to belong to a religion. To these, many assign the name "professing believers". Others believe it is to be baptized in water, either as children or as adults. Others believe it consists of obtaining a Bible, joining a church and attending services regularly. However, we emphasize that all this, although useful, is not an accurate description of what it means to be a Christian. The person who surrenders to Christ experiences divine benefits that no one else can produce except God: 1) Salvation, 2) Washing of sins 3) Regeneration. 4) Renewal. 5) Outpouring of the Holy Spirit. 6) Justification. 7) Inheritance. The inheritance of eternal life! How great is the joy of the redeemed! For this reason, the Apostle Paul makes several references in his letter to Titus to the importance of good works in everyday life.

QUESTIONS

1. Is the Christian exempt from submitting to the civil authorities?
2. Who leads the process of salvation of the lost?
3. What are the attributes of God that made the salvation of the world possible?
4. What are the divine favors shown as redemptive acts toward the sinner?
5. What does the word "transformation" mean and how does

LA VERDADERA ADORACIÓN

Base bíblica
Juan 4:23,24; Isaías 6:1-4;
Apocalipsis 1:5,6; 5:9,10

Pensamiento central
La adoración genuina a Dios es el acto más excelso que el ser humano puede ofrecer.

Texto áureo
Dios es Espíritu; y los que le adoran, en espíritu y en verdad es necesario que adoren (Juan 4:24).

Objetivos
Al concluir esta lección serán capaces de:
1. Comprender que la adoración es el acto más excelso que el ser humano puede ofrecer.
2. Analizar cuál es la razón de la adoración.
3. Conocer cuáles son los requisitos de la verdadera adoración.

Fecha sugerida: _____ / _____ / _____

LECTURA BÍBLICA

Juan 4:23 Mas la hora viene, y ahora es, cuando los verdaderos adoradores adorarán al Padre en espíritu y en verdad; porque también el Padre tales adoradores busca que la adoren.
24 Dios es Espíritu; y los que le adoran, en espíritu y en verdad es necesario que adoren.
Isaías 6:1 En el año que murió el rey Uzías, vi yo al Señor sentado sobre un trono alto y sublime, y sus faldas llenaban el templo.
2 Por encima de él había serafines; cada uno tenía seis alas; con dos cubrían sus rostros, con dos cubrían sus pies, y con dos volaban.
3 Y el uno al otro daba voces, diciendo: Santo, santo, santo, Jehová de los ejércitos; toda la tierra está llena de su gloria.

4 Y los quiciales de las puertas se estremecieron con la voz del que clamaba, y la casa se llenó de humo.
Apocalipsis 1:5 Y de Jesucristo el testigo fiel, el primogénito de los muertos, y el soberano de los reyes de la tierra. Al que nos amó, y los lavó de nuestros pecados con su sangre,
6 y nos hizo reyes y sacerdotes para Dios, su Padre; a él sea gloria e imperio por los siglos de los siglos.
Apocalipsis 5:9 Y cantaban un nuevo cántico, diciendo: Digno eres de tomar el libro y de abrir sus sellos; porque tú fuiste inmolado, y con tu sangre nos has redimido para Dios, de todo linaje y lengua y pueblo y nación.
10 y nos has hecho para nuestro Dios reyes y sacerdotes, y reinaremos sobre la tierra.

INTRODUCCIÓN

El impulso de adorar es universal, es congénito en todo ser humano. Todavía no se ha descubierto un grupo étnico donde no haya la tendencia de adorar algo o alguien. Se adora el sol, la luna, las estrellas, las montañas, la vegetación, los animales, la gente, cosas invisibles y visibles. Muchos adoran al diablo y sus fuerzas infernales, otros adoran multitud de dioses (politeísmo) creados por ellos mismos o por sus antepasados o por el mismo diablo. Algo que es típico en la adoración de lo que es falso, es que es motivada por el miedo y no como un acto de amor y gratitud. Muy distinto a la manera como la Biblia indica que se debe adorar a Dios.

DESARROLLO DEL ESTUDIO

I. LOS ADORADORES QUE DIOS BUSCA (JUAN 4:23,24)

A. A quién adora el cristiano (4:23)

Según la conversación del Señor con la mujer samaritana, en la adoración intervienen tres factores fundamentales, a saber: 1) Quién adora; 2) A quién adora, y 3) cómo adora. Por supuesto, el que adora tiene necesariamente que ser un creyente en Cristo, ya que un inconverso no le puede rendir a Dios la adoración correcta. La adoración es rendida a Dios y debe ser hecha en espíritu y en verdad. En primer lugar: "A quién adora el cristiano". Adora a Dios Padre, Hijo y Espíritu Santo. Es el Dios revelado en las Escrituras, creador de todas las cosas, visibles e invisibles. Es el Dios que la Biblia describe con varios atributos y nombres que revelan su naturaleza, características, obras y plan redentor. Para poderlo adorar correctamente, es imprescindible conocerlo y haber tenido una experiencia personal con Él.

B. Quién adora (4:24)

Nadie puede adorar debidamente a Dios sin tener una experiencia personal de salvación. Dios únicamente la acepta de aquellos que le adoran en espíritu y en verdad, y no meramente por costumbre. Según los cantos que se encuentran en el libro de Revelación, los que adoran a Dios, son seres redimidos, por ejemplo: "Al que nos amó, y nos lavó de nuestros pecados con su sangre…, y nos has redimido para Dios…", (Apocalipsis 5:9,10). El adorante es una persona que tiene conciencia de quién es Dios, que ha tenido experiencias personales con Él por las cuales se siente agradecido. Quien no sabe quién es Dios, no puede ofrecerle una adoración debida. Sin una experiencia personal

2 BIBLE STUDY

TRUE WORSHIP

Biblical foundation
John 4: 23,24; Isaiah 6:1-4;
Revelation 1:5,6; 5:9,10

Objectives
Upon completion of this study,
you will be able to:
1. Comprehend that worship is the loftiest act a human being can offer.
2. Analyze the reason behind worship.
3. Know the requirements for true worship.

Suggested date: _____ / _____ / _____

Main idea
Genuine worship of God is the loftiest act a human being can offer.

Golden verse
God is Spirit, and those who worship Him must worship in spirit and truth (John 4:24).

RESPONSIVE READING

Juan 4:23 But the hour is coming, and now is, when the true worshipers will worship the Father in spirit and truth; for the Father is seeking such to worship Him.
24 God is Spirit, and those who worship Him must worship in spirit and truth."
Isaiah 6:1 In the year that King Uzziah died, I saw the Lord sitting on a throne, high and lifted up, and the train of His robe filled the temple.
2 Above it stood seraphim; each one had six wings: with two he covered his face, with two he covered his feet, and with two he flew.
3 And one cried to another and said: "Holy, holy, holy is the Lord of hosts; the whole earth is full of His glory!"

4 And the posts of the door were shaken by the voice of him who cried out, and the house was filled with smoke.
Revelation 1:5 and from Jesus Christ, the faithful witness, the firstborn from the dead, and the ruler over the kings of the earth. To Him who loved us and washed us from our sins in His own blood,
6 and has made us kings and priests to His God and Father, to Him be glory and dominion forever and ever. Amen.
Revelation 5:9 And they sang a new song, saying: "You are worthy to take the scroll, and to open its seals; for You were slain, and have redeemed us to God by Your blood out of every tribe and tongue and people and nation,
10 And have made us kings and priests to our God; and we shall reign on the earth."

INTRODUCTION

The impulse to worship is universal, inborn in every human being. An ethnic group where there is no tendency to worship something or someone is yet to be discovered. The sun, moon, stars, mountains, vegetation, animals, people, visible and invisible things are all worshiped. Many worship the devil and his evil forces; others worship multiple gods (polytheism) created by themselves, their ancestors or the devil himself. Something that is typical in the worship of false things is that it is motivated by fear and is not done as an act of love and gratitude. This is very different from the way the Bible indicates that God should be worshiped.

STUDY DEVELOPMENT

I. THE WORSHIPERS GOD SEEKS (JOHN 4:23,24)

A. Who does the Christian worship? (4:23)

According to the Lord's conversation with the Samaritan woman, worship involves three key factors, namely: 1) The person who worships; 2) The one who is being worshipped, and 3) how worship is being done. Of course, the person who worships must be a believer in Christ, as an unbeliever cannot give God proper worship. Worship is rendered to God and it should be done in spirit and in truth. First: "Who does the Christian worship?" He worships God the Father, the Son and the Holy Spirit. It is the God revealed in Scripture, Creator of all things, visible and invisible. He is the God that the Bible describes with various attributes and names that reveal His nature, characteristics, works, and redemptive plan. To properly worship Him, it is essential to know Him and to have had a personal experience with Him.

B. Those who worship (4:24)

No one can worship God properly without having a personal experience of salvation. God accepts only those who worship Him in spirit and in truth, not merely out of habit. According to the songs found in the book of Revelation, those who worship God have been redeemed, for example: "To Him who loved us, and washed us from our sins in His blood ... and has redeemed us to God ..." (Revelation 1:5; 5:9). The worshiper is a person who is aware of who God is, a person who has had a personal experience with Him for which he is grateful. He who does not know who God is cannot give proper worship to Him. Without a personal experience with God, worship is imitation without feeling, a

con Dios, la adoración es un remedo sin sentimiento, es un acto de imitación porque ve que otros lo hacen. Lo hará como un acto de temor o necesidad, pero no de amor y de gratitud.

II. UNA VISIÓN MARAVILLOSA (ISAÍAS 6:1-4)

A. Los componentes de la adoración (6:1,2)

En la visión que tuvo Isaías se nos describe un ambiente celestial, divino, angelical, saturado de adoración y alabanza a Dios. ¿Qué lecciones se derivan de esta majestuosa visión? (1) Dios merece toda la honra. El que honra a Dios, necesariamente se siente admirado de quién es Dios; sus obras le impresionan y le obligan a pensar en su grandeza. (2) El adorador debe tener una vida limpia. Aquel cuya vida no es recta para con Dios, debe arrepentirse, pedirle perdón y humillarse en su presencia: una vez que haya sentido el perdón de Dios, entonces, sí debe adorarlo. (3) Debe haber el deseo de estar más cerca de Dios. Quien no adora, quien no alaba, quien no ora, quien no estudia la Biblia, da a entender que su relación con Él no es una prioridad. (4) La adoración debe preceder a la alabanza. Ninguna alabanza puede ser ofrecida a Dios, a menos que el que alaba, primero le adore.

B. La adoración conduce a la obediencia y al servicio (6:3,4)

Los seres que mejor adoran a Dios son los ángeles. Lo interesante es que la palabra "ángel" significa "mensajero". Los ángeles son ministros de Dios, y así lo deben ser los que adoran a Dios. Adoración sin obediencia y servicio, no es adoración. El profeta Isaías no solamente vio a los serafines adorar a Dios y escuchó lo que decían, sino que además sintió el toque santificador que lo hizo decir: "He aquí, envíame a mí" (Isaías 6:8). Es que en un ambiente de genuina adoración, se escucha la voz de Dios y el adorador es impulsado a la obediencia y al servicio. Ahora, es importante enfatizar, que la adoración y la oración privada preceden a la adoración y oración pública. Las cosas de Dios que ocurren en el culto cristiano cuando la iglesia se reúne, son una prolongación de lo que sucede en la vida privada de los creyentes.

III. RAZONES PARA ADORAR A DIOS (APOCALIPSIS 1:5,6; 5:9,10)

A. Porque nos lavó de nuestros pecados (1:5,6)

Según el primer canto de los veintiuno que encontramos en el libro de Apocalipsis, todos los beneficios por los cuales los creyentes deben adorar se derivan del amor de Dios: "Al que nos amó…" (1:5). Este es el preámbulo y base de todos los himnos con que los creyentes adoran a Dios. Si hubiera una sola razón por la cual los creyentes deberían adorarlo, esa sería por su amor. Es por causa de su amor que prolonga su misericordia hacia los suyos: "Con amor eterno te he amado; por tanto, te prolongué mi misericordia" (Jeremías 31:3). ¿Y cómo se expresó el amor de Dios en su pueblo,

según el apóstol Juan? ¡Lavándolo de sus pecados! ¿Y por qué existe la necesidad de ser lavados de nuestros pecados? Porque en el cielo no entrará ninguna cosa inmunda o que hace abominación: (Apocalipsis 21:27). Por esto el rey David expresó: "Lávame más y más de mi maldad, y límpiame de mi pecado" (Salmo 51:2).

B. Por las muchas cosas que Él hizo en nosotros (Apocalipsis 5:9,10)

Este pasaje (5:9,10), contiene el cuarto canto de los veintiún que se encuentran en este libro. Los adorador mencionan las razones por las cuales elevan sus alabanzas, a saber: (1) "porque tú fuiste inmolado", el verbo "inmolar" significa, "sacrificar una víctima". Él puso su vida como sacrificio para darnos vida; (2) porque "con tu sangre nos has redimido para Dios". "Redimir" significa: "Rescatar o sacar de esclavitud al cautivo mediante precio"; "Comprar de nuevo algo que se había vendido, poseído o tenido por alguna razón o título"; (3) "y nos has hecho para nuestro Dios reyes y sacerdotes", por la muerte de Cristo, los creyentes son convertidos en reyes y sacerdotes, (4) "y reinaremos sobre la tierra". A continuación Juan narra que vio a millones de millones alrededor del trono de Dios, "que decían a gran voz: El Cordero que fue inmolado es digno de tomar el poder, las riquezas, la sabiduría, la fortaleza, la honra, la gloria y la alabanza" (5:12). ¡Qué cuadros tan impresionantes!

RESUMEN GENERAL

En nuestro estudio tratamos el tema "La Verdadera Adoración". Se utilizó intencionalmente el adjetivo "verdadera" porque hay adoraciones que son falsas, que son por costumbre o por simple imitación. Por ejemplo, no podemos llamar verdadera adoración las prácticas religiosas dentro del paganismo. Mucho de lo que en el paganismo se tiene como deidades, no son otra cosa más que demonios. Lo afirmó el apóstol Pablo en su primera carta a los corintios: "Antes digo que lo que los gentiles sacrifican, a los demonios lo sacrifican, y no a Dios…" (10:20). El cristiano puede incurrir en una seria falta al no adorar en la forma debida. En este caso, no solamente su adoración será nula, sino además, ofensiva a Dios. Para ofrecer la adoración correcta es imprescindible tener conocimiento de Dios: sus atributos y sus obras, y haber tenido una experiencia personal con Él.

PREGUNTAS

1. Mencione los elementos que provocan una verdadera adoración a Dios.
2. ¿Qué componentes para la adoración se desprenden de la experiencia del profeta Isaías?
3. ¿Cuál es la consecuencia dentro de un ambiente de genuina adoración?
4. ¿Qué se entiende por "inmolar" y "redimir"?
5. ¿Por qué es importante la santidad en la adoración?

simulated act done because others do it. It is done as an act of fear or necessity, not out of love and gratitude.

II. A WONDERFUL VISION (ISAIAH 6:1-4)

A. The components of worship (6:1,2)

The vision Isaiah had described a heavenly, divine, and angelic atmosphere saturated with worship and praise to God. What lessons can be derived from this majestic vision? (1) God deserves all honor. He who honors God is in awe of who God is; His works amaze him and force him to think of His greatness. (2) The worshiper must have a clean life. He whose life is not right with God must repent, ask for forgiveness and humble himself in His presence. Once he senses God's forgiveness, then yes, he must worship. (3) There must be a desire to be closer to God. He who does not worship, does not praise, does not pray, or does not study the Bible suggests that his relationship with God is not a priority. (4) Worship must precede praise. No praise can be offered to God unless he who praises Him worships Him first.

B. Worship leads to obedience and service (6:3,4)

The beings who best worship God are the angels. Interestingly, the word "angel" means "messenger." Angels are God's ministers, and those who worship God should be the same. Worship without obedience and service is not worship. The prophet Isaiah not only saw the seraphim worshipping God and heard what they said, he also felt the sanctifying touch that made him say: "Here am I! Send me" (Isaiah 6:8). In an environment of genuine worship God's voice can be heard and the worshiper is lead to obedience and service. Now, it is important to emphasize that private worship and prayer precede public worship and prayer. The things of God that happen in Christian worship when the church comes together are an extension of what happens in the private lives of believers.

III. REASONS TO WORSHIP GOD (REVELATION 1:5,6; 5:9,10)

A. Because He washed us from our sins (1:5,6)

According to the first of the twenty-one songs we find in the book of Revelation, all benefits for which believers should worship stem from the love of God, "To Him who loved us ..." (1:5). This is the preamble and foundation of all the hymns with which believers worship God. If there was only one reason why believers should worship Him, it would be His love. It is His love that extends mercy to His people: "I have loved you with an everlasting love; therefore, with loving-kindness I have drawn you" (Jeremiah 31:3). And how was the love of God expressed in His people, according to the Apostle John?

By washing them from their sins! And why is there the need to be washed from our sins? Because anything that is unclean or that causes abomination will never enter heaven (Revelation 21:27). That is the reason King David said: "Wash me thoroughly from my iniquity, and cleanse me from my sin" (Psalm 51:2).

B. For the many things He did in us (Revelation 5:9,10)

This passage (5:9,10), contains the fourth of the twenty-one songs that are in this book. The worshipers mentioned the reasons why they raise their praises, namely: (1) "for You were slain," the verb "slain" means "to sacrifice a victim." He laid down his life as a sacrifice to give us life; (2) because "by Your blood You have redeemed us for God." To "redeem" means "to rescue or set the captive free from slavery by price", "to buy back something that had been sold, or was previously owned for some reason or title"; (3) because You "have made us kings and priests to our God". Through the death of Christ believers are turned into kings and priests; and (4) because "we shall reign on the earth." Then John tells that he saw millions of millions around the throne of God, "saying with a loud voice: Worthy is the Lamb who was slain to receive power and riches and wisdom, and strength and honor and glory and blessing!" (5:12). What an impressive picture!

GENERAL SUMMARY

In our study we addressed the theme of "True Worship". The adjective "true" was used intentionally because there is false worship, which is out of habit or simply by imitation. For example, we cannot call pagan religious practices true worship. Much of what pagans consider to be deities are nothing more than demons. The apostle Paul said in his first letter to the Corinthians: " Rather, that the things which the Gentiles sacrifice they sacrifice to demons and not to God..." (10:20). A Christian can commit a serious mistake by not worshipping correctly. In that case, his worship will not only be worthless, but also offensive to God. In order to give the correct worship, it is essential to have knowledge of God, His attributes and His works, and to have had a personal experience with Him.

QUESTIONS

1. List the elements that cause true worship.
2. What components of worship emerge from the experience of the prophet Isaiah?
3. What is the result of an atmosphere of genuine worship?
4. What does it mean to "slain" and to "redeem"?
5. Why is holiness important in worship?

EL CRISTIANO Y LA HONRADEZ

ESTUDIO BÍBLICO 3

Pensamiento central
La honradez es una de las muchas cualidades que debe poseer quien profesa ser cristiano.

Texto áureo
No debáis a nadie nada, sino el amaros los unos a otros; porque el que ama al prójimo, ha cumplido la ley"
(Romanos 13:8).

Base bíblica
Romanos 13:7-14

Objetivos
A través de este estudio estarán capacitados para:
1. Identificarse con las virtudes que acompañan a la salvación.
2. Conocer las virtudes de las cuales habla la Biblia.
3. Esforzarse en tener en su vida dichas virtudes.

Fecha sugerida: _____ / _____ / _____

LECTURA BÍBLICA

Romanos 13:7 Pagad a todos lo que debéis: al que tributo, tributo; al que impuesto, impuesto; al que respeto, respeto; al que honra, honra.
8 No debáis a nadie nada, sino el amaros unos a otros; porque el que ama al prójimo, ha cumplido la ley.
9 **Porque: No adulterarás, no matarás, no hurtarás, no dirás falso testimonio, no codiciarás, y cualquier otro mandamiento, en esta sentencia se resume: Amarás a tu prójimo como a ti mismo.**
10 El amor no hace mal al prójimo; así que el cumplimiento de la ley es el amor.

11 Y esto, conociendo el tiempo, que es ya hora de levantarnos del sueño; porque ahora está más cerca de nosotros nuestra salvación que cuando creímos.
12 La noche está avanzada, y se acerca el día. Desechemos, pues, las obras de las tinieblas, y vistámonos las armas de la luz.
13 Andemos como de día, honestamente; no en glotonerías y borracheras, no en lujurias y lascivias, no en contiendas y envidia.
14 sino vestíos del Señor Jesucristo, y no proveáis para los deseos de la carne.

INTRODUCCIÓN

El haber sido redimido por la sangre de Cristo constituye al cristiano en una persona especial. Ya no pertenece al mundo ni a los intereses que predominan en él, ya no es siervo de Satanás ni del pecado ni de su carne. Estos ya no tienen influencia ni control sobre su vida. Ahora es hijo de Dios, ya que solamente los redimidos son llamados así en la Biblia (Juan 1:12). "Hijo de Dios" en la Biblia, no es un título sino una realidad concreta, un estilo de vida. La ciudadanía del creyente está en el cielo (Filipenses 3:20), ahora Dios es su rey, y es miembro de su reino. Por lo tanto, hay ciertas características muy especiales que le dan una identidad muy particular (1 Pedro 2:9,10).

I. EL CRISTIANO Y SUS DEUDAS (ROMANOS 13:7,8)

A. El cristiano debe pagar lo que debe (13:7)

Por supuesto, que no solamente los cristianos deben pagar sus deudas: todo el mundo debe hacerlo. Pero como el apóstol se está dirigiendo directamente a los cristianos les recuerda que deben ser un ejemplo en todas las áreas de la vida. Una persona que confiesa ser cristiana, y actúa en contra de los principios más elementales de la conducta humana, pondrá en cuestionamiento lo que profesa ser. Es imposible ser obediente y depositario de las cosas del Espíritu si en las materiales somos desobedientes e irresponsables. El cristiano es alguien que cumple con las leyes básicas que Dios ha diseñado para el bienestar de la raza humana. Muchos aspiran tener dones espirituales, pero fallan en las reglas cívicas. Nadie puede ser espiritual, si es mala paga, tramposo, ventajoso. El problema de mucha gente no cristiana y aun de ateos, no es tanto Dios ni la Biblia, sino la conducta condenable de los que se denominan cristianos.

B. La única deuda que el cristiano debe tener es el amor (13:8)

Las palabras "No debáis a nadie nada" están en el modo imperativo: no son un consejo, una sugerencia, una recomendación: son una orden enfática: "¡No debáis a nadie nada!". El mundo occidental lo constituye una sociedad de consumo: de compra y venta. Y los anuncios comerciales incitan a la población a comprar y comprar lo que en la mayoría de los casos no necesita. Por lo tanto, viven endeudados. Pero para el cristiano, hay algo eminentemente superior a las deudas financieras. La gran deuda de amor que tiene con sus semejantes. Después del amor a Dios, viene el amor al prójimo: "Amarás a tu prójimo como a ti mismo" (Mateo 22:39). ¡Cuánto más a los hermanos en Cristo! Y el apóstol dio una poderosa razón para este mandato: "Porque el que ama al prójimo, ha cumplido la ley". ¡Quien ama al prójimo siempre lo bendecirá y nunca lo perjudicará!

3 BIBLE STUDY

CHRISTIANS AND HONESTY

Biblical foundation
Romans 13: 7-14

Objectives
Upon completion of this study,
you will be able to:
1. Identify the virtues that accompany salvation.
2. Know the virtues of which the Bible speaks.
3. Strive to have these virtues in their lives.

Main idea
Honesty is one of the many qualities that a person who professes to be a Christian should have.

Golden verse
"Owe no one anything except to love one another, for he who loves another has fulfilled the law" (Romans 13:8).

Suggested date: _____ / _____ / _____

RESPONSIVE READING

Romans 13:7 Render therefore to all their due: taxes to whom taxes are due, customs to whom customs, fear to whom fear, honor to whom honor.
8 Owe no one anything except to love one another, for he who loves another has fulfilled the law.
9 For the commandments, "You shall not commit adultery," "You shall not murder," "You shall not steal," "You shall not bear false witness," "You shall not covet," and if there is any other commandment, are all summed up in this saying, namely, "You shall love your neighbor as yourself."
10 Love does no harm to a neighbor; therefore love is the fulfillment of the law.
11 And do this, knowing the time, that now it is high time to awake out of sleep; for now our salvation is nearer than when we first believed.
12 The night is far spent, the day is at hand. Therefore let us cast off the works of darkness, and let us put on the armor of light.
13 Let us walk properly, as in the day, not in revelry and drunkenness, not in lewdness and lust, not in strife and envy.
14 But put on the Lord Jesus Christ, and make no provision for the flesh, to fulfill its lusts.

INTRODUCTION

The fact of been redeemed by the blood of Christ makes of the Christian a special person. He no longer belongs to the world and the interests prevailing in it, he is no longer a servant of Satan nor of sin nor of his own flesh. These things have no influence or control over his life. Now he is a child of God; only the redeemed are called that in the Bible (John 1:12). In the Bible, being a "child of God" is not a title but a concrete reality, a way of life. The citizenship of the believer is in heaven (Philippians 3:20), God is now his king, and he is a member of His kingdom. Therefore, there are certain special features that give him a very particular identity (1 Peter 2:9,10).

STUDY DEVELOPMENT

I. THE CHRISTIAN AND HIS DEBTS (ROMANS 13:7,8)

A. A Christian must pay what he owes (13:7)

Of course, not only Christians should pay their debts: everyone should. But since the apostle is talking directly to Christians, he reminds them to be an example in all areas of life. A person who confesses to be a Christian and acts contrary to the most basic principles of human behavior will put into question what he professes to be. It is impossible to be obedient and be a recipient of the things of the Spirit if we are disobedient and irresponsible with material things. The Christian is someone who meets the basic laws that God has designed for the welfare of the human race. Many aspire to have spiritual gifts but fail to keep civic rules. No one can be spiritual if he is a bad payer, a cheater, an unscrupulous person. The problem for many non-Christians and even atheists is not so much God or the Bible but the reprehensible conduct of those who call themselves Christians.

B. The only debt a Christian should owe is love (13:8)

The words "Owe no one anything," are in the imperative mood: they are not an advice, a suggestion, or a recommendation; they are an emphatic command: "Owe no one anything!" The western world is a consumer society: one of buying and selling. Advertising encourages people to buy and buy what in most cases they do not need. Therefore, people are living indebted. But for Christians there is something exceedingly superior to financial debts: the great debt of love they have for their fellowmen. Second to loving God comes loving our neighbor, "You shall love your neighbor as yourself" (Matthew 22:39). How much more the brothers and sisters in Christ! And the apostle gave a powerful reason for this mandate: "For he who loves another has fulfilled the law." He who loves his neighbor will always bless him and will never hurt him!

II. EL CRISTIANO Y SU PRÓJIMO (ROMANOS 13:9,10)

A. Debe amarlo como a sí mismo (13:9)

El apóstol Pablo afirma que el amor al prójimo es el cumplimiento de la ley mosaica, que de esta manera la ley se resume en una "sentencia": "… amarás a tu prójimo como a ti mismo" (Levítico 19:18). Esto es, quien ama a su prójimo, obviará los otros mandamientos, pues no cometerá las ofensas que en ellos se indican. Martín Lutero dijo, al comentar el fruto del Espíritu Santo, que consta de nueve características (Gálatas 5:22-24): "Hubiera sido suficiente que Pablo dijera que el fruto del Espíritu es amor, porque donde hay amor las demás características, necesariamente, tienen que existir". El apóstol hace referencias abreviadas a cinco mandamientos del Decálogo en el v.9, todos estos mandamientos se resumen en una sola palabra o un solo mandamiento: "Amarás a tu prójimo como a ti mismo". Con cuánta razón escribió el apóstol Pablo: "Y sobre todas las cosas vestíos de amor, que es el vínculo perfecto" (Colosenses 3:14).

B. El amor es el cumplimiento de la ley (Romanos 13:10)

En los versículos anteriores el apóstol afirma lo que hace el amor; en el v.10 enfatiza lo que no hace: "El amor no hace mal al prójimo". El amor, por un lado, es un torrente de bendiciones; por el otro, es un dique que retiene males para que no lleguen al prójimo. Además, el amor no puede ser neutro, para que alguien pueda decir "yo no le hago mal ni bien a nadie". Porque uno de los peores males es no manifestar el amor, y el amor se manifiesta haciendo cosas buenas. El no expresar amor al prójimo, es hacerle un gran daño. Si un salvavidas se niega darle el chaleco que puede salvar a un náufrago, y este se ahoga, sería como si lo hubiera matado; si uno que trabaja en un faro a la orilla del mar, y por desidia no lo enciende al caer la noche, un barco puede naufragar, no por lo que hizo el farolero, sino por lo que no hizo. Muchos creyentes pecan, no porque hacen lo malo, sino porque no hacen lo bueno.

III. OBLIGACIONES DEL CRISTIANO (ROMANOS 13:11-14)

A. Desechar lo malo (13:11,12)

Una de las acusaciones que el Señor lanzó a los fariseos y saduceos fue que sabían distinguir el aspecto del cielo para poder pronosticar si habría un buen o mal día, pero la señales de los tiempos de Dios no las sabían distinguir (Mateo 16:1-3). El conocimiento personal de Dios, de Su Palabra, la condición espiritual de uno y de la iglesia, y también de los tiempos en que se vive, es fundamental para la vida cristiana. Con este tema, el apóstol inicia el v.11 diciéndoles, que es ya tiempo de: "levantarse del sueño". La palabra "sueño" tiene un sentido espiritual. Sueño es algo que uno siente porque tiene vida, pero que lo mantiene inactivo e improductivo. Un cristiano soñoliento es uno que ha experimentado la salvación pero continúa como bebé en la fe. No se da cuenta de las cosas; carece de discernimiento, de información sólida, de intuición en las cosas de Dios. De este tipo de sueño, muchos padecen en la iglesia y las cosas no cambiarán hasta que se levanten del letargo en que se encuentran sumidos.

B. Procurar lo bueno (13:13,14)

El apóstol empieza el v.12 diciendo "la noche está avanzada", y luego, el 13 lo empieza con las palabras: "Andemos como de día". La noche a la que se refiere es el tiempo en que vivían, uno de oscuridad, pero en medio de esa oscuridad estaban en la expectativa de la Venida de Cristo: ¡Ese era el "día" esperado! Prevalecía la oscuridad, que desaparecerá cuando venga el Señor. Aunque se encontraban en un tiempo de oscuridad, la orden era "andar como de día". Aunque nos rodean las tinieblas, podemos vivir como si fuera de día. "Porque en otro tiempo erais tinieblas, mas ahora sois luz en el Señor; andad como hijos de luz" (Efesios 5:8). Que el cristiano viva en un mundo de tinieblas no es una razón para que se confunda con ellas, sino para que las disipe con el impulso de su esplendor. Por lo tanto, el cristiano debe despertarse, levantarse de entre los muertos, y dejar que Cristo lo alumbre para que alumbre a otros (Efesios 5:14).

RESUMEN GENERAL

La honradez es una cualidad inseparable de la vida en Cristo. Equivale a rectitud e integridad. Sin estas, es imposible que ningún profesante sea realmente cristiano. Será un cristiano nominal, porque se requiere mucho más que profesar verbalmente la vida cristiana, ya que el Señor Jesucristo dijo: "No todo el que me dice: ¡Señor!, ¡Señor! entrará en el reino de los cielos, sino el que hace la voluntad de mi Padre que está en los cielos". Una manera de probar la honradez es pagando lo que uno debe. El Señor, por medio de Su apóstol nos dice: "No debáis a nadie nada". Principalmente con los compromisos que se tienen con las autoridades civiles uno tiene que ser honrado. Por ser ciudadano o residente de un país, uno tiene compromisos que debe cumplir con ellos ya que los gobiernos son instituidos por Dios para el bienestar de la ciudadanía. Como ciudadano o residente de un país, el cristiano debe obedecer las leyes, siempre y cuando sean conforme a las de Dios.

PREGUNTAS

1. ¿Cuál es la única deuda que debería tener todo cristiano?
2. ¿Por qué dice el apóstol Pablo que el que ama ha cumplido la ley?
3. ¿A quién representa un cristiano soñoliento?
4. ¿Cuál es la responsabilidad del cristiano con las instituciones civiles de un país?
5. ¿Qué es lo que hace que muchas personas no quieran saber de Dios, ni de la Biblia?

II. THE CHRISTIAN AND HIS NEIGHBOR (ROMANS 13:9,10)

A. He must love him as himself (13:9)

The apostle Paul says that loving our neighbor is the fulfillment of the Mosaic law, so the law is summarized in a "sentence": "... you shall love your neighbor as yourself" (Leviticus 19:18). That is, he who loves his neighbor will obviate the other commandments, for he will not commit the offenses listed therein. Martin Luther said, commenting on the fruit of the Holy Spirit, which consists of nine characteristics (Galatians 5:22-24): "It would have been enough to mention only the single fruit of love, for love embraces all the fruits of the Spirit." In verse 9, the apostle makes a short reference to five of the Ten Commandments. All these commands are summarized in a single word or a single commandment: "You shall love your neighbor as yourself." How right was the apostle Paul when he wrote: "But above all these things put on love, which is the bond of perfection" (Colossians 3:14).

B. Love is the fulfilling of the law (Romans 13:10)

In the preceding verses the apostle declares what love does; in verse 10 he emphasizes what it does not: " Love does no harm to a neighbor." On the one hand, love is a torrent of blessings; on the other hand, it is a dam that holds evil from reaching others. Moreover, love cannot be neutral, so that someone could say "I do not bless or harm anyone." One of the worst evils is to not show love, and love is shown by doing good things. Failure to express love for others is to do great harm. If a lifeguard refuses to give a shipwrecked survivor a life vest that could save him, and the man drowns, it would be as if he had killed the man himself. If the keeper of a lighthouse by the edge of the sea neglects to turn the light on at dusk, a boat could be shipwrecked, not because of what the lighthouse keeper did, but because of what he did not do. Many believers sin not because they do evil, but because they do not do good.

III. OBLIGATIONS OF A CHRISTIAN (ROMANS 13:11-14)

A. Discard the bad (13:11,12)

One of the accusations that the Lord brought upon the Pharisees and Sadducees was that they were able to discern whether it would be a good or bad day by the appearance of the sky, but they were not able to distinguish God's signs of the times (Matthew 16:1-3). Having personal knowledge of God, of His Word, of our spiritual condition as well as that of the church, and of the times in which we live, is essential to the Christian life. On this subject, the apostle begins v.11 by saying that it is high time, "to awake out of sleep." The word "sleep" has a spiritual meaning. Sleepiness is something we feel because we are alive, but it keeps us inactive and unproductive. A sleepy Christian is one who has experienced salvation but continues to be a baby in the faith. He does not notice things and lacks discernment as well as solid information and insight into the things of God. Many in the church suffer from this type of sleep, and things will not change until they get out of the lethargy in which they are immersed.

B. Seek what is good (13:13,14)

The apostle begins v.12 by saying "the night is far spent," and starts v.13 with the words: "Let us walk properly, as in the day." The night to which he refers is the time in which they lived, one of darkness, but amid that darkness they were expecting the coming of Christ: That was the awaited "day"! Prevailing darkness will disappear when the Lord comes. Although they were in a time of darkness, the order was to "walk properly, as in the day." Although darkness surrounds us, we can live as if it were day. "For you were once darkness, but now you are light in the Lord; walk as children of light" (Ephesians 5:8). The fact that Christians lives in a world of darkness is not a reason for them to be confused with it, but for them to remove the darkness with an outburst of the splendor of Christ in them. Therefore, Christians must awaken, rise from the dead, and let Christ shine His light on them in order to light others (Ephesians 5:14).

GENERAL SUMMARY

Honesty is a quality that is inseparable from a life in Christ. It is equivalent to righteousness and integrity. Without these, it is impossible for any professing believer to really be a Christian. They can only be nominal Christians since much more than simply verbally professing the Christian life is required of the real Christian, as the Lord Jesus said, "Not everyone who says to Me, 'Lord, Lord,' shall enter the kingdom of heaven, but he who does the will of My Father in heaven." One way to demonstrate honesty is to pay what we owe. The Lord, through His apostle, says to us, "Owe no one anything." We must be honest, especially in our commitments with civil authorities. As citizens/residents of a country we must fulfill our commitments to them because governments are instituted by God for the welfare of the public. As citizens/residents of a country, Christians must obey the laws, provided they are in accordance with God's.

QUESTIONS

1. What is the only debt that every Christian should have?
2. Why does the apostle Paul say that he who loves has fulfilled the law?
3. Who does a sleepy Christian represent?
4. What is the Christian's responsibility to the civil institutions of a country?
5. What is it that makes many people not want to know of God or the Bible?

LA VERACIDAD, UNA CARACTERÍSTICA CRISTIANA

ESTUDIO BÍBLICO 4

Base Bíblica
Proverbios 8:7; 12:17; 23:23; Juan 8:32,44;
Efesios 4:25; Colosenses 3:5-10

Objetivos
Por medio del presente estudio podrán:
1. Recordar que la mentira es severamente condenada en la Biblia.
2. Comprender claramente que la mentira y el hombre nuevo en Cristo son irreconciliables.
3. Rechazar la práctica de la mentira para no asociarnos al diablo, quien es padre de toda mentira (Juan 8:44).

Pensamiento central
La veracidad en el creyente es una prueba de estar en Cristo, porque Cristo es la verdad.

Texto áureo
No mintáis los unos a los otros, habiéndoos despojado del viejo hombre con sus hechos (Colosenses 3:9).

Fecha sugerida: _____ / _____ / _____

Proverbios 8:7 Porque mi boca hablará verdad, y la impiedad abominarán mis labios.
12:17 El que habla verdad declara justicia; mas el testigo mentiroso, engaño.
23:23 Compra la verdad y no la vendas; la sabiduría, la enseñanza y la inteligencia.
Juan 8:32 Y conoceréis la verdad, y la verdad os hará libres.
8:44 Vosotros sois de vuestro padre el diablo, y los deseos de vuestro padre queréis hacer. El ha sido homicida desde el principio, y no ha permanecido en la verdad, porque no hay verdad en él. Cuando habla mentira, de suyo habla; porque es mentiroso, y padre de mentira.
Efesios 4:25 Por lo cual, desechando la mentira, hablad verdad cada uno con su prójimo; porque somos miembros los unos de los otros.

Colosenses 3:5 Haced morir, pues, lo terrenal en vosotros: fornicación, impureza, pasiones desordenadas, malos deseos y avaricia que es idolatría;
6 cosas por las cuales la ira de Dios viene sobre los hijos de desobediencia,
7 en las cuales vosotros también anduvisteis en otro tiempo cuando vivías en ellas.
8 Pero ahora dejad también vosotros todas estas cosas: ira, enojo, malicia, blasfemia, palabras deshonestas de vuestra boca.
9 No mintáis los unos a los otros, habiéndoos despojado del viejo hombre con sus hechos,
10 y revestido del nuevo, el cual conforme a la imagen del que lo creó se va renovando hasta el conocimiento pleno.

INTRODUCCIÓN

En el estudio anterior se trató el tema de la honradez, pero esta no puede existir si no hay veracidad. La veracidad es la verdad puesta en acción. La verdad puede ser un asunto intelectual, doctrinal, teológico y aun filosófico; pero la veracidad es algo de comportamiento, de conducta, de relaciones humanas. Hasta cierto punto, la verdad puede ser teórica; pero la veracidad es práctica. El mundo busca la verdad, pero no la veracidad. Decimos que El Evangelio es la "verdad" (Juan 8:32); que Cristo es la "verdad" (Juan 14:6); Espíritu Santo es el Espíritu de "verdad" (Juan 16:13). Sin embargo, omitimos que todos estos elementos de la verdad son para producir veracidad en los profesantes.

DESARROLLO DEL ESTUDIO

I. LA VERDAD SIEMPRE VA ACOMPAÑADA DE OTRAS VIRTUDES (PROVERBIOS 8:7; 12:17; 23:23)

A. Donde hay veracidad, hay sabiduría (Proverbios 8:7)

El libro de Proverbios, más que un libro poético, es un libro sapiencial, un libro relacionado con la sabiduría. Pero la sabiduría entre los judíos era entendida de una manera muy distinta a la de los griegos. Entre los griegos, la sabiduría giraba alrededor del universo y el origen y contenido de las cosas. Entre los judíos, la sabiduría giraba alrededor de Dios y las cosas prácticas de la vida. Entre los griegos, la sabiduría era la acumulación de conocimientos; entre los judíos, era temor de Dios y conducta recta. En el capítulo 8, la sabiduría es personificada y se dirige a voces a las gentes a fin de que la adquieran. Pero la sabiduría es compañera inseparable de la verdad. Si tuviéramos más amor por la verdad, fuéramos mucho más sabios al estilo bíblico. Pero sobre todo encontraremos la verdadera vida y alcanzaremos el favor de Dios.

B. Algunas virtudes que acompañan a la verdad (12:17; 23:23)

Una de las leyes infalibles de la Biblia es que ninguna virtud va sola, como también ningún pecado. Donde hay una virtud, se encontrarán otras; donde hay vicios, se hallarán otros más. Nadie es víctima de un solo pecado, y nadie es portador de una sola buena acción. En el caso de la verdad, hallamos en la Biblia que en muchos pasajes se la asocia con otros dones que proceden de Dios y que son compatibles con ella. Es imposible que la verdad transija con la mentira, el

4 BIBLE STUDY

TRUTHFULNESS, A CHRISTIAN TRAIT

Biblical foundation
Proverbs 8:7; 12:17; 23:23; John 8:32,44;
Ephesians 4:25; Colossians 3:5-10

Objectives
Upon completion of this study, you will be able to:
1. Remember that lying is severely condemned in the Bible.
2. Clearly understand that lying and the new man in Christ are incompatible.
3. Reject the practice of lying so as to not be associated with the devil, who is the father of lies (John 8:44).

Suggested date: _____ / _____ / _____

Main idea
Truthfulness in the believer is proof of being in Christ, because Christ is truth.

Golden verse
Do not lie to one another, since you have put off the old man with his deeds (Colossians 3:9).

RESPONSIVE READING

Proverbs 8:7 For my mouth will speak truth; wickedness is an abomination to my lips.
12:17 He who speaks truth declares righteousness, but a false witness, deceit.
23:23 Buy the truth, and do not sell it, also wisdom and instruction and understanding.
John 8:32 And you shall know the truth, and the truth shall make you free."
8:44 You are of your father the devil, and the desires of your father you want to do. He was a murderer from the beginning, and does not stand in the truth, because there is no truth in him. When he speaks a lie, he speaks from his own resources, for he is a liar and the father of it.
Ephesians 4:25 Therefore, putting away lying, "Let each one of you speak truth with his neighbor," for we are members of one another.
Colossians 3:5 Therefore put to death your members which are on the earth: fornication, uncleanness, passion, evil desire, and covetousness, which is idolatry.
6 Because of these things the wrath of God is coming upon the sons of disobedience,
7 in which you yourselves once walked when you lived in them.
8 But now you yourselves are to put off all these: anger, wrath, malice, blasphemy, filthy language out of your mouth.
9 Do not lie to one another, since you have put off the old man with his deeds,
10 and have put on the new man who is renewed in knowledge according to the image of Him who created him

INTRODUCTION

The issue of honesty was addressed in the previous study, but honesty cannot exist if there is no truthfulness. Truthfulness is the truth put into action. The truth may be an intellectual, doctrinal, theological, and even philosophical issue; but truthfulness has to do with behavior, conduct, and human relations. To some extent, the truth may be theoretical; but truthfulness is practical. The world seeks the truth, but not truthfulness. We say that the gospel is the "truth" (John 8:32); Jesus Christ is the "truth" (John 14:6); the Holy Spirit is the Spirit of "truth" (John 16:13). However, we omit that all these elements of truth are to produce truthfulness in the believer.

STUDY DEVELOPMENT

I. TRUTH IS ALWAYS ACCOMPANIED BY OTHER VIRTUES (PROVERBS 8:7; 12:17; 23:23)

A. Where there is truth, there is wisdom (Proverbs 8:7)

The book of Proverbs, more than a poetic book, is a sapiential book, a book about wisdom. But the Jews understood wisdom in a very different way than the Greeks. Among the Greeks, wisdom revolved around the universe, and the origin and content of things. Among the Jews, wisdom revolved around God and the practical things of life. Among the Greeks, wisdom was the accumulation of knowledge; among the Jews, it was the fear of God and right conduct. In Proverbs chapter 8, wisdom is personified, and it calls out to people in order for them to acquire it. But wisdom is an inseparable companion of the truth. If we had more love for the truth, we would be much wiser in the biblical way. But above all, we would find true life and attain God's favor.

B. Some virtues that accompany the truth (12:17; 23:23)

One of the infallible laws of the Bible is that no single virtue exists alone, nor does any sin. Where there is one virtue, others will be found; where there is a vice, others will be found. No one is a victim of one sin, and no one is carrying a single good deed. In the case of the truth, we find in the Bible that in many places it is associated with other gifts that come from God and are compatible with it. It is impossible for the truth to give in to falsehood, sin to holiness, virtue to vice, or God to the devil. The virtues associated with truth are mercy (Proverbs 3:3); righteousness (Proverbs 12:17); delight

pecado con la santidad, el vicio con la virtud, y Dios con el diablo. Las virtudes asociadas con la verdad, son la misericordia (Proverbios 3:3); la justicia (Proverbios 12:17); el contentamiento (Proverbios 12:22); sabiduría e inteligencia (Proverbios 23:23); rectitud (Salmo 111:8), la paz y seguridad (Isaías 39:8). De manera, que, por lo menos, los que vivan en la verdad, mostraran estas virtudes.

II. LA VERDAD PRODUCE LIBERTAD (JUAN 8:32,44; EFESIOS 4:25)

A. De dónde procede la mentira (Juan 8:44)

Teólogos, sociólogos, antropólogos se han dedicado a estudiar el problema de la mentira, porque no deja de ser un tremendo problema social. En todos los ámbitos de la sociedad se encuentra la práctica de la mentira. Estudios hechos revelan que la persona promedio dice más de doscientas mentiras al día. Sin embargo, se la considera una práctica inofensiva. Se habla de mentiras blancas, piadosas, ingenuas, necesarias, prácticas, etc. Pero, ¿dónde se origina la mentira? En el mismo demonio. Por eso el Señor llamó al diablo como "mentiroso, y padre de toda mentira". Se ha dicho que el pecado entró por la desobediencia de Eva; pero antes de que ella desobedeciera hubo una mentira: "No moriréis" (Génesis 3:4). Qué buenas serían las relaciones conyugales, los hogares, los vecinos, el comercio, la educación, la política, si tan sólo prevaleciera la verdad.

B. La verdad y la mentira no pueden ir juntas (Efesios 4:25)

Anteriormente citamos las palabras del profeta Amós "¿Andarán dos juntos, si no estuvieren de acuerdo?" (Amós 3:3). Si dos personas que no están de acuerdo no pueden andar juntas, tampoco cualidades opuestas, como lo son la verdad y la mentira. Donde prevalece la verdad no puede existir la mentira, y donde hay mentira no puede haber verdad (Isaías 1:16,17). Mientras se practica el mal, el bien está ausente, y cuando se practica el bien es porque el mal ha desaparecido. Cuando el apóstol dice en Efesios 4:25: "Por lo cual, desechando la mentira, hablad verdad….", la idea es tirar algo para no volverlo a recoger. Lo que se tira en el zafacón de la basura va al basurero. Del zafacón de la basura no se saca nada! Así el cristiano con la mentira: ¡No puede rescatarla después que fue borrada con la sangre de Cristo!

III. EL REMEDIO PARA LA MENTIRA (COLOSENSES 3:5-10)

A. La mentira desapareció con el hombre viejo (Colosenses 3:5-9)

Las palabras "Haced morir" con que empieza el v.5 están en el modo imperativo. De esa manera el apóstol responsabiliza a todos los creyentes, a que le den muerte en sus vidas a todo lo que pertenece al hombre viejo. Pero, ¿cómo pueden manifestasen las obras de la carne, después de haber sido crucificado, muerto, y sepultado con Cristo? Esto sucede cuando el creyente descuida su relación con Cristo de donde depende su nueva vida. Mientras nos mantengamos en íntima comunión con el Señor, estudiando su Palabra, orando, cumpliendo con sus mandamientos, asistiendo con regularidad a los cultos de la iglesia, y sirviéndole, no volveremos a los vicios de los cuales nos rescató. Pero, si descuidamos las cosas señaladas volveremos a los malos hechos de los cuales nos redimió. Es como el náufrago que está seguro mientras se mantenga en su tabla de salvación, pero si decide soltarse de ella, perecerá.

B. El cristiano es una nueva criatura (Colosenses 3:10)

La conversión no consiste solamente en la crucifixión, muerte y sepultura del hombre viejo; en el despojo de todo lo que pertenece al diablo, al mundo y a la carne, sino además, en un nuevo nacimiento espiritual producido por el Espíritu Santo. Ser cristiano no consiste únicamente en despojarse del hombre viejo (3:9), sino también en "revestirse del nuevo, el cual conforme a la imagen del que lo creó se va renovando hasta el conocimiento pleno" (3:10). El hombre viejo lleva la imagen, las marcas, las cicatrices, los daños, del mundo, la carne y el diablo; el nuevo, la de Jesucristo. Cuando Moisés descendió del Sinaí, irradiaba la gloria de Dios: (Éxodo 34:29, 30,35). Cuando los judíos discutieron con Esteban, "vieron su rostro como el rostro de un ángel" (Hechos 6:15). ¡Quien tiene un encuentro con Dios, necesariamente tiene un cambio! ¡Esta es la transformación que debe experimentar quien deja que Cristo penetre en su vida!

RESUMEN GENERAL

El ser humano, por causa de su naturaleza dañada por el pecado, tiende más hacia la mentira que hacia la verdad. Por ser una criatura inteligente, posee la capacidad de hacer distinción entre los opuestos, pero desgraciadamente le atrae más lo malo: el vicio, que la virtud; la terrenal, que lo celestial; lo del mundo, que lo de Dios; la mentira, que la verdad. En nuestro estudio se enfatizó la veracidad que viene siendo la verdad puesta en práctica, ya que la verdad teórica, sin llevarse al terreno de la acción, a nadie beneficia. Lo importante en la vida cristiana no es tanto creer que Cristo es la verdad, sino incorporarlo en nuestro diario vivir a fin de que seamos veraces. Hay una grave sentencia para aquellos que sabiendo hacer el bien, no lo hacen: "y al que sabe hacer lo bueno, y no lo hace, le es pecado" (Santiago 4:17).

PREGUNTAS

1. Establezca la diferencia entre la sabiduría bíblica y la sabiduría de los griegos.
2. Mencione algunas de las virtudes asociadas con la verdad que menciona la Biblia.
3. Según Jesús, ¿quién es el padre de la mentira y dónde se originó?
4. ¿Cómo pueden manifestarse las obras de la carne en alguien que ha sido crucificado, muerto, y sepultado con Cristo?
5. ¿En pocas palabras que es ser un verdadero cristiano?

(Proverbs 12:22); wisdom and understanding (Proverbs 23:23); uprightness (Psalms 111:8), and peace (Isaiah 39:8). So, at the very least, those who live in the truth will show these virtues.

II. TRUTH PRODUCES FREEDOM (JOHN 8:32,44; EPHESIANS 4:25)

A. Where does lying come from? (John 8:44)

Theologians, sociologists and anthropologists have studied the problem of lying because it is a tremendous social problem. The practice of lying is found in all spheres of society. Studies show that the average person tells more than two hundred lies a day. However, it is considered a harmless practice. The studies talk of white, pious, naive, necessary, practical lies, etc. But where does lying originate? In the devil himself. So the Lord called the devil "liar and the father of lies". It has been said that sin came by the disobedience of Eve, but before she disobeyed there was a lie: "You will not surely die" (Genesis 3:4). Oh how great marital relationships, homes, neighborhoods, trade, education, and politics would be if only the truth would prevail.

B. Truth and lies cannot go together (Ephesians 4:25)

Previously we quoted the words of the prophet Amos, "Can two walk together, unless they are agreed?" (Amos 3:3). Just as two people who disagree cannot walk together, neither can opposite qualities such as truth and lies. Where truth prevails there can be no lying, and where there is lying there can be no truth (Isaiah 1:16,17). When evil is practiced, good is absent; when good is practiced it is because evil has disappeared. When the apostle says in Ephesians 4:25: "Therefore, putting away lying, let each one of you speak truth ...." the idea is one of throwing something away not to pick it up ever again. Whatever is thrown in the trash can goes to the landfill. Nothing should be removed from the trash can! Christians should do the same with lying: It cannot be brought back after being removed by the blood of Christ!

III. THE REMEDY FOR LYING (COLOSSIANS 3:5-10)

A. Lying disappeared with the old man (Colossians 3:5-9)

The words "put to death" that start verse 5 are in the imperative mood. The apostle holds all believers responsible of putting to death everything in their lives that belongs to the old man. But how can the works of the flesh be manifested after being crucified, put to death, and buried with Christ? This happens when the believer neglects his relationship with Christ on which his new life depends. As long as we remain in close communion with God, studying His Word, praying, fulfilling His commandments, attending church regularly, and serving Him, we will not return to the vices from which He rescued us. But, if we neglect these things, we will go back to the bad deeds from which He redeemed us. It is like the castaway who is secure while he clings to the lifeline, but if he decides to let go of it, he will surely perish.

B. The Christian is a new creature (Colossians 3:10)

Conversion is not just about the crucifixion, death and burial of the old man; stripping everything that belongs to the devil, the world and the flesh; but also about a spiritual rebirth produced by the Holy Spirit. To be a Christian is not just to put off the old man (3:9), but also to "put on the new man who is renewed in knowledge according to the image of Him who created him" (3:10). The old man bears the image (the marks, scars, and hurts) of the world, the flesh and the devil; the new man, only that of Jesus Christ. When Moses came down from Sinai, his face shone the glory of God (Exodus 34:29, 30,35). When the Jews argued with Stephen, "they saw his face as the face of an angel" (Acts 6:15). Anyone who has an encounter with God will always experience a change! This is the transformation that anyone who lets Christ penetrate his life should experience!

GENERAL SUMMARY

Human beings, because of their nature damaged by sin, have a tendency toward lies over the truth. As intelligent creatures, we have the ability to distinguish between opposites, but are unfortunately more attracted to evil: more attracted to vice than to virtue, to earthly things than to heavenly ones, to the things of the world than to the things of God, to lying than to the truth. In our study, truthfulness, which is truth put into practice, was emphasized. Theoretical truth, when not put into action, benefits nobody. The important thing in the Christian life is not so much to believe that Jesus Christ is the truth, but to integrate Him into our daily lives, in order for us to be truthful. There is a severe judgment for those who knowing to do good, do not do it: "Therefore, to him who knows to do good and does not do it, to him it is sin" (James 4:17).

QUESTIONS

1. Establish the difference between biblical wisdom and the wisdom of the Greeks.
2. What are some of the virtues associated with the truth mentioned in the Bible.
3. According to Jesus, who is the father of lies and where did they originate?
4. How can the works of the flesh be manifested in someone who has been crucified, put to death and buried with Christ?
5. In short, what does it mean to be a true Christian?

EL CRISTIANO PRACTICANDO EL PERDÓN

Pensamiento central

El perdón que damos a quien nos ha ofendido es una muestra de que hemos sido perdonados por Dios y de buena intención con nuestros semejantes.

Texto áureo

Soportándoos unos a otros, y perdonándoos unos a otros si alguno tuviere queja contra el otro. De la manera que Cristo os perdonó así también hacedlo vosotros (Colosenses 3:13).

Base bíblica

Mateo 6:12,14,15; 18:21,22; Marcos 11:25,26; Lucas 6:37; Colosenses 3:13

Objetivos

Por medio de este estudio podrán:

1. Comprender lo que implica el perdón y su importancia.
2. Implementar en sus semejantes lo que Dios ha hecho en ellos.
3. Eliminar de sus vidas amarguras y rencores que son tan perjudiciales.

Fecha sugerida: _____ / _____ / _____

LECTURA BÍBLICA

Mateo 6:12 Y perdónanos nuestras deudas, como también nosotros perdonamos a nuestros deudores.
14 Porque si perdonáis a los hombres sus ofensas, os perdonará también a vosotros vuestro Padre celestial;
15 mas si no perdonáis a los hombres sus ofensas, tampoco vuestro Padre os perdonará vuestras ofensas.
Mateo 18:21 Entonces se le acercó Pedro y le dijo: Señor, ¿Cuántas veces perdonaré a mi hermano que peque contra mí? ¿Hasta siete?
22 Jesús le dijo: No te digo hasta siete, sino hasta setenta veces siete.

Marcos 11:25 Y cuando estéis orando, perdonad, si tenéis algo contra alguno, para que también vuestro Padre que está en los cielos os perdone a vosotros vuestras ofensas.
26 Porque si vosotros no perdonáis, tampoco vuestro Padre que está en los cielos os perdonará vuestras ofensas.
Lucas 6:37 No juzguéis, y no seréis juzgados; no condenéis, y no seréis condenados; perdonad, y seréis perdonados.
Colosenses 3:13 Soportándoos unos a otros, y perdonándoos unos a otros si alguno tuviere queja contra otro. De la manera en que Cristo os perdonó, así también hacedlo vosotros.

INTRODUCCIÓN

Perdonar se define como: "alzar la pena", "eximir o liberar de una obligación", "suspender una sentencia". En el caso de Dios con el hombre, eximirlo de todo pecado y declararlo justo, como si no hubiese pecado. El perdón de Dios en Cristo, es un modelo para que los cristianos nos perdonemos mutuamente cuando hemos sido lastimados u ofendidos. La falta de perdón corroe la felicidad de quien se niega a hacerlo. Por lo tanto, perdonar, no es solamente ayudar a quien ha cometido una ofensa, sino medicina emocional y espiritual para quien perdona.

DESARROLLO DEL ESTUDIO

I. UN ARTÍCULO DEL PADRE NUESTRO (MATEO 6:12,14,15)

A. Lo que le da confianza a la oración (6:12)

Las oraciones del cristiano requieren un elevado grado de honestidad. No se puede orar sin autoexamen. El cristiano necesita tener un fino sentido de discernimiento espiritual como para ver las cosas como Dios las mira. El Padre Nuestro, nos introduce a lo más íntimo de nuestro ser para que hagamos un autoexamen de la condición de nuestra vida espiritual. Por ejemplo, si nosotros dijéramos el Padre Nuestro concentrados en nosotros mismos, pasando por alto nuestras relaciones con los demás, estaríamos perdiendo nuestro tiempo. El cristiano no puede esperar que Dios haga algo en su vida, que él no esté dispuesto a hacer con su prójimo. Lamentablemente, ¡cuántos hay que viven peleados con sus hermanos en Cristo, asisten a la iglesia, dirigen oraciones en público, toman la Cena del Señor, son maestros de Escuela Dominical, y hacen otras cosas más como si nada irregular hubiera en sus vidas! No erremos: ¡Dios no puede ser engañado!

B. Condición para el perdón divino (Mateo 6:14,15)

El perdón que esperamos recibir de Dios está condicionado al perdón que demos a quienes nos han lastimado. Hemos conocido personas que después de ir donde el médico y de saber que existe la posibilidad de padecer una enfermedad mortal, han hecho una lista de personas con las cuales se encontraban disgustadas y fueron a cada uno de ellas a pedirles perdón. Si sabían que había fricciones entre ellas, ¿por qué no habían ido antes a reconciliarse? Está el caso también de aquellos que: ¡No quieren recibir perdón, o mejor dicho, no les interesa, prefieren vivir disgustados, resentidos! Desean seguir enemistados, rechazan los intentos del otro para que haya reconciliación. ¡Si tan sólo se dieran cuenta que un enemigo, con un poco de amor, puede convertirse en nuestro mejor amigo! No como alguien dijo: "Yo sé perdonar, pero nunca se me olvida lo que me hicieron".

5 BIBLE STUDY

CHRISTIANS PRACTICING FORGIVENESS

Biblical foundation
Matthew 6:12,14,15; 18:21,22; Mark 11:25,26;
Luke 6:37; Colossians 3:13

Objectives
Upon completion of this study, you will be able to:
1. Understand what forgiveness means and its importance.
2. Apply on their fellowmen what God has done in them.
3. Remove harmful bitterness and resentment from their lives.

Suggested date: _____ /_____ /_____

Main idea
The forgiveness that we extend to those who have offended us is a sign that that we have been forgiven by God and reflects our good intentions with our fellowmen.

Golden verse
Bearing with one another, and forgiving one another, if anyone has a complaint against another; even as Christ forgave you, so you also must do. (Colossians 3:13).

RESPONSIVE READING

Matthew 6:12 And forgive us our debts, as we forgive our debtors.
14 "For if you forgive men their trespasses, your heavenly Father will also forgive you.
15 But if you do not forgive men their trespasses, neither will your Father forgive your trespasses.
Matthew 18:21 Then Peter came to Him and said, "Lord, how often shall my brother sin against me, and I forgive him? Up to seven times?"
22 Jesus said to him, "I do not say to you, up to seven times, but up to seventy times seven.

Mark 11:25 "And whenever you stand praying, if you have anything against anyone, forgive him, that your Father in heaven may also forgive you your trespasses.
26 But if you do not forgive, neither will your Father in heaven forgive your trespasses."
Luke 6:37 "Judge not, and you shall not be judged. Condemn not, and you shall not be condemned. Forgive, and you will be forgiven.
Colossians 3:13 bearing with one another, and forgiving one another, if anyone has a complaint against another; even as Christ forgave you, so you also must do.

INTRODUCTION

Forgiveness is defined as "pardoning of a penalty", "exemption or release from an obligation", "suspension of a sentence." In the case of God with man, it means to exempt him from all sin and declare him righteous as if he had never sinned. The forgiveness of God in Christ is our model, as Christians, to forgiving one another when we have been hurt or offended. Unforgiveness corrodes the joy of those who refuse to forgive. Therefore, to forgive not only helps those who have committed the offense, but it is an emotional and spiritual medicine for those who forgive.

STUDY DEVELOPMENT

I. AN ARTICLE OF OUR LORD'S PRAYER (MATTHEW 6:12,14,15)

A. What gives confidence to prayer (6:12)

Christian prayers require a high degree of honesty. You cannot pray without self-examination. Christians need to have a fine sense of spiritual discernment to see things as God sees them.

The Lord's Prayer introduces us to the depths of our being so we can conduct a self-examination of the condition of our spiritual life. For example, if we were to say the Lord's Prayer while focused on ourselves, neglecting our relationships with others, we would be wasting our time. Christians cannot expect God to do something in their lives that they are not willing to do with their neighbor. Unfortunately, how many are living at odds with their brothers and sisters in Christ, attend church, lead prayers in public, take the Lord's Supper, teach Sunday School, and do other things as if there was nothing wrong going on in their lives! Let us not be deceived: God is not mocked!

B. Condition for divine forgiveness (Matthew 6:14,15)

The forgiveness that we expect to receive from God is subject to the forgiveness that we give to those who have hurt us. We have known people who, after going to the doctor and finding out they had the possibility of developing a deadly disease, have made a list of people with whom they were angry and went to each of them to apologize. If they knew there was friction between them, why did they not go earlier to be reconciled? There is also the case of those who do not want to be, or rather are not interested in being, forgiven; they prefer to live mad, resentful! They rather continue to feud with others and reject any attempt to be reconciled to them. If only they realized that an enemy, with a little bit of love, can become a best friend! This, unlike what someone once said: "I know how to forgive, but I never forget what they did to me."

II. EL PERDÓN, PARTE DE LAS RELACIONES HUMANAS (MATEO 18:21,22; MARCOS 11:25,26; LUCAS 6:37)

A. Una pregunta con trascendencia eterna (Mateo 18:21,22)

A la pregunta de Simón Pedro: Señor, ¿cuántas veces perdonaré a mi hermano que peque contra mí? El Señor le contestó con una parábola, describiendo a algún rey que llamó a uno de sus "siervos" para arreglar cuentas. Este había malgastado el dinero y no había manera en que lo pudiera devolver. Molesto el rey por el despilfarro, ordenó castigarle y venderle. Los eruditos han hecho estimados de cuánto sería la deuda hoy, de diez mil talentos de oro, y la suma es exorbitante: El talento de oro equivalía a diecisiete años de trabajo, multiplicados por diez mil: 170 000 años de trabajo. Esto representa la enorme deuda que el hombre tiene con Dios por sus pecados. Es impagable. Pero es triste, la actitud ingrata de este siervo perdonado que al encontrarse con un consiervo que le debía el equivalente de tres meses de sueldo, no se compadece de él ni de su familia y lo envía a la cárcel hasta que le pagase la deuda: ¡Cien denarios! La conclusión de la historia es dramática: "Así también mi Padre celestial hará con vosotros si no perdonáis de todo corazón cada uno a su hermano sus ofensas" (v.35).

B. El valor del "no" en la Biblia (Marcos 11:25,26; Lucas 6:37)

En nuestros días escuchamos, por supuestos "expertos" en conducta humana, que nunca hay que decirle "no" a un niño porque le lastima su autoestima y puede crearle problemas emocionales. En el decálogo de Éxodo 20:1-17 encontramos que ocho de los mandamientos son prohibiciones: "No tendrás dioses ajenos"; "No te harás imagen"; "No tomarás el nombre de Jehová"; "No matarás"; "No cometerás adulterio"; No hurtarás"; "No hablarás contra tu prójimo"; "No codiciarás…". Solamente dos son asuntos que deben ser hechos: "Acuérdate del día de reposo para santificarlo"; y "Honra a tu padre y a tu madre". La fuerza de estos mandamientos de Dios radica en que el bienestar del pueblo de Dios depende en qué tanto se evita el mal, porque así el bien es más fácil practicarlo. En las iglesias no hubiera necesidad de reconciliaciones si tuviéramos la fuerza y la disposición de no ofender a nuestros hermanos. Si tenemos la oportunidad de bendecir a nuestro hermano con una palabra dulce, suave, cariñosa, ¿por qué lastimarlo con una hiriente?

III. EL EJEMPLO DE NUESTRO SEÑOR JESUCRISTO (COLOSENSES 3:13)

A. Dos cualidades cristianas que van juntas (3:13a)

La palabra "soportándoos" en la traducción del griego, no es solamente la idea de tolerarse unos a otros, sino de "sostener de pie al hermano para que no se vaya a caer" (1 Tesalonicenses 5:14). El sostener al hermano y perdonarlo cuando nos ha ofendido son dos prácticas evangélicas que siempre deberían estar presentes en las iglesias. Con dolor en muchos casos hemos visto lo contrario. En lugar de sostener al hermano que es débil, lo recriminamos por su condición. Se cuenta el caso de un joven que cargaba hacia arriba en una loma a otro joven. Otro caminante le preguntó: "¿Ha de estar muy pesado, no?", y este le contestó: "No, es mi hermano". Quien verdaderamente ama a su hermano verá la manera de ponerle el hombro para que se apoye, para que camine derecho, cuando está deprimido, alentarlo; cuando se encuentra tentado a hacer algo incorrecto, no recriminarlo, sino ayudarlo a ver otras alternativas para sus decisiones.

B. Lo que Cristo hizo por nosotros (3:13b)

¡Típico de los escritos del apóstol Pablo! Cuando el apóstol desea una buena acción entre los creyentes, les recuerda que ya Cristo lo hizo en ellos. Por ejemplo, a los filipenses les escribe: "Haya, pues, en vosotros este sentir que hubo en Cristo Jesús…" (Filipenses 2:5). El apóstol nunca les pedía a las iglesias que hicieran algo que Cristo no hubiera hecho en sus vidas. Para el apóstol, la vida cristiana no es otra cosa que la repetición de la vida de Cristo. El cristiano no puede superar lo que Cristo ha hecho, ni tampoco debe hacer menos de lo que Cristo hace por los suyos. Desde la perspectiva paulina, la vida cristiana no es otra cosa que una prolongación de lo que fue la vida de nuestro Señor Jesucristo. El mismo Señor esperaba tal cosa de los suyos, por eso les dijo a sus apóstoles: "Porque ejemplo os he dado, para que como yo os he hecho, vosotros también hagáis" (Juan 13:15).

RESUMEN GENERAL

El perdón de Dios a sus hijos está supeditado al perdón que el cristiano le ofrezca a su hermano que él ha ofendido. No debe haber límite en las veces en que perdonamos a nuestros hermanos que nos ofenden, porque no hay límite en el perdón de Dios que nos brinda diariamente. Fue por eso que el Señor incluyó en el Padre Nuestro las palabras, "y perdónanos nuestras deudas, como también nosotros perdonamos a nuestros deudores". Nadie puede rogarle a Dios que le perdone sus faltas, si se ha negado perdonar a su hermano que lo ha ofendido. El perdón es saludable para el que lo recibe, como para el que lo otorga. Aquel que no sabe perdonar, no es una persona feliz, porque el cáncer del rencor corroe sus entrañas. El perdón trae concordia, buena voluntad, y mucha paz.

PREGUNTAS

1. Describa la magnitud de la deuda perdonada por el rey al siervo y la deuda que este rehusó perdonar a su consiervo.
2. ¿Que representa la parábola en nuestra relación con Dios y con el prójimo?
3. ¿Cuál es la idea de la palabra "soportándoos" según la traducción griega?
4. Desde la perspectiva del apóstol Pablo, ¿qué significa ser cristiano?
5. ¿Qué fue lo que dijo Jesús que haría el Padre a los que no perdonen de todo corazón las ofensas de sus hermanos?

II. FORGIVENESS, PART OF HUMAN RELATIONSHIPS (MATTHEW 18:21,22; MARK 11:25,26; LUKE 6:37)

A. A question with eternal significance (Matthew 18:21,22)

When Simon Peter asked, "Lord, how often shall my brother sin against me, and I forgive him?" the Lord replied with a parable, describing a certain king who called one of his "servants" to settle his debt. This servant had wasted the money and had no way of returning it. Annoyed by the waste, the king ordered that he be punished and sold. Scholars have estimated how much a debt of ten thousand talents of gold would be today, and the sum is astronomical. A talent of gold amounted to seventeen years of work, multiplied by ten thousand: 170 000 years of work. This represents the enormous debt that man has with God for his sins. It is unpayable. It is sad to see the ungrateful attitude of this servant, who although forgiven, when he met a fellow servant who owed him the equivalent of three months' salary, did not pity him or his family but sent him to prison until he could pay his debt: One hundred denarii! The conclusion of the story is dramatic, "So My heavenly Father also will do to you if each of you, from his heart, does not forgive his brother his trespasses" (v.35).

B. The value of "no" in the Bible (Mark 11:25,26; Luke 6:37)

Nowadays we hear, from supposed "experts" on human behavior, that we should never say "no" to a child because it hurts their self-esteem and could create emotional problems. In the Ten Commandments in Exodus 20:1-17 we find that eight of the commandments are prohibitions: "You shall have no other gods"; "You shall not make for yourself a carved image"; "You shall not take the name of the Lord your God in vain"; "You shall not murder"; "You shall not commit adultery"; "You shall not steal"; "You shall not bear false witness against your neighbor"; "You shall not covet ...". Only two are matters that must be done. "Remember the Sabbath day, to keep it holy"; and "Honor your father and your mother." The strength of these commandments from God is in that the welfare of His people depends on how much evil is avoided, because then it becomes easier to practice good. There would be no need for reconciliation in churches if we had the strength and willingness to not offend our brothers and sisters. If we have the opportunity to bless them with a sweet, soft, kind word, why do we want to hurt them with a cruel one?

III. THE EXAMPLE OF OUR LORD JESUS CHRIST (COLOSSIANS 3:13)

A. Two Christian qualities that go together (3:13a)

The word "bearing" in the translation from the Greek holds not only the idea of tolerating each other, but that of "holding the other in a standing position so that they do not fall" (1 Thessalonians 5:14). Bearing with our brothers or sisters and forgiving them when they have offended us are two Christian practices that should always be present in our churches. Many times we have seen, with pain, the opposite. Instead of holding the brother who is weak, we reproach him for his condition. There is a story of a young man who was carrying another young man up a hill. One passerby asked: "He must be very heavy, mustn't he?" And the young man replied: "No, he's my brother." He who truly loves his brother will give him his shoulder to lean on, help him walk straight, encourage him when he is depressed, and help him see other alternatives to his decisions when he is tempted to do something wrong instead of condemning him.

B. What Christ did for us (3:13b)

Typically, in the writings of the Apostle Paul, whenever he wants to promote a good behavior among the believers he reminds them that Christ has already done it for them. For example, Paul writes to the Philippians: "Let this mind be in you which was also in Christ Jesus ..." (Philippians 2:5). The apostle never asked the churches to do something that Christ had not already done in their lives. For Paul, the Christian life is nothing but a repetition of the life of Christ. The Christian cannot surpass what Christ has done, nor can he do less than what Christ does for His own. From Paul's perspective, the Christian life is nothing but an extension of what was the life of our Lord Jesus Christ. The Lord Himself expected such a thing of His own, for that reason He told His apostles: "For I have given you an example, that you should do as I have done to you" (John 13:15).

GENERAL SUMMARY

God's forgiveness of His children is contingent upon the forgiveness they offer to the brothers or sisters who have offended them. There should be no limit to the times we forgive our brethren who trespass against us because there is no limit to the forgiveness God offers to us daily. This is the reason Jesus included in the Lord's Prayer the words, "Forgive us our debts, as we forgive our debtors." No one can pray to God and ask Him to forgive his faults if he has refused to forgive his brother who has offended him. Forgiveness is as healthy for the recipient as it is for the giver. He who cannot forgive is not a happy person, for the cancer of resentment corrodes his insides. Forgiveness brings harmony, goodwill, and peace.

QUESTIONS

1. Describe the extent of the debt forgiven to the servant by the king, and the debt that he refused to forgive his fellow servant.
2. What does the parable represent in our relationship with God and our neighbor?
3. What is the idea behind the word "bearing," according to the Greek translation?
4. From the Apostle Paul's perspective, what does it mean to be a Christian?
5. What did Jesus say that the Father would do to him who, from his heart, does not forgive his brother his trespasses?

LA REVERENCIA EN EL CULTO

Pensamiento central
La grandeza, majestad, excelsitud y santidad de Dios demandan que se le adore con reverencia y extremada concentración.

Texto áureo
Mas la hora viene, y ahora es, cuando los verdaderos adoradores adorarán al Padre en espíritu y en verdad; porque también el Padre tales adoradores busca que le adoren (Juan 4:23).

Base bíblica
Nehemías 8:1-3,5,6,8;
Apocalipsis 5:8-12; 15:3,4

Objetivos
Este estudio permitirá que pueda:
1. Apropiarse de la idea acerca de la magnificencia de Dios.
2. Aprender lo que es la adoración reverente.
3. Comprender que las cosas sagradas demandan reverencia y extremo respeto.

Fecha sugerida: _____ / _____ / _____

LECTURA BÍBLICA

Nehemías 8:1 Y se juntó todo el pueblo como un solo hombre en la plaza que está delante de la puerta de las Aguas, y dijeron a Esdras el escriba que trajese el libro de la ley de Moisés, la cual Jehová había dado a Israel. 8:3 Y leyó en el libro delante de la plaza que está delante de la puerta de las aguas, desde el alba hasta el mediodía, en presencia de hombres y mujeres y de todos los que podían entender; y los oídos de todo el pueblo estaban atentos al libro de la ley. **8:6 Bendijo entonces Esdras a Jehová, Dios grande. Y todo el pueblo respondió: ¡Amén! ¡Amén! Alzando sus manos; y se humillaron y adoraron a Jehová inclinados a tierra.** Apocalipsis 5:8 Y cuando hubo tomado el libro, los cuatro seres vivientes y los veinticuatro ancianos se postraron delante del Cordero; todos tenían arpas, y copas de oro llenas de incienso, que son las oraciones de los santos; **9 y cantaban un nuevo cántico, diciendo: Digno eres de tomar el libro y de abrir sus sellos; porque tú fuiste inmolado, y con tu sangre nos has redimido para Dios, de todo linaje y lengua y pueblo y nación;** 10 y nos has hecho para nuestro Dios reyes y sacerdotes, y reinaremos sobre la tierra. **11 Y miré, y oí la voz de muchos ángeles alrededor del trono, y de los seres vivientes, y de los ancianos; y su número era millones de millones,** 15:3 Y cantan el cántico de Moisés, siervo de Dios, diciendo: Grandes y maravillosas son tus obras, Señor Dios Todopoderoso; justo y verdadero son tus caminos, Rey de los santos.

INTRODUCCIÓN

La reverencia es una actitud fundamental del ser humano. Pero se ha perdido la reverencia a Dios, al santuario, al culto, a los altos principios, doctrinas y valores de la fe cristiana. Donde no hay reverencia no hay respeto ni temor. La falta de reverencia desplaza el concepto de lo sagrado, de lo numinoso, de lo excelso y de lo majestuoso. Todo se ve desde una perspectiva horizontal, humana, terrena, perdiéndose la perspectiva vertical de lo divino. En nuestro estudio procuraremos considerar cómo debe ser la reverencia hacia las cosas sagradas, principalmente en el templo y en el culto.

DESARROLLO DEL ESTUDIO

I. EL CULTO Y LA PALABRA DE DIOS (NEHEMÍAS 8:1-3,5,6)

A. Toda una nación se reúne para escuchar la palabra de Dios (Nehemías 8:1-3)

La gente del reino de Judá había regresado del cautiverio en Babilonia. Gracias a las iniciativas de Esdras, Nehemías, se había logrado la reedificación de los muros de Jerusalén, a pesar de la gran oposición. Una vez terminada la reedificación de los muros, el pueblo consideró la necesidad de tener una gran convocación a fin de darle gracias a Dios por lo que se había logrado. Además el pueblo ignoraba la ley de Dios y, por lo tanto, urgía que fuese leída y explicada para poder servir a Dios correctamente. Había surgido un vehemente deseo de hacer todas las cosas correctamente como Dios les había ordenado. En nuestros días, ¿cómo pueden muchos adorar a Dios correctamente, rendirle el culto debido, tener la reverencia debida hacia las cosas sagradas, y vivir la vida cristiana de tal manera que agraden a Dios, si ignoran su Palabra?

B. Lo que produjo la exposición de la Palabra de Dios (Nehemías 8:5,6)

En los versículos 1 al 3 sobresalen varias cosas importantes: 1) "todo el pueblo se juntó como un solo hombre" (v.1); 2) el pueblo pidió que se "trajese el libro de la ley de Moisés" (v.1); 3) Todos los que podían entender estuvieron atentos a la lectura (v.2); 4) El libro de la ley de Dios se leyó "desde el alba hasta el mediodía" (seis horas) (v.3); 5) "Los oídos de

6 BIBLE STUDY

REVERENCE IN WORSHIP

Biblical foundation
Nehemiah 8:1-3,5,6,8;
Revelation 5:8-12; 15:3-4

Objectives
Upon completion of this study, yous will be able to:
1. Take ownership of the idea of God's magnificence.
2. Learn what reverent worship is.
3. Understand that holy things demand reverence and extreme respect.

Suggested date: _____ / _____ / _____

Main idea
The grandeur, majesty, loftiness, and holiness of God demand that He be worshiped with reverence and extreme concentration.

Golden verse
But the hour is coming, and now is, when the true worshipers will worship the Father in spirit and truth; for the Father is seeking such to worship Him (John 4:23).

RESPONSIVE READING

Nehemiah 8:1 Now all the people gathered together as one man in the open square that was in front of the Water Gate; and they told Ezra the scribe to bring the Book of the Law of Moses, which the Lord had commanded Israel.

8:3 Then he read from it in the open square that was in front of the Water Gate from morning until midday, before the men and women and those who could understand; and the ears of all the people were attentive to the Book of the Law.

8:6 And Ezra blessed the Lord, the great God. Then all the people answered, "Amen, Amen!" while lifting up their hands. And they bowed their heads and worshiped the Lord with their faces to the ground.

Revelation 5:8 Now when He had taken the scroll, the four living creatures and the twenty-four elders fell down before the Lamb, each having a harp, and golden bowls full of incense, which are the prayers of the saints.

9 And they sang a new song, saying: "You are worthy to take the scroll, and to open its seals; for You were slain, and have redeemed us to God by Your blood out of every tribe and tongue and people and nation,

10 And have made us kings and priests to our God; and we shall reign on the earth."

11 Then I looked, and I heard the voice of many angels around the throne, the living creatures, and the elders; and the number of them was ten thousand times ten thousand, and thousands of thousands,

15:3 They sing the song of Moses, the servant of God, and the song of the Lamb, saying: "Great and marvelous are Your works, Lord God Almighty! Just and true are Your ways, O King of the saints!

INTRODUCTION

Reverence is a fundamental attitude of human beings. But the reverence for God, for the sanctuary, for worship, for high principles, for doctrines, and for values of the Christian faith has been lost. Where there is no respect, there is no reverence nor fear. The lack of reverence displaces the concept of the sacred, the numinous, the sublime and the majestic. Everything is looked at from a horizontal, human, earthly perspective, losing the vertical perspective of the divine. In our study we will consider how reverence for sacred things should be, especially in the sanctuary and in worship.

STUDY DEVELOPMENT

I. WORSHIP AND THE WORD OF GOD (NEHEMIAH 8:1-3,5,6)

A. A whole nation comes together to hear the word of God (Nehemiah 8:1-3)

The people of the kingdom of Judah had returned from captivity in Babylon. The rebuilding of the walls of Jerusalem had been possible thanks to the initiatives of Ezra and Nehemiah, despite great opposition. Once the rebuilding of the walls had been completed, the people felt the need for a convocation to thank God for what had been achieved. Besides, the people did not know God's law and, therefore, it was urgent to have it read and explained to serve God properly. There had emerged a strong desire to do everything correctly as God had commanded. In our day, how can people worship God properly, pay due worship, have the due reverence to sacred things, and live the Christian life in such a way that pleases God, if they ignore His Word?

B. What produced the exposition of the Word of God (Nehemiah 8:5,6)

Several important things stand out in verses 1-3: 1) "all the people gathered as one man" (v.1); 2) the people asked to "bring the Book of the Law of Moses" (v.1); 3) All those who could understand were attentive to the reading (v.2); 4) The Book of the Law of God was read "from morning until midday" (six hours) (v.3); and 5) "The ears of all the people were attentive to the Book of the Law" (v.3). But what did the reading of the Word of God cause? 1) There was genuine

pueblo estaban atentos al libro de la ley" (v.3). Pero, produjeron la lectura de la Palabra de Dios? 1) Hubo genuina y conmovedora adoración a Dios: "Bendijo entonces Esdras a Jehová Dios grande" (v.6). La adoración fue genuina y espontánea que el pueblo respondió: 2) "¡Amén! ¡Amén! Alzando sus manos" (v.6); 3) a continuación, "se humillaron" (v.6); 4) "adoraron a Jehová" (v.6), y 5) lo hicieron, "inclinados a tierra", esto es, reconociendo su insignificancia y la majestad de Dios. ¿Qué es lo que no sucedería si en nuestros días las iglesias actuaran de la misma manera?

II. CANTOS CELESTIALES (APOCALIPSIS 5:8-12)

A. Cuarto cántico (5:8-10)

Esta sección de nuestro estudio lleva el encabezamiento de "Cuarto cántico". Porque es el cuarto de los veintiún cánticos que se encuentran en el libro de Apocalipsis. La himnología del libro de Apocalipsis es sencillamente impresionante: La reverencia, la conciencia de lo sagrado, de la santidad y excelsitud de Dios, de sus obras portentosas, el temor reverencial que se expresa a Dios, el contenido de lo que se canta y las acciones que se toman, solamente pudieron haber sido reconocidas y exaltadas bajo la unción del Espíritu Santo. Es imposible que alguien en la carne y por su propia cuenta haya podido escribir belleza tan sin igual. Todo lo que se canta en los pasajes señalados no es producto de la inspiración humana o angelical: Solamente el Espíritu Santo pudo haber comunicado la gracia necesaria para hacerlo. ¿Por qué no copia la iglesia contemporánea la forma intensa y reverente en que los seres celestiales y redimidos alaban y adoran a Dios? ¿Por qué la iglesia de hoy no hace sus cultos como se hacen en el cielo?

B. Quinto canto (5:11,12)

Algo que es típico, no solamente de los veintiún cánticos que se encuentran en el libro de Apocalipsis, sino también de otros que entonaba la iglesia primitiva, es que todos ellos son teocéntricos o Cristocéntricos. Esto es, el centro de toda alabanza es Dios o Cristo por lo que ellos han hecho. Por ejemplo el 1) El Magníficat (Engrandece) cantado por María, madre del Señor (Lucas 1:46-55); 2) El Benedictus (Bendito), entonado por Zacarías (Lucas 1:67-79); 3) El Gloria in Excelsis (Gloria en las alturas), cantado por los ángeles (Lucas 2:13,14); 4) El Nunc Dim (Ahora despides), entonado por Simeón (Lucas 2:29-32); 5) La eternidad del Verbo (Juan 1:1-18); 6) La soberanía de Dios (Efesios 1:3,14); 7) La humillación y exaltación de Cristo (Filipenses 2:5-11); 8) La excelsitud de Cristo (Colosenses 1:15-23); 9) El misterio de la Deidad (1 Timoteo 3:16). El culto cristiano en nuestros días está saturado de clisés, de frases y prácticas que son un insulto a la liturgia cristiana y al Dios que adoramos.

III. CANTO CATORCE DE APOCALIPSIS (APOCALIPSIS 15:3,4)

A. El cántico de Moisés (15:3)

El cántico de Moisés se puede dividir en tres partes principales: 1) la exaltación que Moisés hace de Dios por sus enormes promesas y misericordias a una nación contumaz.

Pondera los hechos maravillosos de Dios que los libró de la esclavitud y los condujo por el desierto. 2) Sin embargo, toda aquella generación que fue beneficiaria de todos estos portentos, no solamente se olvidó de Dios, sino que adoró dioses extraños. Según el lenguaje paulino, aquellos dioses eran espíritus malignos que luchaban contra la causa de Dios; estos se habían infiltrado entre el pueblo para su propia calamidad y destrucción. 3) Tristemente para el pueblo, al cual se dirigió Moisés, sufriría las consecuencias de su rebeldía, sería llevado en cautiverio, y sufriría nuevamente en manos de opresores, todo por haberse olvidado de su Dios. ¿No estamos viviendo en nuestros días una repetición de la historia de Israel? ¡Cuánta necesidad hay de humillación, arrepentimiento, lloro, lágrimas, ayuno, conocimiento de la Palabra de Dios y reverencia hacia Dios!

B. Lo que implica glorificar a Dios (15:4)

La reverencia a Dios es consecuencia de un encuentro entre Dios y el hombre. Entre mayor es la espiritualidad de la persona, mayor es su reverencia a Dios, y viceversa: Si no hay consagración a Dios, íntima comunión con Él, no puede haber reverencia. La reverencia es esa comunión que existe entre Dios y el hombre por medio del Espíritu Santo. Un cristiano lleno del Espíritu Santo, es un cristiano reverente; un cristiano carnal, es un cristiano frívolo e indiscreto hacia las cosas divinas. Por esto, el problema de la irreverencia se resuelve teniendo un encuentro personal, directo con Dios por medio de nuestro Señor Jesucristo. El cristiano que mantiene una relación saludable con Dios, que estudia la Biblia, ora, ayuna, está lleno del Espíritu Santo, obedece las leyes del Señor y le sirve, con toda naturalidad es un cristiano reverente. La reverencia viene siendo en él una constancia fehaciente de su buena relación con Dios.

RESUMEN GENERAL

Un cristiano no puede aspirar a la superación si no tiene la disposición de abandonar la inferioridad. No puede vivir en el Espíritu si no está dispuesto a abandonar las obras de la carne. El profeta Isaías le dijo al pueblo: "dejad de hacer lo malo; aprended a hacer el bien" (Isaías 1:16). Esto es, no se puede aprender a hacer el bien, si no se deja de hacer lo malo primero. Nadie puede hablar la verdad si está acostumbrado a mentir. Por lo tanto, tiene que dejar de mentir, primero, para intentar hablar la verdad. Así es con la reverencia hacia Dios, el culto y las cosas sagradas: primero tiene que haber el deseo y el esfuerzo de dejar todo lo que sea ajeno al culto cristiano para implementar lo que es correcto.

PREGUNTAS

1. ¿Qué necesidades sintió el pueblo después de haber reedificados los muros de la ciudad?
2. ¿Qué sucedió después de que el pueblo escuchó reverentemente la Palabra de Dios?
3. ¿Cuál debe ser el centro de toda adoración y alabanza en la iglesia?
4. ¿Qué verdades expresaba el "cántico de Moisés"?
5. ¿Qué es lo que hace que una persona sea más reverente que otra?

and moving worship to God, "Ezra blessed the Lord the great God" (v.6). The worship was genuine and spontaneous and the people answered: 2) "'Amen! Amen!' While lifting up their hands" (v.6); 3) then "they bowed their heads" (v.6); 4) they "worshiped the Lord" (v.6), and 5) they did it, "with their faces to the ground," that is, recognizing their insignificance and God's majesty. What if today churches acted in the same way?

II. HEAVENLY SONGS (REVELATION 5:8-12)

A. Fourth song (5:8-10)

This section of our study bears the heading "Fourth song" because it is the fourth of the twenty-one songs that are in the book of Revelation. The hymnody of Revelation is simply stunning: Reverence; awareness of the sacred, of God's holiness, sublimity, and mighty works; the reverential fear that is expressed to God; the content of what is sung and actions taken; they could only have been recognized and exalted under the anointing of the Holy Spirit. It is impossible for anyone in the flesh and on their own to be able to write such unsurpassed beauty. Everything that is sung in the passages above is not the product of human or angelic inspiration. Only the Holy Spirit could have communicated the grace to do it. Why does the contemporary church not copy the intense and reverent way, in which the heavenly beings and the redeemed praise and worship God? Why does the church today not hold their services as they are held in heaven?

B. Fifth song (5:11,12)

Something that is typical not only of the twenty-one songs that are in the book of Revelation, but also of other songs sang by the early church, is that they are theocentric or Christocentric. The center of all praise is God or Christ for what they have done. For example, 1) The Magnificat ([my soul] magnifies) sung by Mary, mother of the Lord (Luke 1:46-55); 2) The Benedictus (Blessed), sung by Zechariah (Luke 1:67-79); 3) The Gloria in excelsis (Glory in the highest), sung by the angels (Luke 2:13-14); 4) The Nunc dimittis (now you may dismiss), sung by Simeon (Luke 2:29-32); 5) The Eternity of the Word (John 1:1-18); 6) The sovereignty of God (Ephesians 1:3,14); 7) The humiliation and exaltation of Christ (Philippians 2:5-11); 8) The sublimity of Christ (Colossians 1:15-23); 9) The mystery of the Godhead (1 Timothy 3:16). Christian worship today is saturated with clichés, phrases and practices that are an insult to the Christian liturgy and the God we worship.

III. FOURTEENTH SONG OF REVELATION (REVELATION 15:3,4)

A. The Song of Moses (15:3)

The song of Moses can be divided into three main parts: 1) Moses' exaltation of God for His enormous promises and mercies to a stubborn nation. He ponders the wonderful acts of God who delivered them from slavery and led them through the desert. 2) However, that generation that was the beneficiary of all those wonders, not only forgot about God, but worshiped other gods. According to Pauline language, those gods were evil spirits who fought against the cause of God; they had infiltrated the people for their own calamity and destruction. 3) Sadly for the people whom Moses addressed, they would suffer the consequences of their rebellion, would be taken into captivity, and would suffer again in the hands of oppressors, all because they forgot their God. Are we not living in our days a repetition of the history of Israel? How great is the need for humbling ourselves, repenting, weeping, tears, fasting, studying the Word of God, and reverencing God!

B. What glorifying God implies (15:4)

Reverence for God is the result of an encounter between God and man. The greater the spirituality of the person, the greater his or her reverence for God, and vice versa: If there is no consecration to God, no intimate communion with Him, there can be no reverence. Reverence is that communion between God and man through the Holy Spirit. A Spirit-filled Christian is a reverent Christian; a carnal Christian is a Christian who is frivolous and indiscreet toward divine things. For this reason, the problem of irreverence is solved by having a personal, direct encounter with God through our Lord Jesus Christ. The Christian who maintains a healthy relationship with God, studying the Bible, praying, fasting, being filled with the Holy Spirit, obeying the laws of the Lord and serving Him, quite naturally is a reverent Christian. Reverence becomes in him an irrefutable proof of his good relationship with God.

GENERAL SUMMARY

A Christian cannot aspire to succeed if he is unwilling to abandon inferiority. He cannot live in the Spirit if he is not willing to abandon the works of the flesh. The prophet Isaiah told the people: "Cease to do evil; learn to do good" (Isaiah 1:16b,17a). That is, you cannot learn to do good, if you do not stop doing evil first. No one can speak the truth if they are used to lying. Therefore, they have to stop lying first, before attempting to speak the truth. So it is with reverence for God, worship, and sacred things: first there must be the desire and effort to leave all that is alien to Christian worship in order to implement what is right.

QUESTIONS

1. What needs did the people have after rebuilding the city walls?
2. What happened after the people heard the Word of God reverently?
3. What should be the focus of all worship and praise in the church?
4. What truths were expressed in the "Song of Moses"?
5. What is it that makes one person more reverent than another?

RISTIANO Y SU CARÁCTER

Pensamiento central

El cristiano debe identificarse en todo momento por el conjunto de excelencias que le son comunicadas por la presencia de Cristo en su vida.

Texto áureo

Así alumbre vuestra luz delante de los hombres, para que vean vuestras buenas obras, y glorifiquen a vuestro Padre que está en los cielos (Mateo 5:16).

Base bíblica
Filipenses 4:8,9; 2 Pedro 1:1-8

Objetivos
Con el desarrollo de este estudio podrán:
1. Entender lo que la Biblia enseña acerca del carácter del cristiano.
2. Implementar en su diario vivir lo que hayan aprendido.
3. Reconocer que la mejor manera de proclamar el Evangelio es con un estilo de vida genuinamente cristiano.

Fecha sugerida: _____ / _____ / _____

LECTURA BÍBLICA

Filipenses 4:8 Por lo demás, hermanos, todo lo que es verdadero, todo lo honesto, todo lo justo, todo lo puro, todo lo amable, todo lo que es de buen nombre; si hay virtud alguna, si algo digno de alabanza, en esto pensad.
9 Lo que aprendisteis y recibisteis y oísteis y visteis en mí, esto haced; y el Dios de paz estará con vosotros.
2 Pedro 1:1 Simón Pedro, siervo y apóstol de Jesucristo, a los que habéis alcanzado, por la justicia de nuestro Dios y Salvador Jesucristo, una fe igualmente preciosa que la nuestra:
2 Gracia y paz os sean multiplicadas, en el conocimiento de Dios y de nuestro Señor Jesús.
3 Como todas las cosas que pertenecen a la vida y a la piedad nos han sido dadas por su divino poder, mediante el cono-
cimiento de aquel que nos llamó por su gloria y excelencia.
4 por medio de las cuales nos ha dado preciosas y grandísimas promesas, para que por ellas llegaseis a ser participantes de la naturaleza divina, habiendo huido de la corrupción que hay en el mundo a causa de la concupiscencia;
5 vosotros también, poniendo toda diligencia por esto mismo, añadid a vuestra fe virtud; a la virtud conocimiento;
6 al conocimiento, dominio propio; al dominio propio, paciencia; a la paciencia piedad;
7 a la piedad, afecto fraternal; y al afecto fraternal, amor.
8 Porque si estas cosas están en vosotros, y abundan, no os dejarán estar ociosos ni sin fruto en cuanto al conocimiento de nuestro Señor Jesucristo.

INTRODUCCIÓN

"El carácter es el conjunto de cualidades propias de una persona que la distingue de las demás por su manera de ser u obrar". Es algo que está de tal manera unido al individuo que no se puede separar de él sin alterar su identidad. Decir que una persona no tiene carácter vendría siendo algo así como "no tiene identidad", "no tiene personalidad". Todos poseemos aquello que nos identifica, que nos hace buenos o malos, nobles o villanos, espirituales o carnales, responsables o irresponsables, veraces o falsos. Debemos ser hoy mejores de lo que fuimos ayer, pero inferiores de lo que seremos mañana.

DESARROLLO DEL ESTUDIO

I. LO QUE TODO CRISTIANO DEBE TENER (FILIPENSES 4:8,9)

A. Cosas en las cuales debe pensar el cristiano (4:8)

Hay personas que piensan que el carácter no puede ser cambiado. Cuantos hay que dicen "Así soy yo y así voy a morir". Pero estas apreciaciones no son correctas. Prueba de ello es lo que se llama "lavamiento de cerebro", por medio

del cual las personas pueden ser condicionadas para hacer lo que antes no solían hacer. En el caso del cristiano ocurre un cambio radical en su manera de ser, en su conducta por causa del nuevo nacimiento o regeneración. Si por ser engendrados por un padre terrenal, venimos al mundo con tendencias hacia lo terrenal, hacia lo malo, al ser engendrados por Dios recibimos dotación y afección hacia las cosas divinas (Juan 3:6). En el texto se mencionan ocho virtudes en las cuales el cristiano debe pensar: 1) "todo" lo verdadero, 2) honesto, 3) justo, 4) puro, 5) amable, 6) lo que es de buen nombre, 7) lo que tenga virtud, y 8) lo que sea digno de alabanza. Y no es una búsqueda parcial sino total.

B. Cosas que debe hacer el cristiano (4:9)

Primero hay que pensar en las cosas de Dios para luego hacerlas. Son cuatro las cosas que los filipenses debían hacer: 1) "lo que aprendisteis", 2) "y recibisteis", 3) "y oísteis", y 4) "visteis en mí". Son varios los pasajes bíblicos en los cuales se nos exhorta a ser imitadores de quienes viven una vida ejemplar, y, principalmente de nuestro Señor Jesucristo. Hay quienes dicen que no saben qué hacer en determinadas situaciones: en esos casos, vea lo que hacen aquellas personas

7 BIBLE STUDY

THE CHRISTIAN AND HIS CHARACTER

Biblical foundation
Philippians 4:8-9; 2 Peter 1:1-8

Objectives
Upon completion of this study, you will be able to:
1. Understand what the Bible teaches about Christian character.
2. Implement what they have learned in their daily lives.
3. Recognize that the best way to proclaim the Gospel is to lead a genuinely Christian lifestyle.

Suggested date: _____ / _____ / _____

Main idea
Christians must be identified by all the virtues that are communicated to them by the presence of Christ in their lives at all times.

Golden verse
Let your light so shine before men, that they may see your good works and glorify your Father in heaven (Matthew 5:16).

RESPONSIVE READING

Philippians 4:8 Finally, brethren, whatever things are true, whatever things are noble, whatever things are just, whatever things are pure, whatever things are lovely, whatever things are of good report, if there is any virtue and if there is anything praiseworthy—meditate on these things.
9 The things which you learned and received and heard and saw in me, these do, and the God of peace will be with you.
2 Peter 1:1 Simon Peter, a bondservant and apostle of Jesus Christ, To those who have obtained like precious faith with us by the righteousness of our God and Savior Jesus Christ:
2 Grace and peace be multiplied to you in the knowledge of God and of Jesus our Lord,
3 as His divine power has given to us all things that per- tain to life and godliness, through the knowledge of Him who called us by glory and virtue,
4 by which have been given to us exceedingly great and precious promises, that through these you may be partakers of the divine nature, having escaped the corruption that is in the world through lust.
5 But also for this very reason, giving all diligence, add to your faith virtue, to virtue knowledge,
6 to knowledge self-control, to self-control perseverance, to perseverance godliness,
7 to godliness brotherly kindness, and to brotherly kindness love.
8 For if these things are yours and abound, you will be neither barren nor unfruitful in the knowledge of our Lord Jesus Christ.

INTRODUCTION

"Character is the set of qualities that distinguishes one person from the others by the way they are or act." It is something that is so attached to the individual that it cannot be separated from him without changing his identity. To say that a person has no character would be something like saying that the person has "no identity," or "no personality." We all have something that identifies us, that makes us good or bad, noble or villainous, spiritual or carnal, responsible or irresponsible, true or false. We should be better today than we were yesterday, but less than we will be tomorrow.

STUDY DEVELOPMENT

I. WHAT EVERY CHRISTIAN SHOULD HAVE (PHILIPPIANS 4:8,9)

A. Things which the Christian should think (4:8)

There are people who think that character cannot be changed. There are a few who say "I was born this way and I will die this way." But these observations are incorrect. Proof of this is what is called "brain washing", whereby people can be conditioned to do what they previously did not do. For Christians, a radical change takes place in the way they are, in their behavior, because of their new birth or regeneration. If by being begotten by an earthly father we come into the world with tendencies toward the worldly, toward evil, when we are begotten by God we receive strength and affection towards the things of God (John 3:6). The text mentions eight virtues about which the Christian should think: 1) "whatever" things are true, 2) noble, 3) just, 4) pure, 5) lovely, 6) of good report, 7) virtuous, and 8) praiseworthy. And the goal must be to think of these not partially but fully.

B. Things the Christian should do (4:9)

First, there is the need to think about the things of God and then do them. There are four things that the Philippians were commended do: 1) "the things which you learned", 2) "and received", 3) "and heard" and 4) " saw in me." There are several biblical passages in which we are exhorted to be imitators of those who live an exemplary life, and, most of all, of our Lord Jesus Christ. There are some who say they do not know what to do in certain situations. In such cases, see what those who are devoted completely to the Lord do. Paul admonished: "Imitate me, just as I also imitate Christ"

que están dedicadas de lleno al Señor. Pablo exhortó: "Sed imitadores de mí, así como yo de Cristo" (1 Corintios 11:1; Efesios 5:1); "Porque ejemplo os he dado, para que como yo os he hecho, vosotros también hagáis" (Juan 13:15). Lamentablemente, muchas veces la influencia de los que actúan mal es tan fuerte que nos vemos tentados a hacer lo mismo.

II. UNA NUEVA IDENTIDAD (2 PEDRO 1:1-4)

A. Lo que el cristiano ha alcanzado (1:1,2)

El apóstol Pedro, declara que el creyente ha sido beneficiario de la "justicia de nuestro Dios" (v.1), recibiendo una cantidad multiplicada de fe, gracia y paz de Dios a través del conocimiento de nuestro Señor Jesucristo. Entonces, ¡cómo es posible que su vida no haya experimentado un cambio radical que lo asemeje a Dios! Las experiencias que el creyente recibe de Dios no son solamente para bloquearle la entrada al infierno y abrirle las puertas del cielo, sino también, para hacerlo diferente aquí en la tierra. La salvación, necesariamente, tiene que hacernos semejantes a nuestro Señor. Si el inconverso tiene como padre al diablo y cumple con los deseos de su padre el diablo (Juan 8:44), los creyentes tienen como Padre a Dios y cumplen con los deseos de Él. Dios es perfecto, por lo tanto, el creyente debe procurar la perfección para su vida (Mateo 5:48).

B. Lo que ha sido dado al cristiano (1:3,4)

La primera parte del v.3 contiene una profundidad indescriptible de lo que es la vida cristiana y todo lo que implica: "Como todas las cosas que pertenecen a la vida y a la piedad nos han sido dadas…". "¡Todas!" es una palabra clave. Todas las cosas que se requieren para que un creyente sea semejante a Cristo, santo como Dios, y perfecto, ya están a su disposición. No hay razón para no tener el carácter de Dios, ni para ser insensibles a los impulsos del Espíritu Santo (Romanos 8:26). ¡Pero cuántas excusas se dan para tener un mal carácter, un mal temperamento, una espiritualidad enclenque! Muchos dicen: "Yo no soy espiritual porque no soy ministro"; otros: "Yo no puedo cambiar porque soy igualito que mi padre. Otros les echan la culpa a su temperamento o al signo del zodíaco en que nacieron. ¡Excusas ¡Si uno ha nacido de nuevo y se mantiene en comunión íntima con Dios, será un ejemplo ante la sociedad por su buen carácter!

III. LA VIDA CRISTIANA REQUIERE DILIGENCIA (2 PEDRO 1:5-8)

A. El cristiano y su constante crecimiento en la fe (1:5,6)

Para vivir la vida cristiana se requiere una dedicación responsable; no se puede vivir la vida cristiana de una manera frívola. Es así que el apóstol Pedro empieza el v.5 diciendo: "vosotros también, poniendo toda diligencia…" No un poco de diligencia, sino ¡toda! Un mayúsculo problema que se ve entre los cristianos es que no hay conciencia de especialización que se requiere para vivir la vida cristiana. En todas las disciplinas de la vida, se requiere especialización. Un cirujano no puede operar a un paciente en un cuarto lleno de moscas y con instrumentos oxidados; un arquitecto no puede edificar un rascacielos utilizando barro y gramilla para sus columnas. De todos los profesionales se requiere excelencia. No se toleran aproximaciones. Si esto se requiere en las cosas terrenales, ¡cuánto más en las espirituales que deciden el destino eterno de las almas!

B. El cristiano no puede ser ocioso y sin fruto (1:7,8)

Véase la hermosa escalera que se va formando al consagrarnos al Señor. Se empieza con: 1) la fe; se añade 2) virtud (excelencia); se le añade 3) conocimiento, a este, 4) dominio propio, a este 5) paciencia; a esta, 6) afecto fraternal "amor de hermanos", y por último, 7) amor. ¿Cómo seríamos los creyentes si nos comprometiésemos seriamente con el Señor? ¿Cómo sería nuestro carácter? ¿Cómo serían nuestras relaciones con los demás? Ahora bien ¿Puede el creyente ser "ocioso"? Definitivamente, ¡No! Se ha dicho que la ociosidad es madre de todos los vicios. La gente ociosa en la iglesia es siempre problemática. El ocioso denigra, critica, objeta, es negativo, pendenciero, no colabora con sus ofrendas y diezmos, pero siempre está preguntando cómo se gasta el dinero. De manera que el buen carácter del cristiano se forma poseyendo lo que Dios nos ha concedido.

RESUMEN GENERAL

El carácter está conformado por aquellas características que el individuo posee que lo hacen ser quien es y que lo constituyen diferente a otros. No se puede pretender que una persona que viva en la carne posea un buen carácter; como tampoco se puede esperar que un hijo de Dios, lleno del Espíritu Santo, que ha nacido de Dios, que posee de parte de Dios algún don, tenga un mal carácter. Quien tiene a Dios adentro, lo exteriorizará en su manera de ser. Quienes están en la iglesia pero poseen caracteres bruscos, irascibles, difíciles de tratar, es porque son cristianos teóricamente; tienen un conocimiento mental de la vida cristiana. Su problema es la falta de consagración. La solución para ese problema es reconocer cómo es uno, arrepentirse y pedirle a Dios que lo cambie.

PREGUNTAS

1. Defina lo que es el carácter en una persona.
2. Mencione las ocho virtudes en las cuáles el cristiano debe pensar.
3. En 1 Pedro 1:3, el apóstol hace una declaración de lo que es la vida cristiana, ¿Cuál es?
4. Mencione la escalera que se va formando al consagrarnos al Señor.
5. ¿Cuál es la fuente verdadera para poseer un buen carácter?

(1 Corinthians 11:1; Ephesians 5:1); " For I have given you an example, that you should do as I have done to you" (John 13:15). Unfortunately, many times the influence of those who do evil is so strong that we are tempted to do what they do.

II. A NEW IDENTITY (2 PETER 1:1-4)

A. What the Christian has obtained (1:1,2)

The apostle Peter declares that the believer has benefited from the "righteousness of our God" (v.1), receiving a multiplied amount of faith, grace, and peace from God through the knowledge of our Lord Jesus Christ. Therefore, it could not be possible for him to not have experienced a radical change in his life that made him resemble Jesus! The experiences that the believer receives from God are not only to block him from the entrance to hell and open the gates of heaven for him, but also to make him different here on earth. Salvation must make us like our Lord. If the unbeliever has the devil as father, and meet the desires of their father the devil (John 8:44), believers have God as Father and meet the desires of God. God is perfect; therefore, the believer should seek perfection for his life (Matthew 5:48).

B. What has been given to the Christian (1:3,4)

The first part of v.3 contains indescribable depth on what the Christian life is and all that it implies: "As His divine power has given to us all things that pertain to life and godliness ...". "All" is a key word. All things that are required for a believer to be Christ-like, to be holy like God, and perfect, are already available. There is no reason not to have the character of God, or to be insensitive to the prompting of the Holy Spirit (Romans 8:26). But how many excuses are given for having a bad character, a bad temper, a weak spirituality! Many say: "I am not spiritual because I'm not a minister"; others: "I cannot change because I'm just like my father." Others blame their personality or the zodiac sign under which they were born. Excuses! If we are born again and remain in close communion with God, we will be an example to society because of our good character!

III. CHRISTIAN LIFE REQUIRES DILIGENCE (2 PETER 1:5-8)

A. The Christian and his constant growth in the faith (1:5,6)

To live the Christian life requires a responsible commitment; the Christian life cannot be lived frivolously. Thus, the apostle Peter begins verse 5 by saying, " But also for this very reason, giving all diligence..." Not a bit of diligence, but all! A major problem seen among Christians is that there is no aware-

ness of the in-depth knowledge required to live the Christian life. In all disciplines of life, specialization is required. A surgeon cannot operate on a patient in a room full of flies and rusty instruments; an architect cannot build a skyscraper using mud and turf for its columns. Excellence is required from all professionals. No approximations are tolerated. If this is required in earthly things, how much more in the spiritual things that decide the eternal destiny of souls!

B. The Christian cannot be idle and unfruitful (1:7,8)

See the beautiful staircase that is formed as we consecrate ourselves to the Lord. It begins with: 1) faith; then 2) virtue (excellence); 3) knowledge is added; to this, 4) self-control; to this 5) perseverance; to this, 6) brotherly kindness, "brotherly love", and finally, 7) love. How would we, the believers, be if we were seriously committed to the Lord? What would our character be? How would our relationships with others be? Now, can a believer be "idle"? Definitely not! It has been said that idleness is the mother of all vices. In the church, idle people are always problematic. The idle person demeans, criticizes, objects, is negative, quarrelsome, and is uncooperative with his tithes and offerings but always asks how the money is spent. So, the good character of a Christian is formed by possessing what God has already given us.

GENERAL SUMMARY

Character is made up of those characteristics that the individual possesses that make him who he is and make him different from others. We cannot pretend that a person living in the flesh has a good character; nor can it be expected that a child of God, filled with the Holy Spirit, born of God, who has a gift from God, has a bad character. He who has God inside will reveal Him in his personality. Those who are in church but have rude, irritable, and difficult to treat characters do so because they are Christians only theoretically; They have mental knowledge of the Christian life. Their problem is the lack of consecration. The solution to this problem is to admit our faults, repent, and ask God to change us.

QUESTIONS

1. Define what character is in a person.
2. Name the eight virtues on which the Christian should think.
3. In 1 Peter 1:3, Paul makes a statement about what constitutes the Christian life. What is the statement?
4. Name the ladder that is formed as we consecrate ourselves to the Lord.
5. What is the real source of a good character?

PRÁCTICAS CRISTIANAS QUE NO SE PUEDEN DESCUIDAR

ESTUDIO BÍBLICO 8

Pensamiento central
El creyente debe ser sensible a todas las cosas en las cuales Dios desea que se mantenga ocupado en todo tiempo.

Texto áureo
Vestíos, pues, como escogidos de Dios, santos y amables, de entrañable misericordia, de benignidad, de humildad, de mansedumbre, de paciencia (Colosenses 3:12).

Base bíblica
1 Tesalonicenses 5:12-23

Objetivos
Al concluir esta lección serán capaces de:
1. Continuar desarrollando la sensibilidad hacia las cosas de Dios.
2. Estudiar la Biblia de una manera más devota para implementar lo que ella enseña.
3. Reconocer que son instrumentos por los cuales Dios desea manifestarse.

Fecha sugerida: _____ / _____ / _____

LECTURA BÍBLICA

1 Tesalonicenses 5:12 Os rogamos, hermanos, que reconozcáis a los que trabajan entre vosotros, y os presiden en el Señor, y os amonestan;
13 y que los tengáis en mucha estima y amor por causa de su obra. Tened paz entre vosotros.
14 También os rogamos, hermanos, que amonestéis a los ociosos, que alentéis a los de poco ánimo, que sostengáis a los débiles, que seáis pacientes para con todos.
15 Mirad que ninguno pague a otro mal por mal; antes seguid siempre lo bueno unos para otros, y para con todos.

16 Estad siempre gozosos.
17 Orad sin cesar.
18 Dad gracias en todo, porque esta es la voluntad de Dios para con vosotros en Cristo Jesús.
19 No apaguéis al Espíritu.
20 No menospreciéis las profecías.
21 Examinadlo todo; retened lo bueno.
22 Absteneos de toda especie de mal.
23 Y el mismo Dios de paz os santifique por completo; y todo vuestro ser, espíritu, alma y cuerpo, sea guardado irreprensible para la venida de nuestro Señor Jesucristo.

INTRODUCCIÓN

¡La vida cristiana es práctica! Posee responsabilidades para con Dios, con el prójimo y para con uno mismo. No se puede pensar de ella, como algo teórico, limitada al conocimiento y a los sentimientos. Es un estilo de vida que tiene muchas demandas, no es estática, esto es, carente de acción; no es neutral, que ni avanza ni retrocede. Ningún cristiano puede decir: "Soy un buen cristiano: No le hago mal ni bien a nadie". Bíblicamente, creer implica acción: no es un simple asunto mental. La fe necesita tener obras, de lo contrario no es fe. Lo dice claramente Santiago: "Así también la fe, si no tiene obras, es muerta en sí misma" (Santiago 2:17).

DESARROLLO EL ESTUDIO

I. RUEGOS DEL APÓSTOL PABLO (1 TESALONICENSES 5:12-14)

A. Cómo tratar a los siervos del Señor (5:12,13)

En este pasaje de 1 Tesalonicenses 5:12-22 se encuentran diecisiete imperativos para los creyentes. Un imperativo no es una sugerencia, una recomendación, sino una orden. Todos están dirigidos, no solamente a los miembros de la iglesia en Tesalónica, sino a todos los creyentes de todos los tiempos y de todo lugar. Únicamente practicando estos imperativos el creyente se convierte en bendición para la iglesia. Y giran alrededor del trato que el creyente debe tener con sus hermanos en la fe, y con el cultivo de su relación con Dios. Pero, obsérvese, que el apóstol empieza con el trato que los miembros deben dar a sus pastores. Deben reconocerlos como tales, como "pastores". Eso es lo que implican las palabras: "que reconozcáis a los que trabajan entre vosotros… y que los tengáis en mucha estima y amor". Ellos se merecen eso y mucho más. Desgraciadamente, hay miembros en las iglesias que no reconocen ni valoran la labor de sus pastores.

B. Cómo tratar a los hermanos (5:14)

La manera como tratamos a los hermanos es un reflejo de cómo tratamos a los nuestros dentro del hogar y determinará el trato que daremos a los que no pertenecen a la iglesia. El apóstol empieza instruyendo cómo hay que corregir a los "indisciplinados". Toda persona que cause problemas en la iglesia, debe ser amonestada para que se corrija. Pero, toda corrección debe ser hecha en amor, pero con autoridad. Siguiendo el método que el Señor estableció (Mateo 18:15-17). Luego el apóstol hace referencia a los de "poco ánimo", aquellos cristianos que necesitan estímulo, aliento para llegar a ser de gran bendición. Además que sostengáis a los débiles. La idea es que los creyentes debemos ser como postes donde los débiles se puedan apoyar. Y ¡Ser pacientes para con todos! La paciencia es parte del fruto del Espíritu Santo (Gálatas 5:22). De manera que si tenemos el Espíritu en nosotros, nos debe caracterizar la paciencia hacia todos y en todo tiempo.

8 BIBLE STUDY

CHRISTIAN PRACTICES THAT CANNOT BE NEGLECTED

Biblical foundation
1 Thessalonians 5:12-23

Objectives
Upon completion of this study, you will be able to:
1. Continue to develop sensitivity toward the things of God.
2. Study the Bible in a more pious way to implement what it teaches into their lives.
3. Recognize that they are instruments through which God desires to manifest Himself.

Suggested date: _____ / _____ / _____

Main idea
The believer should be sensitive to all the things in which God wants them to constantly remain occupied.

Golden verse
Therefore, as the elect of God, holy and beloved, put on tender mercies, kindness, humility, meekness, longsuffering (Colossians 3:12).

RESPONSIVE READING

1 Thessalonians 5:12 And we urge you, brethren, to recognize those who labor among you, and are over you in the Lord and admonish you,
13 and to esteem them very highly in love for their work's sake. Be at peace among yourselves.
14 Now we exhort you, brethren, warn those who are unruly, comfort the fainthearted, uphold the weak, be patient with all.
15 See that no one renders evil for evil to anyone, but always pursue what is good both for yourselves and for all.
16 Rejoice always,
17 pray without ceasing,
18 in everything give thanks; for this is the will of God in Christ Jesus for you.
19 Do not quench the Spirit.
20 Do not despise prophecies.
21 Test all things; hold fast what is good.
22 Abstain from every form of evil.
23 Now may the God of peace Himself sanctify you completely; and may your whole spirit, soul, and body be preserved blameless at the coming of our Lord Jesus Christ.

INTRODUCTION

The Christian life is practical! It has responsibilities toward God, toward others and toward oneself. It cannot be thought of as something theoretical, limited to knowledge and feelings. It is a lifestyle that has many demands, it is not static, that is, devoid of action. It is not neutral, that neither moves forward nor backward. No Christian can say, "I'm a good Christian: I do not do evil or good to anyone." Biblically, to believe implies action: it is not a simple mental matter. Faith needs works, otherwise it is not faith. James says it clearly: "Thus also faith by itself, if it does not have works, is dead" (James 2:17).

STUDY DEVELOPMENT

I. PLEADS OF THE APOSTLE PAUL (1 THESSALONIANS 5:12-14)

A. How to treat the servants of the Lord (5:12,13)

There are seventeen imperatives for the believers in this passage from 1 Thessalonians 5:12-22. An imperative is not a suggestion or recommendation, but an order. They are all directed not only to the members of the church in Thessalonica, but to all believers of all times and in all places. Only by practicing these imperatives will the believer become a blessing to the church. These imperatives revolve around the way the believer should treat their brothers and sisters in the faith, and the cultivation of his own relationship with God. But note, the apostle begins with the treatment that members should give their pastors. They should recognize them as such, as "pastors". That is what the words "to recognize those who labor among you ... and to esteem them very highly and love" mean. They deserve that and more. Unfortunately, there are church members who do not recognize or value the work of their pastors.

B. How to treat the brethren (5:14)

The way we treat our brothers and sisters in Christ is a reflection of how we treat our own within our home and it will determine the treatment we give to those outside the church. The apostle begins by instructing how we must correct the "unruly." Any person who causes trouble in the church should be admonished for their correction. However, all correction should be done in love, but with authority, following the method established by the Lord (Matthew 18:15-17). Then the apostle refers to the "fainthearted," those Christians who need encouragement or motivation in order to become great blessings. He also instructs to uphold the weak. The idea is that believers should be as poles on which the weak can lean. And to be patient with everyone! Patience is part of the fruit of the Spirit (Galatians 5:22). So if we have the Spirit in us, we must be characterized by our patience toward all and at all times.

II. LO QUE DIOS ESPERA DE SUS HIJOS
(1 TESALONICENSES 5:15-18)

A. Que sean bondadosos con sus hermanos (5:15)

El verbo "pague" que utiliza el apóstol Pablo en el versículo quince merece ser considerado. Es la traducción del griego, entre sus significados, están: "devolver", "dar lo que se debe o se prometió", "pagar". En esto el idioma griego coincide con el español ya que cuando a alguien le hacen algo, suele amenazar, diciendo: "Me la vas a pagar". De modo que la idea es: "Me hiciste algo malo; es una deuda que has contraído conmigo, y llegará el momento en que yo me cobre haciéndote algo peor". Detrás del lenguaje está la ponzoña de la venganza que espera el momento más virulento para retribuir algo de lo cual fue víctima. Este es el criterio del mundo irredento, pero no el del Evangelio. En la fe cristiana el mal se paga con el bien, y lo malo con lo bueno. La venganza es uno de los males más peligrosos para la iglesia. El apóstol Pablo enseñó: "No seas vencido de lo malo, sino vence con el bien el mal" (Romanos 12:21).

B. Que disciernan Su voluntad (5:16-18)

¡La fe cristiana es una fe de gozo! Este gozo es producido por el Espíritu Santo: "Mas el fruto del Espíritu es amor, gozo…." (Gálatas 5:22). Este gozo no es producto de las circunstancias sino a pesar de ellas. Por ejemplo, la felicidad es consecuencia de las cosas agradables que ocurren en nuestra vida. Este no es el caso del gozo cristiano, que no está supeditado a las circunstancias y acontecimientos, sino a la presencia del Espíritu Santo en la vida del creyente. La siguiente exhortación del apóstol es a "orar sin cesar" (v.17). En nuestros días, en muchas iglesias la oración no es una prioridad, olvidando que la iglesia no puede hacer nada agradable a Dios si no lo hace en oración. Se nos exhorta además a "dar gracias a Dios por todo": Por lo bueno y por lo malo; por lo mucho y por lo poco; por la abundancia y por la escasez; por los triunfos y por las derrotas; porque a través de la adversidad Dios forma nuestro carácter y se glorifica de una manera más prodigiosa (Romanos 8:28).

III. MEDIOS PARA QUE LA IGLESIA SEA ESPIRITUAL
(1 TESALONICENSES 5:19-23)

A. Dándole libertad al Espíritu Santo (5:19,20)

La exhortación: "No apaguéis al Espíritu", tiene que ver con las operaciones del Espíritu Santo, significa no impedir sus manifestaciones por medio de los dones espirituales, como el hablar en lenguas o profetizar. Claro, puede haber excesos, pero los excesos deben corregirse para que el Espíritu Santo se manifieste con libertad. En la iglesia de Corinto había desórdenes en los cultos por causa de los entusiastas que abusaban en los dones. Pero eso no fue una razón para que el apóstol Pablo les prohibiera hablar en lenguas o pro-fetizar: corrigió los excesos, pero exhortó a que buscaran los mejores dones (Romanos 12 y 1 Corintios 12 y 14). El v.20: "No menospreciéis las profecías", es una referencia a la manifestación de profecías dentro del culto. No se refiere, como algunos creen a las profecías del Antiguo Testamento, sino a las profecías espontáneas dentro del contexto del culto.

B. Viviendo una vida santificada (5:21,22)

Se deduce que en la iglesia de Tesalónica habían surgido prácticas e ideas que necesitaban ser corregidas. En materia doctrinal, los autores del Nuevo Testamento eran irreductibles: no cedían ni un solo milímetro. ¿Qué había sucedido, entonces, para que estas anomalías se infiltraran en las iglesias? ¡Varias! En primer lugar, la lucha del demonio para destruir la verdad, ya que él es padre de toda mentira y sabe muy bien que la verdad está contenida en el Evangelio. Todas las prácticas aberrantes que puedan infiltrarse en las iglesias van ligadas a un distorsión de la sana doctrina. Una iglesia no puede ser sana, fuerte, servidora del Señor, si su doctrina está distorsionada. En segundo lugar, las iglesias habían descuidado las manifestaciones de los dones espirituales que protegen la integridad del Evangelio, a saber: Enseñanza, sabiduría, conocimiento, discreción, profecía. Es imposible que haya buena espiritualidad en las iglesias, si el Espíritu Santo no se manifiesta por medio de los dones mencionados.

RESUMEN GENERAL

El versículo 23 viene siendo la conclusión o remache de oro con que el apóstol concluye sus exhortaciones a la iglesia. Dijimos al principio que en el pasaje estudiado hay diecisiete imperativos o exhortaciones. En ellas vemos al creyente como protagonista de estas acciones. Pero para que todo esto sea una realidad, es imprescindible que le cedamos el protagonismo a Dios para que nos santifique por completo: "Y el mismo Dios de paz os santifique por completo" (v.23). Esto es, que todo nuestro ser: "espíritu, alma, y cuerpo, sea guardado irreprensible para la venida de nuestro Señor Jesucristo". El plan de Dios es que todos nos mantengamos en un estado de total santificación. Para que cuando Cristo venga, no vayamos a ser avergonzados.

PREGUNTAS

1. ¿Qué es un imperativo y cuántos menciona el apóstol Pablo en 1 Tesalonicenses 5:12-22?
2. ¿En torno a qué giran los imperativos mencionados por Pablo?
3. ¿Cuál es el primer imperativo al cual se refiere el apóstol Pablo?
4. En los versículos 16 al 18, ¿qué amonestaciones hizo el apóstol Pablo a los Tesalonicenses?
5. ¿Qué se necesita para que este estilo de vida sea una realidad en el creyente?

II. WHAT GOD EXPECTS OF HIS CHILDREN (1 THESSALONIANS 5:15-18)

A. That they be kind to their brethren (5:15)

The verb "render" used by the apostle Paul in verse 15 deserves consideration. It is a translation from the Greek; among its meanings are: "to return", "to give what is due or promised", "to pay." In this, the Greek language coincides with English because when somebody does something to someone, the latter usually threatens, saying: "You are going to pay for this." So the idea is: "You did something wrong to me; it is a debt that you contracted against me, and the time will come when I will make you pay back by doing to you something even worse." Behind that type of language is the venom of revenge, waiting for the most vicious moment to give back a part of that which he was a victim. This is the approach of the unredeemed world, but not of the Gospel. In the Christian faith evil is paid back with good, and wrong with good. Revenge is one of the most dangerous evils for the church. The apostle Paul taught: "Do not be overcome by evil, but overcome evil with good" (Romans 12:21).

B. That they discern His will (5:16-18)

The Christian faith is a faith of joy! This joy is produced by the Holy Spirit: "But the fruit of the Spirit is love, joy ...." (Galatians 5:22). This joy is not the result of circumstances but in spite of them. For example, happiness is a result of the nice things that happen in our lives. This is not the case for Christian joy, which is not subject to circumstances or events, but to the presence of the Holy Spirit in the believer's life. The next exhortation of the apostle is to "pray without ceasing" (v.17). Prayer is not a priority in many churches nowadays, forgetting that the church cannot do anything pleasing to God if it is not done in prayer. We are also encouraged to give thanks to God "in everything": For the good and the bad; for much and for little; for abundance and scarcity; for victories and defeats; because through adversity God shapes our character and glorifies Himself in a most wonderful way (Romans 8:28).

III. MEANS FOR THE CHURCH TO BE SPIRITUAL (1 THESSALONIANS 5:19-23)

A. Giving freedom to the Holy Spirit (5:19,20)

The exhortation "Do not quench the Spirit" has to do with the operations of the Holy Spirit. It means not to hinder His manifestations through spiritual gifts such as speaking in tongues or prophesying. Sure, there may be excesses, but the excesses must be corrected for the Holy Spirit to manifest freely. In the Corinthian church there was disorder in the services because of enthusiasts who abused the gifts. But that was not used by the apostle Paul as a reason to prohibit speaking in tongues or prophesying. He corrected the excesses, but urged them to seek the best gifts (Romans 12, and 1 Corinthians 12 and 14). Verse 20, "Do not despise prophecies," is a reference to the manifestation of prophecy within the service. It does not refer, as some believe, to the prophecies of the Old Testament, but to spontaneous prophecies taking place within the context of worship.

B. Living a holy life (5:21,22)

It can be deduced that some practices and ideas had emerged in the Church of Thessalonica that needed to be corrected. In doctrinal matters, the New Testament authors were irreducible: they did not yield a single millimeter. What events happened, then, for these anomalies to infiltrate the churches? Several! First, the struggle of the devil to destroy the truth, since he is the father of lies and knows that the truth is contained in the Gospel. All the abhorrent practices that can infiltrate churches are tied to a distortion of sound doctrine. A church cannot be healthy, strong, and servant of the Lord, if its doctrine is distorted. Second, the churches had neglected the manifestations of the spiritual gifts that protect the integrity of the Gospel, namely: Teaching, wisdom, knowledge, discretion, prophecy. It is impossible to have good spirituality in the churches if the Holy Spirit is not manifested through the mentioned gifts.

GENERAL SUMMARY

Verse 23 is the conclusion or finishing touch with which the apostle concludes his exhortation to the church. At the beginning we said that in the studied passage there are seventeen imperatives or exhortations. In them, we see the believer as the protagonist of these actions. But for all this to become a reality, it is imperative that we give God the protagonist role in order for Him to sanctify us completely, "Now may the God of peace Himself sanctify you completely" (v.23). That is, that our whole being: "spirit, soul, and body be preserved blameless at the coming of our Lord Jesus Christ." God's plan is that we all keep in a state of sanctification. So that when Christ comes, we will not be embarrassed.

QUESTIONS

1. What is an imperative and how many does the apostle Paul mention in 1 Thessalonians 5:12-22?
2. Around what do the imperatives mentioned by Paul revolve?
3. What is the first imperative to which Paul refers?
4. In verses 16-18, what exhortations did the apostle Paul gives to the Thessalonians?
5. What is needed to make this lifestyle a reality in the believer?

LOS BUENOS MODALES Y LA FE CRISTIANA

Pensamiento central

Los modales de un cristiano revelan mucho el nivel de su vida espiritual.

Texto áureo

No os conforméis a este siglo, sino transformaos por medio de la renovación de vuestro entendimiento, para que comprobéis cuál sea la buena voluntad de Dios, agradable y perfecta (Romanos 12:2).

Base bíblica
Romanos 12:9-21

Objetivos

A través de este estudio estarán capacitados para:

1. Comprender que el cristiano debe ser un ejemplo de buenos modales.
2. Practicar en la vida diaria los buenos modales como parte integral del Evangelio.
3. Entender que no debe haber una contradicción entre lo que decimos y nuestros buenos modales.

Fecha sugerida: _____ / _____ / _____

LECTURA BÍBLICA

Romanos 12:9 El amor sea sin fingimiento. Aborreced lo malo, seguid lo bueno.

10 Amaos los unos a los otros con amor fraternal; en cuanto a honra, prefiriéndoos los unos a los otros.

11 En lo que requiere diligencia, no perezosos; fervientes en espíritu, sirviendo al Señor;

12 gozosos en la esperanza; sufridos en la tribulación; constantes en la oración;

13 compartiendo para las necesidades de los santos; practicando la hospitalidad.

14 Bendecid a los que os persiguen; bendecid, y no maldigáis.

15 Gozaos con los que se gozan; llorad con los que lloran.

16 Unánimes entre vosotros; no altivos, sino asociándoos con los humildes. No seáis sabios en vuestra propia opinión.

17 No paguéis a nadie mal por mal; procurad lo bueno delante de todos los hombres.

18 Si es posible, en cuanto dependa de vosotros, estad en paz con todos los hombres.

19 No os venguéis vosotros mismos, amados míos, sino dejad lugar a la ira de Dios; porque escrito está: Mía es la venganza, yo pagaré, dice el Señor.

20 Así que, si tu enemigo tuviere hambre, dale de comer; si tuviere sed, dale de beber; pues haciendo esto, ascuas de fuego amontonarás sobre su cabeza.

21 No seas vencido de lo malo, sino vence con el bien el mal.

INTRODUCCIÓN

"Los modales son las acciones externas de cada persona con que se hace notar y se singulariza entre las demás, dando a conocer su buena o mala educación". Es por eso que a una persona que carece de buenos modales se le llama "maleducado". Es imposible divorciar los buenos modales de la fe cristiana, aun más, es imposible que una persona sea cristiana si carece de buenos modales. Los buenos modales son la exteriorización visible de una condición espiritual sana. Lo bueno que hay adentro aflora con toda naturalidad porque no puede haber nada interno que no se manifieste externamente (Mateo 12:34).

DESARROLLO DEL ESTUDIO

I. LA VIDA CRISTIANA PUESTA EN PRÁCTICA (ROMANOS 12:9-13)

A. En el cristiano no puede haber apariencias (12:9-11)

La dinámica del Evangelio siempre se expresa en relación a otros. No existe virtud cristiana que se pueda considerar guardable. Todas ellas, aunque se gestan en el individuo, adquieren valor cuando se exteriorizan. Pero en algunos cristianos no existe el deseo de vivir el Evangelio, de prac-

ticarlo en la vida diaria. Para ellos, cristianismo es no ser de otra religión. Pero el cristiano se identifica no por lo que no es, sino por lo que es y por lo que hace. Y lo que él es y hace se gesta en el creyente por el Espíritu Santo a través del nuevo nacimiento. La historia de la iglesia nos dice que en los primeros siglos del cristianismo, el comentario más conocido que los gentiles hacían de los cristianos, era: "¡Mirad cómo se aman!". Para poder implementar, entonces, las exhortaciones del apóstol en estos versículos, es imprescindible acercarnos a nuestros hermanos para convertirlos en el blanco de nuestros afectos y buenas obras.

B. La vida cristiana en acción (12:12,13)

Dos preguntas que obligadamente se debe hacer cada creyente es: ¿Cómo debo ser, y cómo debo actuar con el prójimo? En la antigua Grecia, en la entrada de cada templo, estaba la inscripción: "Conócete a ti mismo". Y esa misma pregunta debe hacerse a sí mismo todo cristiano. Pero, el mejor camino para conocerse uno a sí mismo es dejando que Dios lo examine y así obtenga la mejor evaluación de quién y cómo es uno. Eso fue lo que el salmista le pidió a Dios: "Examíname, oh Dios, y conoce mi corazón; pruébame y conoce mis pensamientos; y ve si hay en mí camino de perversidad,

9 BIBLE STUDY

GOOD MANNERS AND THE CHRISTIAN FAITH

Biblical foundation
Romans 12:9-21

Objectives
Upon completion of this study, you will be able to:
1. Understand that Christians should be an example of good manners.
2. Practice good manners in daily life as an integral part of the Gospel.
3. Understand that there should not be a contradiction between what we say and our good manners.

Main idea
Christian manners greatly reveal the level of your spiritual life.

Golden verse
And do not be conformed to this world, but be transformed by the renewing of your mind, that you may prove what is that good and acceptable and perfect will of God (Romans 12:2).

Suggested date: _____ / _____ / _____

RESPONSIVE READING

Romans 12:9 Let love be without hypocrisy. Abhor what is evil. Cling to what is good.
10 Be kindly affectionate to one another with brotherly love, in honor giving preference to one another;
11 not lagging in diligence, fervent in spirit, serving the Lord;
12 rejoicing in hope, patient in tribulation, continuing steadfastly in prayer;
13 distributing to the needs of the saints, given to hospitality.
14 Bless those who persecute you; bless and do not curse.
15 Rejoice with those who rejoice, and weep with those who weep.
16 Be of the same mind toward one another. Do not set your mind on high things, but associate with the humble. Do not be wise in your own opinion.
17 Repay no one evil for evil. Have regard for good things in the sight of all men.
18 If it is possible, as much as depends on you, live peaceably with all men.
19 Beloved, do not avenge yourselves, but rather give place to wrath; for it is written, "Vengeance is Mine, I will repay," says the Lord.
20 Therefore "If your enemy is hungry, feed him; if he is thirsty, give him a drink; for in so doing you will heap coals of fire on his head."
21 Do not be overcome by evil, but overcome evil with good.

INTRODUCTION

"Manners are the external actions by which one person is noted and distinguished from the others, and reveal their good or bad education." That is why a person who lacks good manners is called "rude." It is impossible to divorce good manners from the Christian faith; in fact, it is impossible for a person to be a Christian if they lack good manners. Good manners are the visible evidence of a healthy spiritual condition. The good that exists inside surfaces quite naturally because there can be nothing inside that will not be manifested externally (Matthew 12:34).

STUDY DEVELOPMENT

I. THE CHRISTIAN LIFE PUT INTO PRACTICE (ROMANS 12:9-13)

A. There can be no appearances in a Christian (12:9-11)

The dynamics of the Gospel are always expressed in relation to others. There is no Christian virtue that can be considered storable. All of them, though they begin by taking shape within the individual, acquire value when externalized. But in some Christians there is no desire to live the Gospel, to practice it in daily life. For them, Christianity just means to not belong to another religion. But a Christian is identified not by what he is not, but by what he is and does. And what he is and does is being developed by the Holy Spirit through new birth. Church history tells us that in the early centuries of Christianity, the most well-known comment that the Gentiles made of the Christians was: "See how they love each other!" In order to apply, then, the exhortations of the apostle in these verses, it is essential to come closer to our brothers and sisters to make them the object of our affections and good works.

B. The Christian life in action (12:12,13)

Two questions that every believer should ask himself are: How should I be? and how should I act with others? In ancient Greece, at the entrance of each temple, there was the inscription: "Know yourself." And every Christian should ask himself that question. But the best way for anyone to know himself is allowing God to examine him. That way he will get the best assessment of who and how he is. That is what the psalmist asked of God: "Search me, O God, and know my heart; try me and know my anxieties; and see if there is any wicked way in me, and lead me in the way everlasting" (Psalms 139:23,24). It is a more than proven fact that the least qualified person to make an assessment of oneself is oneself. We and our fellow

y guíame en el camino eterno" (Salmo 139:23,24). Es un hecho comprobadísimo que, el menos indicado para hacer un examen de cómo uno es, es precisamente uno mismo. Tanto nosotros mismos como nuestros semejantes haremos una evaluación prejuiciada. Los que menos nos damos cuenta de nuestras fallas, somos nosotros mismos, el único que puede dar el resultado correcto es Dios.

II. EL CRISTIANO DEBE SER ATENTO (ROMANOS 12:14-17)

A. Con los que no lo quieren y con los que sufren (12:14,15)

El concepto cristiano de las relaciones humanas es único dentro de la religión, la filosofía, la antropología y la política de las naciones del mundo. Cuando irrumpió nuestro Señor Jesucristo en el devenir histórico, el pueblo judío sostenía con firmeza aquello de "ojo por ojo, diente por diente". La historia del pueblo judío que se narra en el Antiguo Testamento es una de guerras interminables, que se consideraban justas y avaladas por Dios. Según el criterio griego, ser humilde, ser manso, era un defecto: uno debía ser agresivo y siempre vencedor. Pero apareció Cristo proclamando en sus discursos: "Oísteis que fue dicho a los antiguos; pero yo os digo...", y así se derrumbaron las posturas del mundo conocido. En lugar de violencia; paz ("Vuelve tu espada a su lugar", Mateo 26:52); en lugar de aborrecimiento al enemigo, "amarlo", "bendecirlo", "hacedle bien", "orad por él".

B. Poniendo el yo en segundo lugar (12:16,17)

Hay seis exhortaciones del apóstol en estos versículos que son tiros de gracia al yo protagónico, al ególatra que ha puesto su ego en el centro de su vida. La primera exhortación ataca a aquellos creyentes que no saben vivir en armonía; que siempre tienen que diferir de los demás, que todo lo tienen que contradecir. La segunda exhortación es un ataque frontal a la altivez que siempre va acompañada de soberbia y de arrogancia. Es imposible tratar con ella porque tiene un concepto elevado de sí misma. ¡Cuán difícil es para un pastor tratar con ellos! La tercera va unida con la primera, y es muy importante, porque quien se asocia con los humildes aprende más que si se asociara con reyes. La cuarta exhortación va unida con la segunda ya que uno que se cree sabio, también es altivo, arrogante y soberbio. La quinta exhortación destruye el rencor, que a tantos cristianos ha mantenido distanciados.

III. EL CRISTIANO Y LOS QUE DIFIEREN DE ÉL (ROMANOS 12:18-21)

A. El cristiano es un promotor de armonía (12:18,19)

El apóstol Pablo sigue fielmente la enseñanza de nuestro Señor Jesucristo: "Bienaventurados los pacificadores" (Mateo 5:9). Tanto en griego como en inglés un "pacificador" es uno que "fabrica la paz". La idea es que el creyente debe generar la paz donde no exista. Paz, es uno de los grandes temas de la fe cristiana. La paz es algo que recibimos de Dios cuando nuestros pecados son perdonados (Romanos 5:1); es, también, una de las manifestaciones del fruto del Espíritu (Gálatas 5:22). Todo esto es importante porque los buenos modales, la cortesía, la urbanidad, las finas atenciones, no pueden existir en una persona que carezca de la paz de Dios. El pacificador (Mateo 5:9) produce armonía, unidad, balance y equilibrio emocional en la persona. Las personas maleducadas, desatentas, generan discordia, desorden y confusión.

B. El triunfo del amor (12:20,21)

Este versículo, es una abolición de la ley del talión, abolición de la cual habló el Señor cuando dijo: "Pero yo os digo: No resistáis al que es malo; antes, a cualquiera que te hiera en la mejilla derecha, vuélvele también la otra; y al que quiera ponerte en pleito y quitarte la túnica, déjale también la capa; y a cualquiera que te obligue a llevar carga por una milla, ve con él dos. Al que te pida, dale; y al que quiera tomar de ti prestado, no se lo rehúses" (Mateo 5:39-42). Muchos en nuestros días consideran este lenguaje hiperbólico, no literal. La razón es que vivimos en una sociedad que pone exagerado énfasis en el "yo" y, en la mal interpretada "autoestima". Hay quienes dicen que el contenido es muy humillante y va en contra de nuestra dignidad como personas. El Sermón de la Montaña no es un discurso metafórico, significa lo que dice, y ataca con golpes certeros nuestra jactancia y vanidad, nuestro orgullo y petulancia, nuestro ego, nuestra arrogancia. ¡Felices aquellos que han moldeado su carácter y modales según estas enseñanzas!

RESUMEN GENERAL

El creyente es llamado a la excelencia, y esta es parte del carácter que Dios espera de sus hijos. Una acción correcta sobrepasa mil palabras que se puedan decir. Primero viene el buen ejemplo, y después la explicación de lo que se hizo. Podemos ir mejorando cada día 1) reconociendo que somos humanos, por lo tanto, imperfectos; 2) pidiéndole a Dios que nos corrija, y 3) practicando las bellas enseñanzas que se encuentran en la Biblia.

PREGUNTAS

1. ¿Por qué se dice que el concepto cristiano de las relaciones humanas es único dentro de las estructuras del mundo?
2. ¿Cómo se expresa la dinámica cristiana del evangelio?
3. Mencione las seis exhortaciones del apóstol en los versículos 16 y 17, que son una sentencia al yo protagónico.
4. ¿Por qué muchos piensan que el mensaje del Sermón de la Montaña es exagerado e hiperbólico?
5. ¿Por qué el creyente tiene que ser ejemplo de buenas maneras y buenas costumbres?

human beings will make a biased evaluation. We are the least aware of our shortcomings; the only one who can give us the correct result is God.

II. A CHRISTIAN MUST BE ATTENTIVE (ROMANS 12:14-17)

A. To those who do not like him and to those who are suffering (12:14,15)

The Christian concept of human relations is unique among the religions, philosophies, anthropology, and politics of the nations of the world. When our Lord Jesus Christ burst into the history of mankind, the Jewish people held firmly to the idea of "an eye for eye, a tooth for tooth." The history of the Jewish people, which is told in the Old Testament, is one of endless wars, which were considered fair and supported by God. According to the Greek criterion, to be humble, to be gentle, was a defect. One should be aggressive and always a winner. But Jesus Christ appeared, proclaiming in His speeches: "You have heard that it was said to those of old… but I tell you ..." and thus the positions of the known world collapsed. Instead of violence, peace ("Put your sword in its place, for all who take the sword will perish by the sword," Matthew 26:52); instead of hatred toward the enemy, "love him," "bless him," "do good to him," "pray for him."

B. Putting self in second place (12:16,17)

There are six exhortations of the apostle in these verses that are the coup de grace to the protagonist self, to the egotist who has placed his ego at the center of his life. The first exhortation attacks those believers who do not know how to live in harmony, who always have to differ from others, and who always have to contradict everything. The second exhortation is a frontal attack on haughtiness which is always accompanied by pride and arrogance. They are impossible to deal with because they have a high concept of themselves. How difficult it is for a pastor to deal with them! The third goes hand in hand with the first, and it is very important, because whoever associates himself with the poor will learn more than if he had associated himself with kings. The fourth exhortation goes hand in hand with the second one since one who considers himself wise is also haughty, arrogant and proud. The fifth exhortation destroys the bitterness that has kept so many Christians estranged.

III. THE CHRISTIAN AND THOSE WHO DIFFER FROM HIM (ROMANS 12:18-21)

A. The Christian is a promoter of harmony (12:18,19)

Paul faithfully follows the teaching of our Lord Jesus Christ: "Blessed are the peacemakers" (Matthew 5:9). In Greek as well as in English a "peacemaker" is one who "makes peace." The idea is that the believer must generate peace where it does there is none. Peace is one of the great themes of the Christian faith. Peace is something we receive from God when our sins are forgiven (Romans 5:1). It is also a manifestation of the fruit of the Spirit (Galatians 5:22). All this is important because good manners, courtesy, civility, and fine hospitality, cannot exist in a person who lacks the peace of God. The peacemaker (Matthew 5:9) produces harmony, unity, balance and emotional stability in people. Rude, inconsiderate people generate discord, disorder and confusion.

B. The triumph of love (12:20,21)

This verse is an abolition of the law of retaliation, abolition of which the Lord spoke when He said: "But I tell you not to resist an evil person. But whoever slaps you on your right cheek, turn the other to him also. If anyone wants to sue you and take away your tunic, let him have your cloak also. And whoever compels you to go one mile, go with him two. Give to him who asks you, and from him who wants to borrow from you do not turn away" (Matthew 5:39-42). Today, many consider this language hyperbolic, not literal. The reason is that we live in a society that puts too much emphasis on the "I" and on the misinterpreted "self-esteem". Some say that the content is very humiliating and goes against our dignity as individuals. The Sermon on the Mount is not a metaphorical speech; it means what it says, and attacks with accurate blows our boasting and vanity, our pride and petulance, our ego and our arrogance. Happy are those who have shaped their character and manners according to these teachings!

GENERAL SUMMARY

The believer is called to excellence, and this is part of the character that God expects of His children. A right action exceeds a thousand words that could be said. First comes the good example, and then the explanation of what was done. We can keep improving every day by 1) recognizing that we are human, therefore, imperfect; 2) asking God to correct us, and 3) practicing the beautiful teachings found in the Bible.

QUESTIONS

1. Why is it said that the Christian concept of human relationships is unique among the structures of the world?
2. How are the Christian dynamics of the Gospel expressed?
3. Name the six exhortations of the apostle in verses 16 and 17, that are the coup de grace to the protagonist self.
4. Why do many people think that the message of the Sermon on the Mount is exaggerated and hyperbolic?
5. Why should the believer be an example of good manners and morals?

EL CRISTIANO Y LA MODESTIA

Base bíblica
1 Pedro 3:1-12

Pensamiento central

El creyente debe ser un portador de todas aquellas virtudes que acompañan a un carácter humilde, carente de vanidad y ostentación.

Texto áureo

Sean vuestras costumbres sin avaricia, contentos con lo que tenéis ahora; porque él dijo: No te desampararé, ni te dejaré (Hebreos 13:5).

Objetivos

Por medio del presente estudio podrán:

1. Comprender lo que la Biblia enseña acerca de la modestia.
2. Informarse acerca de las diferentes áreas que cubre la modestia.
3. Implementar en sus vidas algo que es fundamental en la vida cristiana: La modestia.

Fecha sugerida: _____ / _____ / _____

LECTURA BÍBLICA

1 Pedro 3:1 Asimismo vosotras, mujeres, estad sujetas a vuestros maridos; para que también los que no creen a la palabra, sean ganados sin palabra por la conducta de sus esposas,
2 considerando vuestra conducta casta y respetuosa.
3 Vuestro atavío no sea el externo de peinados ostentosos, de adornos de oro o de vestidos lujosos,
4 sino el interno, el del corazón, en el incorruptible ornato de un espíritu afable y apacible, que es de grande estima delante de Dios.
5 Porque así también se ataviaban en otro tiempo aquellas santas mujeres que esperaban en Dios, estando sujetas a sus maridos;
6 como Sara obedecía a Abraham, llamándole Señor; de la cual vosotras habéis venido a ser hijas, si hacéis el bien, sin temer ninguna amenaza.

7 Vosotros, maridos, igualmente, vivid con ellas sabiamente, dando honor a la mujer como a vaso frágil, y como a coherederas de la gracia de la vida, para que vuestras oraciones no tengan estorbo.
8 Finalmente, sed todos de un mismo sentir, compasivos, amándoos fraternalmente, misericordiosos, amigables;
9 no devolviendo mal por mal, ni maldición por maldición, sino por el contrario, bendiciendo, sabiendo que fuisteis llamados para que heredaseis bendición.
10 Porque: El que quiere amar la vida y ver días buenos, refrene su lengua de mal, y sus labios de hablar engaño;
11 Apártese del mal, y haga el bien; busque la paz, y sígala.
12 Porque los ojos del Señor están sobre los justos, y sus oídos atentos a sus oraciones; pero el rostro del Señor está contra aquellos que hacen el mal.

INTRODUCCIÓN

¿Por qué dedicar un estudio al tema de la "modestia"? Por dos razones, porque hay que conocer lo que la Biblia enseña, y porque, lamentablemente, la falta de modestia se ha introducido con tanta fuerza en la iglesia que ya no existe diferencia entre la identidad de un inconverso y la de uno que profesa ser cristiano. "Modestia" viene siendo, "La cualidad de humilde, falta de engreimiento o de vanidad". La modestia va íntimamente ligada al pundonor, al recato y a la honestidad. Desde el punto de vista eminentemente bíblico, la modestia es resultado de la santidad que Dios provee al converso.

de ellas que se encontraban en cinco provincias. El interés del apóstol fue formar conciencia en todos los creyentes de cómo debe ser la conducta del cristiano en cualquier contexto en que se encuentre, independientemente, si es hombre o mujer, soltero o casado, joven o anciano. Todo cristiano debe vivir una vida ejemplar. En los vv.1, 2 se encuentran dos exhortaciones para las esposas: sujeción a sus maridos, y mantener una conducta casta y respetuosa (Efesios 5:21-24). La sujeción de la cual se trata, no es una caprichosa y arbitraria, sino una como si los esposos fueran representantes del Señor. ¡Para que las esposas puedan estar sujetas a sus maridos, primero tienen que estar sujetas a Dios!

DESARROLLO DEL ESTUDIO

I. LA CONDUCTA DE LA MUJER CRISTIANA (1 PEDRO 3:1-4)

A. En relación a su esposo (3:1,2)

Las exhortaciones de 1 de Pedro no fueron dadas porque el apóstol haya sabido de irregularidades que existiesen en las iglesias de Asia Menor, ya que su carta está dirigida a muchas

B. En relación a su atavío (3:3,4)

"Vuestro atavío no sea el externo… sino el interno". Pedro ve una contradicción entre: El empeño de lucir bien por fuera, y el de lucir bien por dentro. El primero es carnal y vanidoso, el segundo es espiritual y virtuoso; el primero trata con apariencias, el segundo con realidades; el primero enardece la carne, el segundo desarrolla carácter; el primero lo insita el demonio, el segundo lo provoca Dios. ¿Cuál

10 BIBLE STUDY

THE CHRISTIAN AND MODESTY

Biblical foundation
1 Peter 3:1-12

Objectives
Upon completion of this study, you will be able to:
1. Understand what the Bible teaches about modesty.
2. Be informed about the different areas where modesty is required
3. Implement, in their own lives, something that is fundamental in the Christian life: Modesty.

Suggested date: _____ / _____ / _____

Main idea
The believer must be a carrier of all the virtues that accompany a character that is humble, devoid of vanity and ostentation.

Golden verse
Let your conduct be without covetousness; be content with such things as you have. For He Himself has said, "I will never leave you nor forsake you" (Hebrews 13:5).

RESPONSIVE READING

1 Peter 3:1 Wives, likewise, be submissive to your own husbands, that even if some do not obey the word, they, without a word, may be won by the conduct of their wives, 2 when they observe your chaste conduct accompanied by fear. **3 Do not let your adornment be merely outward—arranging the hair, wearing gold, or putting on fine apparel—** 4 rather let it be the hidden person of the heart, with the incorruptible beauty of a gentle and quiet spirit, which is very precious in the sight of God. **5 For in this manner, in former times, the holy women who trusted in God also adorned themselves, being submissive to their own husbands,** 6 as Sarah obeyed Abraham, calling him lord, whose daughters you are if you do good and are not afraid with any terror.

7 Husbands, likewise, dwell with them with understanding, giving honor to the wife, as to the weaker vessel, and as being heirs together of the grace of life, that your prayers may not be hindered. 8 Finally, all of you be of one mind, having compassion for one another; love as brothers, be tenderhearted, be courteous; **9 not returning evil for evil or reviling for reviling, but on the contrary blessing, knowing that you were called to this, that you may inherit a blessing.** 10 For "He who would love life and see good days, let him refrain his tongue from evil, and his lips from speaking deceit. **11 Let him turn away from evil and do good; let him seek peace and pursue it.** 12 For the eyes of the Lord are on the righteous, and His ears are open to their prayers; but the face of the Lord is against those who do evil."

INTRODUCTION

Why devote a study to the subject of "modesty"? For two reasons: because we need to know what the Bible teaches about it, and because, unfortunately, the lack of modesty has gotten into the church with so much force that there is no longer any difference between the identity of an unbeliever and of one who professes to be a Christian. "Modesty" is, "The quality of being humble, lacking in conceit or in vanity." Modesty is closely linked to honor, decorum, and honesty. From an eminently biblical point of view, modesty is a result of holiness given by God to the believer.

STUDY DEVELOPMENT

I. THE CONDUCT OF THE CHRISTIAN WOMAN (1 PETER 3:1-4)

A. In relation to her husband (3:1,2)

The exhortations of 1 Peter were not given because the apostle had heard of irregularities in the churches of Asia Minor, since his letter is addressed to many of the churches in five different provinces. The apostle's interest was on building awareness in all the believers about how Christians should behave in any context in which they find themselves, regardless of whether the believer is male or female, single or married, young or old. Every Christian must live an exemplary life. In vv.1-2 there are two exhortations for the wives: to be submissive to their husbands, and to maintain a chaste and respectful behavior (Ephesians 5:21-24). The submissiveness he is talking about is not a capricious and arbitrary one, but one done as if both spouses were representatives of the Lord. For the wives to be submissive to their husbands, they must first be submissive to God!

B. In relation to her attire (3:3,4)

"Do not let your adornment be merely outward... rather let it be the hidden person of the heart". Peter sees a contradiction between the effort to look good on the outside and the effort to look good on the inside. The first is carnal and vain, the second is spiritual and virtuous; the first deals with appearances, the second with realities; the first arouses the flesh, the second develops character; the first is encouraged by the devil, the second by God. What will we choose? Now, the apostle is not

escogeremos? Ahora, el apóstol no insinúa que la mujer cristiana viva sin arreglarse, porque todos los extremos son peligrosos. Modestia significa, estar en el medio, no en los extremos. ¡Y en la modestia siempre hay belleza porque todo lo sencillo es bello! Aquellos que tratan de excusar sus extremos, argumentando: "Lo bueno es que Dios conoce mi corazón", insinuando que lo externo no tiene nada que ver con lo interno, están equivocados. Olvidan que lo externo es una manifestación de lo interno: "De la abundancia del corazón habla la boca".

II. DEBERES DE LA ESPOSA Y DEL ESPOSO (1 PEDRO 3:5-7)

A. La esposa debe estar sujeta a su esposo (3:5,6)

Abraham y Sara salieron de Ur de los caldeos alrededor del año 2 000 a.C. De manera que al escribir Pedro su carta, está haciendo referencia a una mujer que había vivido dos mil años antes. Sin embargo, su modestia al ataviarse y su sujeción a su esposo Abraham seguían siendo recordadas. Era tal su atractivo que cuando Abraham y Sara fueron a Egipto, a pesar de ser ya una mujer madura, era "de hermoso aspecto" (Génesis 12:11) y fue alabada por los príncipes de Faraón por su hermosura (Génesis 12:15). Comparado el caso con el de Jezabel, esposa del rey Acab. Cuando Jehú fue en su búsqueda, Jezabel "se pintó los ojos con antimonio, y atavió su cabeza" (2 Reyes 9:30) para seducirlo, pero su atavío no le sirvió para nada: su fin fue trágico (2 Reyes 9:30-37). Si Jezabel hubiera temido a Dios, y en lugar de ataviarse seductoramente su exterior, hubiera ataviado su interior como lo dice Pedro, no hubiera tenido el penoso fin que tuvo.

B. El esposo debe dar honor a su esposa (3:7)

Las relaciones matrimoniales tienen que estar en armonía con el carácter de Dios. Si el marido actúa de una manera impropia con su esposa, sus oraciones serán rechazadas por Dios. ¡Tremenda lección! Todo lo que está en desacuerdo con Dios bloquea la relación con Él. El versículo 7 se extienda a todo lo que es el trato entre esposa y esposo, no solamente dentro del hogar, sino en todas partes. El pensamiento vital debe ser: ¿Honro a Dios en la manera como le hablo y trato a mi esposa? Duele decirlo, pero es necesario hacerlo: Es muy penoso que haya pastores que son muy atentos con las hermanas de la iglesia, pero muy desatentos con sus esposas. ¡Honremos a nuestras esposas, hermanos queridos! Por otro lado: Hay hermanas en las iglesias que son muy generosas con sus pastores: Le hacen generosos regalos en sus cumpleaños, pero cuando llega el cumpleaños de la esposa del pastor no le regalan ni una tarjeta. ¡Cuidado!

III. DEBERES DE TODOS LOS CRISTIANOS (1 PEDRO 3:8-12)

A. Practicar las virtudes cristianas (3:8,9)

"Sed todos de un mismo sentir". Aquí el apóstol Pedro exhorta a practicar la unanimidad, la unidad de espíritu, la armonía. Por ejemplo, la desunión era el veneno que in-

tentaba destruir a la iglesia de Corinto cuando unos decían ser de Cefas (Pedro), otros de Apolos, otros de Pablo, y otros de Cristo (1 Corintios 1:10-17). Es sugestivo que en 1 Corintios, carta en la cual, prácticamente, el apóstol corrige alguna irregularidad en cada capítulo, empiece corrigiendo el problema de la falta de unidad. ¿Por qué? Porque si algo divide y destruye iglesias es la falta de unidad. El hecho de que una congregación se reúna no significa que todos se encuentren en unanimidad. Un perro y un gato pueden estar juntos atados de la cola desde el cielo raso de una casa, pero dándose de mordiscos y arañazos. Que estén juntos no significa que estén unánimes, en armonía.

B. Rechazar lo malo; procurar lo bueno (3:10-12)

Los versículos 10-12 son una apelación a los que quieren amar la vida, esto es, andar por el camino de las bendiciones de Dios, aquellos que desean ser felices. Pero la felicidad no es algo que se obtiene por casualidad. Todos somos el arquitecto de nuestro propio destino: lo que uno siembra, eso cosecha. Para lograr la buena vida debemos, entre otras cosas: 1) refrenar nuestra lengua del mal, 2) procurar que nuestros labios no hablen engaño, y 3) la separación de todo mal, para luego poder practicar el bien. La sal y el azúcar no pueden estar juntos; ni lo amargo y lo dulce; ni lo bueno con lo malo; ni la santidad con el pecado; ni el cielo con el infierno; ni las tinieblas con la luz. Quien practica el bien, procurará la paz y la encontrará. Cuando uno se esfuerza por agradar al Señor, sus ojos estarán sobre uno, y sus oídos atentos a nuestras oraciones.

RESUMEN GENERAL

Una razón por la cual muchas veces los cristianos son tentados a la falta de decoro es por querer estar a tono con los estilos de atavío que están de moda en el mundo secular. Pero, independientemente de cómo sean las modas el creyente debe hacerse varias preguntas, por ejemplo: ¿Honro a Dios con mi manera de vestirme? ¿Honro a mi esposo/a con mi atavío? ¿Me honro a mí mismo/a siguiendo las nuevas modas? Las preguntas son contestadas, 1) por medio del conocimiento de la Palabra de Dios, y 2) por medio del Espíritu Santo que mora en cada creyente. El Espíritu Santo guía a todo lo que es agradable delante de Dios, y nos distancia de todo lo que es desagradable.

PREGUNTAS

1. ¿Cuál era el interés del apóstol Pedro al escribir estas exhortaciones?
2. ¿Qué puede impedir que nuestras oraciones lleguen a la presencia de Dios?
3. Mencione las ocho virtudes, que el apóstol deseaba ver en los creyentes que cita en los versículos 8 y 9?
4. ¿Cuál es el consejo del apóstol Pedro para disfrutar una buena vida en los versículos 11 y 12?
5. ¿Cuáles son las preguntas que debe hacerse el creyente frente a las modas del mundo?

suggesting that Christian women should not get dressed up, because all extremes are dangerous. Modesty means being in the middle, not at the extremes. And there is always beauty in modesty because simplicity is beautiful! Those who try to excuse their extremes by saying: "The important thing is that God knows my heart," implying that the outside has nothing to do with the internal, are wrong. They forget that the external is a manifestation of the internal: "Out of the abundance of the heart the mouth speaks."

II. DUTIES OF WIVES AND HUSBANDS (1 PETER 3:5-7)

A. The wife must be submissive to her husband (3:5,6)

Abraham and Sarah left Ur of the Chaldeans around the year 2000 BC. So, when Peter is writing his letter, he is referring to a woman who lived two thousand years earlier. However, her modesty in her attire and her submissiveness to her husband Abraham were still remembered. Such was her appeal that when Abraham and Sarah went to Egypt, despite already being a mature woman, she was said to be "of beautiful countenance" (Genesis 12:11) and was praised by the princes of Pharaoh for her beauty (Genesis 12:15). Compared that to the case of Jezebel, wife of King Ahab. When Jehu went in search Jezebel, "she put paint on her eyes and adorned her head" (2 Kings 9:30) to seduce him, but her attire did not help at all: her end was tragic (2 Kings 9:30-37). Had Jezebel feared God and, instead of dressing up her outside in a seductive manner, had dressed up her inner being, like Peter says, she would not have had the miserable end she had.

B. The husband must give honor to his wife (3:7)

Marital relations must be in agreement with God's character. If the husband acts in an improper manner toward his wife, his prayers will be rejected by God. Tremendous lesson! Everything that is not in agreement with God hinders the relationship with Him. What is said in verse 7 covers everything that has to do with how a husband and wife treat each other, not only within the home, but everywhere. The main thought should be: Do I honor God in the way I speak and treat my wife? It hurts to say it, but it is necessary to say it, anyway: It is very painful to see pastors who are very attentive to the sisters of the church, but very inattentive to their wives. Let us honor our wives, dear brothers! On the other hand, there are sisters in the churches that are very generous with their pastors; they give them generous gifts on their birthdays, but when it is the birthday of the pastor's wife, they do not even give them a card. Be careful!

III. DUTIES OF ALL CHRISTIANS (1 PETER 3:8-12)

A. Practice Christian virtues (3:8,9)

"Be of one mind." Here the apostle Peter exhorts them to practice unanimity, unity of spirit, and harmony. For example,

disunity was the poison that was trying to destroy the church of Corinth when some said to be of Cephas (Peter), others of Apollos, some of Paul, and others of Christ (1 Corinthians 1:10-17). It is suggestive that 1 Corinthians, a letter in which the apostle corrects some irregularity in practically every chapter, starts with correcting the problem of lack of unity. Why? Because if there is anything that breaks and destroys churches, it is disunity. The fact that a congregation gathers together does not mean that there is unity among them. A dog and a cat can be tied together by their tails from the ceiling of a house and still be biting and scratching each other. The fact that they are together does not mean they are in one accord, in harmony.

B. Rejecting evil, pursuing good (3:10-12)

Verses 10-12 are an appeal to those who want to be happy, those who want to love life, that is, to walk down the path of God's blessings. But happiness is not something you get by chance. We are all architects of our own destiny: what one sows, one harvests. To achieve the good life we must, among other things: 1) refrain our tongue from evil, 2) restrain our lips from speaking deceit, and 3) turn away from evil so that we can then do good. Salt and sugar cannot be together; nor can bitter and sweet; nor good and bad; nor holiness and sin; nor heaven and hell; nor darkness and light. Whoever does good will seek peace and find it. When someone strives to please the Lord, His eyes will be on him, and His ears will be attentive to his prayers.

GENERAL SUMMARY

One reason why many Christians are sometimes tempted to lack decorum is because they want to keep up with the styles that are fashionable in the secular world. But regardless of how fashions are, a believer must ask several questions to himself, such as: Do I honor God with my way of dressing? Do I honor my husband / wife with my attire? Do I honor myself following the new trends? The questions are answered, 1) through the knowledge of the Word of God, and 2) through the Holy Spirit who dwells in every believer. The Holy Spirit leads to all that is pleasing to God, and distances us from all that is unpleasant.

QUESTIONS

1. What was the apostle Peter's interest when he wrote these exhortations?
2. What can prevent our prayers from reaching God's presence?
3. List the eight virtues that the apostle wanted to see in the believers, which are mentioned in verses 8 and 9.
4. What is the apostle Peter's advise in verses 11 and 12 to enjoying a good life?
5. What are the questions that a believer should ask himself in the face of worldly fashions?

EL CRISTIANO Y LAS BUENAS OBRAS

Pensamiento central
El único testimonio efectivo de conocer a Cristo, son las buenas obras, y, en el día final, lo que determinará quiénes irán a la derecha y quiénes a la izquierda, serán sus obras.

Texto áureo
Presentándote tú en todo como ejemplo de buenas obras; en la enseñanza mostrando integridad, seriedad (Tito 2:7).

Base bíblica
Tito 2:1-10

Objetivos
Por medio del presente estudio podrán:
1. Conocer lo que la Biblia enseña acerca de las buenas obras.
2. Ser motivados a ser un ejemplo de buenas obras.
3. Evitar la vida improductiva.

Fecha sugerida: _____ / _____ / _____

LECTURA BÍBLICA

Tito 2:1 Pero tú habla lo que está de acuerdo con la sana doctrina.
2 Que los ancianos sean sobrios, serios, prudentes, sanos en la fe, en el amor, en la paciencia.
3 Las ancianas asimismo sean reverentes en su porte, no calumniadoras, no esclavas del vino, maestras del bien;
4 que enseñen a las mujeres jóvenes a amar a sus maridos y a sus hijos,
5 a ser prudentes, castas, cuidadosas de su casa, buenas, sujetas a sus maridos, para que la palabra de Dios no sea blasfemada.

6 Exhorta asimismo a los jóvenes a que sean prudentes;
7 presentándote tú en todo como ejemplo de buenas obras; en la enseñanza mostrando integridad, seriedad,
8 palabra sana e irreprochable, de modo que el adversario se avergüence, y no tenga nada malo que decir de vosotros.
9 Exhorta a los siervos a que se sujeten a sus amos, que agraden en todo, que no sean respondones;
10 no defraudando, sino mostrándose fieles en todo, para que en todo adornen la doctrina de Dios nuestro Salvador.

INTRODUCCIÓN

La vida cristiana se expresa con las buenas obras, porque no puede haber vida cristiana sin la manifestación de estas. Las buenas obras no causan la salvación, pero no puede haber salvación que no se pruebe con ellas. Esa fue la gran enseñanza que nos dejaran el apóstol Pablo y Santiago. Pablo, contrarrestando a los judaizantes que insistían en que la salvación se obtiene por medio de las buenas obras, los rebatió demostrando que la salvación se obtiene únicamente por la fe en Cristo; luego Santiago, rebatiendo a aquellos que decían que con solo tener una fe teórica es suficiente para ser salvos, les demuestra que la verdadera fe siempre va acompañada de buenas obras.

DESARROLLO DEL ESTUDIO

I. EXHORTACIONES A LOS ANCIANOS (TITO 2:1-3)

A. Cómo deben ser los ancianos (2:1,2)

Dios es el ejemplo máximo de buenas obras. Nuestro Señor Jesucristo dedicó su vida a hacer buenas obras (Hechos 10:38), y exhortó a los suyos: "Así alumbre vuestra luz delante de los hombres, para que vean vuestras buenas obras…" (Mateo 5:16). Según el apóstol Pablo, "…somos hechura suya (de Dios), creados en Cristo Jesús para buenas obras, las cuales Dios preparó de antemano…" (Efesios 2:10).

El creyente es una nueva criatura (2 Corintios 5:17) a fin de que se dedique a bendecir el mundo a través de buenas obras, y estas no son generadas por él, sino preparadas por Dios desde antes de la creación del mundo. Las buenas obras en el creyente son una extensión de la sana doctrina (Tito 2:1), y este se distinguirá por ser 1) "sobrio" (v.2), 2) "venerable" (v.2), 3) "prudente" (v.2), 4) "sano en la fe" (doctrina) (v.2), 5) "sano en el amor" (v.2), y en 6) "la paciencia" (v.2). ¡El creyente, es un canal por el que deben fluir las buenas obras de Dios!

B. Cómo deben ser las ancianas (2:3)

Por "ancianas" no se refiere a damas que tenían puestos en la iglesia como los "ancianos" quienes dirigían las iglesias. Se refiere a todas las hermanas que habían llegado a cierta edad de madurez física. Pues bien, como era costumbre del apóstol Pablo en sus cartas de tener consejos para todos los integrantes de las iglesias, también los tuvo para las damas ancianas. Todo esto es fundamental porque la vida cristiana posee un modelo que debe vivirse. Nadie puede vivir la vida cristiana como desee hacerlo. Cuántos dicen: "Yo vivo la vida cristiana a mi manera"; "Yo adoro a Dios a mí manera"; "Yo sirvo a Dios a mí manera". ¡Error! La vida cristiana no se vive a nuestra manera sino a la de Dios. Enumeremos las exhortaciones del apóstol a las ancianas: 1) "reverentes en su porte". Se puede traducir: "reverentes en su conducta". 2) "no calumniadoras". "que las ancianas no sean instrumentos

11 BIBLE STUDY

THE CHRISTIAN AND GOOD WORKS

Biblical foundation
Titus 2:1-10

Objectives
Upon completion of this study, you will be able to:
1. Know what the Bible teaches about good works.
2. Be encouraged to be an example of good works.
3. Avoid unproductive life.

Suggested date: _____ / _____ / _____

Main idea
The only effective evidence someone knows Christ is their good works, and in the final day, what will determine who will go to the right or to the left will be their works.

Golden verse
In all things showing yourself to be a pattern of good works; in doctrine showing integrity, reverence, incorruptibility (Titus 2:7)

RESPONSIVE READING

Titus 2:1 But as for you, speak the things which are proper for sound doctrine:
2 that the older men be sober, reverent, temperate, sound in faith, in love, in patience;
3 the older women likewise, that they be reverent in behavior, not slanderers, not given to much wine, teachers of good things—
4 that they admonish the young women to love their husbands, to love their children,
5 to be discreet, chaste, homemakers, good, obedient to their own husbands, that the word of God may not be blasphemed.

6 Likewise, exhort the young men to be sober-minded,
7 in all things showing yourself to be a pattern of good works; in doctrine showing integrity, reverence, incorruptibility,
8 sound speech that cannot be condemned, that one who is an opponent may be ashamed, having nothing evil to say of you.
9 Exhort bondservants to be obedient to their own masters, to be well pleasing in all things, not answering back,
10 not pilfering, but showing all good fidelity, that they may adorn the doctrine of God our Savior in all things.

INTRODUCTION

The Christian life is expressed through good works because there can be no Christian life without the manifestation of them. Good works do not produce salvation, but there can be no salvation that is not proved by good works. That was the great lesson that the apostle Paul and James left for us. Paul, counteracting the Judaizers who insisted that salvation is obtained by means of good works, refuted them by showing that salvation comes only through faith in Jesus Christ. Then James, rebutting those who said just having a theoretical faith was sufficient for salvation, shows that true faith is always accompanied by good works.

STUDY DEVELOPMENT

I. EXHORTATIONS TO THE ELDERLY (TITUS 2:1-3)

A. How older men should be (2:1,2)

God is the ultimate example of good works. Our Lord Jesus Christ spent His life doing good works (Acts 10:38), and urged His followers: "Let your light so shine before men, that they may see your good works ..." (Matthew 5:16). According to the apostle Paul, "... we are His (of God) workmanship, created in Christ Jesus for good works, which God prepared beforehand ..." (Ephesians 2:10). The believer is a new creation (2 Corinthians 5:17) called to devote himself to blessing the world through good works, and those works are not generated by him but prepared by God before the creation of the world. Good works in the believer are an extension of sound doctrine (Titus 2:1), and older men will distinguish themselves by being 1) "sober" (v.2), 2) "reverent" (v.2), 3) "temperate" (v.2), 4) "sound in faith" (doctrine) (v.2), 5) "sound in love" (v.2), and in 6) "patience" (v .2). The believer is a channel through which the good works of God should flow!

B. How older women should be (2:3)

The term "older women" does not refer to ladies who had positions in the church as the "elders" who lead the churches. It refers to all the sisters who had reached a certain age of physical maturity. It was the Apostle Paul's custom to have in his letters instructions for all group members in the church; therefore, he also had instructions for older women. All this is essential because the Christian life has a model that should be lived. No one can live the Christian life as they wish to do so. Many people say, "I live the Christian life in my own way"; "I worship God in my own way"; "I serve God in my own way." Wrong! The Christian life is not lived in our own way but in God's way. Let's enumerate the exhortations of the apostle to the older women: 1) "reverent in behavior," which can be translated: "reverent in their conduct"; 2) "not slanderers," that is, "that older women should not be instruments of evil";

del mal ", 3) "no esclavas del vino", 4) "maestras del bien", mostrando un buen ejemplo en todo.

II. CÓMO DEBEN SER LOS JÓVENES (TITO 2:4-7)

A. Cómo deben ser las esposas jóvenes (2:4,5)

Aunque parezca sorprendente, pero hay creyentes que piensan que existen diferentes niveles de espiritualidad: que los más espirituales deben ser los ministros, luego los consejeros y diáconos de la iglesia, luego los que tienen cargos en la iglesia, a continuación los adultos, y por último los jóvenes de la iglesia. Pero, bíblicamente no es así, porque las enseñanzas de la Palabra de Dios van dirigidas a todos los creyentes sin distinción. "Sed santos porque Yo soy santo" (1 Pedro 1:16). Hay creyentes que esperan que los pastores y sus familias sean de una perfección inmaculada, intachables en todo, mientras ellos pueden vivir su cristianismo a su manera. Por eso se amonesta también a las esposas jóvenes a que… 1) "amen a sus maridos", 2) "amen a sus hijos", 3) "que sean prudentes", 4) "castas", 5) "cuidadosas de su casa", 6) "buenas", 7) "sujetas a sus maridos", para que la palabra de Dios no sea blasfemada.

B. Cómo deben ser los varones jóvenes (2:6,7)

"Exhorta a los jóvenes a que sean prudentes" (v.6) La palabra "prudentes", en el idioma original también significa "ser sensibles", "poseer una mente sobria". La prudencia consiste en discernir y distinguir lo que es bueno o malo, para seguir o huir de ello". Cuando la persona es prudente evita cometer torpezas. La prudencia ayuda a controlar la manera de hablar y la manera de actuar. Donde hay prudencia o sensatez no hay apasionamiento ni fanatismo. "Presentándote tú… como ejemplo de buenas obras" (v.7). Aquí el apóstol toca la iniciativa de cada creyente de alcanzar lo óptimo de la vida cristiana. Es la disposición espontánea, no forzada, carente de coerciones, de llegar a la cumbre de fe. "Mostrando integridad, seriedad" (v.7). "Integridad es algo completo; que no carece de lo que debe tener", y "seriedad" se dice de alguien que toma las cosas con el respeto que les corresponde. ¡Estas cualidades deben ser parte del cristiano!

III. AVERGOZANDO A LOS ENEMIGOS DEL EVANGELIO (TITO 2:8-10)

A. La importancia de una vida ejemplar (2:8)

La sensibilidad espiritual del apóstol Pablo lo mueve a decir: "Palabra sana e irreprochable". "Hay una verdad incontrovertible que no puede ser cuestionada, que no puede ser contradicha", y es: "que los enemigos de la fe cristiana queden avergonzados, cuando, al querer decir algo malo de vosotros, no encuentren nada que decir". La idea es la de una corte en la cual el fiscal pretende traer cargos contra una persona inocente, y al querer hacerlo se queda mudo sabiendo que nadie le va a creer, sabiendo que hará un papel ridículo, porque la conducta del supuesto acusado es intachable. ¡Qué argumento tan sólido a favor de la veracidad del Evangelio!

El testimonio ejemplar, intachable de los creyentes es el mejor argumento sobre la veracidad del Evangelio y su procedencia divina. La gente descreída podrá cuestionar nuestras palabras, rebatir nuestras proposiciones, pero nunca poner en entredicho nuestra conducta.

B. La importancia de ser fieles en todo (2:9,10)

El último grupo al cual se dirige el apóstol Pablo es a los siervos. En honor a la verdad, "siervos" no es la traducción correcta, sino "esclavo". La diferencia entre los esclavos y los siervos, es que los siervos trabajaban a base de contrato, tenían sueldo, horario, y podían dejar el trabajo cuando deseaban. En cambio, los esclavos; no gozaban de ningún beneficio, excepto el de la generosidad de sus amos cristianos. Poco a poco la esclavitud fue desapareciendo, dado al lugar que los amos convertidos daban a sus esclavos. Muchos, tomando en cuenta la generosidad de sus amos, preferían seguir como tales. Aplicada esto a cada creyente: Es preferible hacerse esclavo de Cristo, porque en ella encontramos la verdadera libertad. Pero, veamos lo que el apóstol Pablo les dice a estos "siervos": 1) que estén sujetos a sus amos; 2) que los agraden en todo; 3) que no sean respondones; 4) que no los defrauden; 5) que sean fieles en todo, 6) para que así adornen la doctrina de Dios nuestro Salvador. Una vez más, el apóstol estiliza su manera de escribir afirmando que la buena conducta de los "siervos" engalana la doctrina cristiana.

RESUMEN GENERAL

Tan importantes son "las buenas obras" que ellas darán testimonio de la clase de fe salvadora que poseíamos que determinará el destino eterno en el juicio final (Mateo 25:31-46). Fuimos exhortados por la Palabra de Dios a, 1) "ser ejemplo de buenas obras" (Tito 2:7); 2) "celosos de buenas obras"; (Tito 2:14); 3) "dispuestos a toda buena obra" (Tito 3:1), y 4) "Ocuparnos en buenas obras" (Tito 3:8,14). Pero hay algo muy importante, y es que cuando al creyente lo contraten para hacer un trabajo, que se esmere por hacerlo bien. Tristemente hay cristianos que cuando otro cristiano lo contrata para que le haga un trabajo, se aprovechan y lo hacen defectuoso y caro. No hace poco, la esposa de un hermano comentó "Si piensa construir una casa, no contrate personas que dicen ser cristianas". ¿Por qué suceden estas cosas? ¡Porque olvidamos que los cristianos debemos ser un ejemplo de buenas obras!

PREGUNTAS

1. ¿Cuál fue la gran enseñanza que nos dejaron Pablo y Santiago?
2. ¿Qué dice el apóstol Pablo en Efesios 2:10, respecto de las buenas obras?
3. Mencione algunas referencias que hace el apóstol en su carta a Tito, acerca de las buenas obras del creyente.
4. ¿Cuál es la traducción correcta de la palabra "siervos" en el versículo 9 de nuestro estudio?
5. ¿Cómo las buenas obras" darán testimonio de la clase de fe salvadora que poseemos?

3) "not given to much wine," 4) "teachers of good things," showing a good example in everything.

II. HOW THE YOUNG PEOPLE SHOULD BE (TITUS 2:4-7)

A. How young wives should be (2:4,5)

Surprisingly, there are believers who think that there are different levels of spirituality; that the most spiritual should be ministers; then the advisors and deacons of the church; then those who occupy positions in the church; then the adults, and finally the youth of the church. But biblically this is not so because the teachings of the Word of God are addressed to all believers without distinction. "Be holy, for I am holy" (1 Peter 1:16). There are believers who expect pastors and their families to be immaculate, perfect in everything, while they live out their Christianity in their own way. That is the reason young wives are also admonished to ... 1) "love their husbands," 2) "love their children," 3) "be discreet," 4) "chaste," 5) "home-makers," 6) "good," and 7)" obedient to their husbands," so that the word of God may not be blasphemed.

B. How young men should be (2:6,7)

"Exhort the young men to be sober-minded" (v.6). The word "sober-minded" in the original language also means "to be sensible", "to be prudent." Sober-mindedness is to discern and distinguish what is good or bad, in order to follow or run from it. When a person is sober-minded, he avoids making mistakes. Sober-mindedness helps control the way we talk and act. Where there is sober-mindedness or good judgment, there is neither frenzy nor fanaticism. "... Showing yourself to be a pattern of good works" (v.7). Here the apostle touches on the initiative that should be found in every believer to reach an optimum Christian life. It is a spontaneous disposition, devoid of coercion, not forced, to reach the peak of faith. "Showing integrity, reverence" (v.7). Integrity is "something complete; not lacking anything it should have" and "reverence" is to take things with the respect they deserve. These qualities must be part of a Christian!

III. PUTTING THE ENEMIES OF THE GOSPEL TO SHAME (TITUS 2:8-10)

A. The importance of an exemplary life (2:8)

The spiritual sensitivity of the apostle Paul moved him to say, "sound speech that cannot be condemned." There is an incontrovertible truth that cannot be questioned, that cannot be contradicted, and that is that the "opponents" of the Christian faith "be ashamed" when, wanting to say something bad about you, they find "nothing evil to say of you." The idea is that of a court in which the prosecutor intends to bring charges against an innocent person, and wanting to do so remains silent, knowing that nobody is going to believe him, and that he will play a ridiculous role because the conduct of the alleged accused is impeccable. What a solid argument in favor of the truth of the

Gospel! The exemplary, impeccable testimony of the believers is the best argument for the truth of the Gospel and its divine origin. Godless people may question our words, refute our proposals, but they can never put into question our behavior.

B. The importance of being faithful in all things (2:9,10)

The last group the Apostle Paul addresses is the bond-servants. In all honesty, "bondservants" is not the correct translation, rather "slave." The difference between slaves and bondservants is that the bondservants were working on a contract basis, they had wages, hours, and could leave work when they wanted. In contrast, slaves did not enjoy any benefit except the generosity of their Christian masters. Gradually, slavery was disappearing due to the treatment that converted owners were giving their slaves. Many slaves, considering the generosity of their masters, preferred to continue as such. Applying this to every believer, it is better to become a slave of Christ, because in that we find true freedom. But let's see what the Apostle Paul tells these "bondservants": 1) to be obedient to their own masters; 2) to please them in all things; 3) to not answer back to them; 4) to not pilfer them; 5) to show all good fidelity, 6) so that they may adorn the doctrine of God our Savior. Once again, the apostle stylized his writing stating that the good conduct of the "servants" graces the Christian doctrine.

GENERAL SUMMARY

"Good works" are so important that they will give testimony to the kind of saving faith we have and will determine the eternal destiny in the final judgment (Matthew 25:31-46). We were exhorted by the Word of God to 1) "be a pattern of good works" (Titus 2:7); 2) "zealous for good works"; (Titus 2:14); 3) "ready for every good work" (Titus 3:1), and 4) "maintain good works" (Titus 3: 8,14). There is something very important, and that is that when a believer gets hired to do a job, he should commit himself to do it well. Sadly, there are Christians who, when hired by another Christian to do some work, take advantage and make it flawed and expensive. Recently, a brother's wife said, "If you are thinking on building a house, do not hire people who claim to be Christians." Why do these things happen? Because we forget that Christians should be a pattern of good works!

QUESTIONS

1. What was the great lesson that the apostle Paul and James left for us?
2. What does the apostle Paul say in Ephesians 2:10 regarding good works?
3. Name some references about the good works of the believer made by the Apostle Paul in his letter to Titus.
4. What is the correct translation of the word "bondservants" in verse 9 of our study?
5. How will "good works" give testimony to the kind of saving faith we have?

EL PECADO DE LAS AMBICIONES DESMEDIDAS

Pensamiento central

Los deseos del creyente deben ser en conformidad con la voluntad de Dios, ya que Él sabe lo que es mejor para la vida de cada uno de sus hijos.

Texto áureo

Sean vuestras costumbres sin avaricia, contentos con lo que tenéis ahora; porque él dijo: No te desampararé, ni te dejaré (Hebreos 13:5).

Base bíblica
Mateo 6:25-34

Objetivos

Este estudio permitirá que pueda:

1. Entender que no hay nada de malo en desear aquello que es necesario para vivir honrosa y tranquilamente.
2. Convencerse de que las ambiciones desmedidas son innecesarias y perjudiciales.
3. Estar seguros que Dios bendice a los que confían en Él más de lo que ellos se imaginan.

Fecha sugerida: _____ / _____ / _____

LECTURA BÍBLICA

Mateo 6:24 Ninguno puede servir a dos señores; porque o aborrecerá al uno y amará al otro, o estimará al uno y menospreciará al otro. No podéis servir a Dios y a las riquezas.

25 Por tanto os digo: No os afanéis por vuestra vida, qué habéis de comer o qué habéis de beber; ni por vuestro cuerpo, qué habéis de vestir. ¿No es la vida más que el alimento, y el cuerpo más que el vestido?

26 Mirad las aves del cielo, que no siembran, ni siegan, ni recogen en graneros; y vuestro Padre celestial las alimenta. ¿No valéis vosotros mucho más que ellas?

27 ¿Y quién de vosotros podrá, por mucho que se afane, añadir a su estatura un codo?

28 Y por el vestido, ¿por qué os afanáis? Considerad los lirios del campo, cómo crecen: no trabajan ni hilan;

29 pero os digo, que ni aun Salomón con toda su gloria se vistió así como uno de ellos.

30 Y si la hierba del campo que hoy es, y mañana se echa en el horno, Dios la viste así, ¿no hará mucho más a vosotros, hombres de poca fe?

31 No os afanéis, pues, diciendo: ¿Qué comeremos, o qué beberemos, o qué vestiremos?

32 Porque los gentiles buscan todas estas cosas; pero vuestro Padre celestial sabe que tenéis necesidad de todas estas cosas.

33 Mas buscad primeramente el reino de Dios y su justicia, y todas estas cosas os serán añadidas.

34 Así que, no os afanéis por el día de mañana, porque el día de mañana traerá su afán. Basta a cada día su propio mal.

INTRODUCCIÓN

Las ambiciones desmedidas y la avaricia van juntas. Se pueden considerar como dos caras de la misma moneda. Junto a ellas van otros pecados inseparables, como la mentira, el materialismo, la deshonestidad, el atropello del derecho ajeno. El diccionario define avaricia como: "Afán desordenado de poseer o adquirir riquezas para atesorarlas". De manera que la avaricia se centraliza en el dinero, las riquezas, y lo que se relaciona con ello. Olvida aquello que el Señor dijo: "¿qué aprovechará al hombre, si ganare todo el mundo, y perdiere su alma?" (Mateo 16:26). Desdichadamente los vicios de las ambiciones desmedidas y la avaricia, han entrado en la iglesia bajo la cobertura de ciertas seudo teologías que a muchos han engañado.

DESARROLLO DEL ESTUDIO

I. EL IMPERATIVO DE CONFIAR EN DIOS (MATEO 6:24-27)

A. La confianza en Dios elimina el problema del afán (6:24,25)

El afán es considerado por los psiquiatras y psicólogos como uno de los detonantes de las enfermedades llamadas psicosomáticas, esto es, que se originan en la manera de pensar. El afán puede ser consecuencia de la avaricia. Y estos roban la paz, y los verdaderos objetivos de la vida. Pero el afán puede estar también relacionado con la adquisición de cosas legítimas, como alimento, bebida, vestido, techo. Lógicamente, toda persona debe pensar en la obtención de estas necesidades básicas. El Señor se valió de ejemplos simples como, las aves del cielo, los lirios del campo, y la hierba perecedera, para probar la providencia divina: Dios les da la vida sin que ellos se la pidan. Si esto hace en los reinos animal y vegetal, cuánto más no hará por los suyos, que fueron hechos a imagen y semejanza suya, y que han sido redimidos por la sangre de su Hijo.

B. El cuidado divino por su creación (6:26,27)

Hay una tremenda enseñanza que se esconde en estos dos versículos, y es: que los desmedidos afanes del hombre nunca logran producir la felicidad que se busca en las cosas. Un "codo" más de altura haría a la persona un gigante, casi un monstruo y ¿sería feliz un hombre si de la noche a la mañana se viese convertido en un gigante? Solían decir los antiguos griegos que "cuando los dioses se disgustan con los hombres,

12 BIBLE STUDY

THE SIN OF EXCESSIVE AMBITION

Biblical foundation
Matthew 6:25-34

Objectives
Upon completion of this study, you will be able to:
1. Understand that there is nothing wrong with wanting what is necessary to live honorably and peacefully.
2. Convince themselves that excessive ambitions are unnecessary and harmful.
3. Be sure that God blesses those who trust Him more than they can imagine.

Suggested date: _____ / _____ / _____

Main idea
The desires of the believer should be in accordance with the will of God, for He knows what is best for the life of each and every one of His children.

Golden verse
Let your conduct be without covetousness; be content with such things as you have. For He Himself has said, "I will never leave you nor forsake you (Hebrews 13:5).

RESPONSIVE READING

Matthew 6:24 "No one can serve two masters; for either he will hate the one and love the other, or else he will be loyal to the one and despise the other. You cannot serve God and mammon.

25 "Therefore I say to you, do not worry about your life, what you will eat or what you will drink; nor about your body, what you will put on. Is not life more than food and the body more than clothing?

26 Look at the birds of the air, for they neither sow nor reap nor gather into barns; yet your heavenly Father feeds them. Are you not of more value than they?

27 Which of you by worrying can add one cubit to his stature?

28 "So why do you worry about clothing? Consider the lilies of the field, how they grow: they neither toil nor spin;

29 and yet I say to you that even Solomon in all his glory was not arrayed like one of these.

30 Now if God so clothes the grass of the field, which today is, and tomorrow is thrown into the oven, will He not much more clothe you, O you of little faith?

31 "Therefore do not worry, saying, 'What shall we eat?' or 'What shall we drink?' or 'What shall we wear?'

32 For after all these things the Gentiles seek. For your heavenly Father knows that you need all these things.

33 But seek first the kingdom of God and His righteousness, and all these things shall be added to you.

34 Therefore do not worry about tomorrow, for tomorrow will worry about its own things. Sufficient for the day is its own trouble.

INTRODUCTION

Excessive ambitions and greed go together. They can be considered as two sides of the same coin. Along with them there are other inseparable sins, such as lying, materialism, dishonesty, and the trampling of the rights of others. The dictionary defines greed as "excessive desire to possess or acquire wealth to hoard it." So greed is focused on money, wealth, and everything related to it. It forgets what the Lord said, "What profit is it to a man if he gains the whole world, and loses his own soul?" (Matthew 16:26). Unfortunately, the vices of excessive ambitions and greed, have entered the church under the coverage of certain pseudo-theologies that have deceived many.

STUDY DEVELOPMENT

I. THE COMMAND TO TRUST IN GOD (MATTHEW 6:24-27)

A. Trust in God eliminates the problem of worry (6:24,25)

Worrying is considered by psychiatrists and psychologists as one of the triggers of so-called psychosomatic illnesses, that is, illnesses that originate in the way of thinking. Worrying may result from greed. And they steal peace and the true objectives of life. But worrying may also be related to the acquisition of legitimate things such as food, drink, clothing, shelter. Obviously, everyone should think about supplying these basic needs. The Lord used simple examples like birds, wild flowers, and perishable grass to prove divine providence; God supplies them without asking. If He does this with the animal and plant kingdoms, how much more will He not do it for His people, who were made in His image and likeness, and who have been redeemed by the blood of His Son.

B. God's care for His creation (6:26,27)

There is a tremendous teaching hidden in these two verses, and it is this: man's excessive desire never manages to produce the happiness sought after in things. Adding one more "cubit" to his stature would make a person a giant, almost a monster, and would a man be happy if he finds that he has become a giant overnight? Ancient Greeks used to say that "when the gods are displeased with men, they grant them their requests." That was a formidable way for the gods to punish the people because very often, when we want something vehemently, it is to our detriment. A great truth is that, as the apostle Paul says,

les conceden sus peticiones". Esa era una formidable manera de castigar los dioses a las gentes, porque, muchas veces, cuando deseamos vehemente alguna cosa, es para nuestro perjuicio. Una gran verdad es que, como dice el apóstol Pablo, muchas veces no sabemos pedir como conviene (Romanos 8:26; Santiago 4:3). La respuesta de Dios es un rotundo ¡no!, que para una mala oración es la mejor respuesta de Dios.

II. EL REMEDIO CONTRA EL AFÁN (MATEO 6:28-31)

A. Las lecciones que nos da la naturaleza (6:28,29)

El Señor se vale de los lirios, flores silvestres para dar una enseñanza acerca de la providencia divina y lo que realmente es hermoso. Pero lo interesante es que añade diciendo que la belleza de los lirios del campo es mayor que la que tuvo Salomón, con todo su "gloria". El Señor habló de "los lirios del campo", y no de las violetas y flores exóticas que se dan en invernaderos. Para la cultura occidental tener una casa, un coche lujoso, cuentas bancarias, es una verdadera riqueza, pero en la mentalidad del Señor otros son los valores y las verdaderas prioridades que le dan sentido a la vida. Nadie rechaza que varias de estas cosas tienen su importancia, pero no son lo máximo de la vida. La salud física, emocional, mental y espiritual; la paz interior; una familia unida; la salvación, son los verdaderos valores de la vida, acompañados, por supuesto, con lo indispensable que Dios sabe que necesitamos.

B. El pecado de desconfiar de Dios (6:30,31)

En los ejemplos que el Señor utiliza: aves del cielo, lirios del campo, hierba del campo, no deja de llamar la atención que utilice cosas simples de la naturaleza. Por aves, no se refiere a águilas, cóndores, sino a simples gorriones, palomas, tórtolas; por "lirios" se refiere a flores silvestres; "hierba", no significa maleza sino a simple grama, la palabra "campo" es una referencia al terreno no cultivado, que no ha sido tocado por el hombre. En todos estos ejemplos está el elemento de la sencillez y de la humildad. Es un ataque frontal a lo pomposo, lo fastuoso, a la opulencia. Lo que Cristo enfatiza es el don de la vida, el valor del cuerpo, y la relación con el "reino de Dios y su justicia" (v.33). Lo trágico es que el afán y la avaricia son los que roban la vida, la salud y la relación con Dios. En estos nunca falta el elemento de la vanidad, y esta siempre conduce a la competencia. ¡Y cuánta competencia y vanidad prevalece en la iglesia de hoy!

III. LAS PRIORIDADES EN SU DEBIDO ORDEN (MATEO 6:32-34)

A. Dios conoce nuestras necesidades (6:32)

Ahora el Señor se vale del caso de los gentiles como un ejemplo de desconfianza, de afán: en ellos se justifica porque no conocen al verdadero Dios, pero los hijos de Dios no tienen justificación para vivir ansiosos. El mensaje del Señor es que si algo distingue al creyente, es su total confianza en la providencia divina. La verdadera fe en la existencia de Dios consiste en reconocer que existe un Dios de amor, bondad y misericordia, y entregarse a su providencia sin ninguna condición. Cuando el Señor les enseñó a sus discípulos el Padre Nuestro, usó el preámbulo: "…porque vuestro Padre sabe de qué cosas tenéis necesidad, antes que vosotros le pidáis" (Mateo 6:8). Si uno pudiera hacer una lista de las cosas que Dios le ha concedido, hallaría que son mucho más aquellas que nos ha dado sin que se las hayamos pedido que aquellas que le hemos pedido.

B. Dios, primero en nuestra vida (6:33,34)

¡He aquí el gran remedio para las ansiedades de la vida! Primero: "Buscad". No sugiere ir en búsqueda de algo que se ha perdido, sino en poner las prioridades en su debido orden, en saber qué es lo más importante en la vida en consonancia con la voluntad de Dios. ¿De qué nos vale saber que Dios está a nuestro lado si no nos rendimos a su soberanía, ni seguimos los postulados de su palabra que está llena de hermosas promesas? Segundo: "primeramente". He aquí un requisito indispensable. ¿Por qué? Porque Dios es prioritario en nuestra vida. Dios no es un suplemento, no es una "cosa" más entre las muchas que tenemos: ¡Es el todo! Tercero: "el reino de Dios y su justicia". Por reino de Dios se entiende su sagrada voluntad, porque donde se hace la voluntad de Dios, está Su reino. Cuarto: "y todas estas cosas os serán añadidas". No podemos invertir el orden: poner las cosas primero, y al final a Dios.

RESUMEN GENERAL

Si Dios no es quien dice ser, ni hace lo que afirma hacer, entonces, no tiene sentido creer en Él; pero si es lo que dice ser, y hace lo que ha prometido hacer, dudar de Él es un grave pecado. Muchas veces no recibimos lo que pedimos, porque ponemos a Dios, su voluntad y su justicia, en un lugar muy bajo en la escala de nuestras prioridades. Pero el Señor nos invita a buscar primeramente el reino de Dios y su justicia, y entonces, las cosas que realmente necesitamos vendrán solas. Pero, es imprescindible saber cuáles son los verdaderos valores de la vida, y no dejarnos engañar por los que el mundo considera importantes.

PREGUNTAS

1. ¿Qué consecuencias físicas y emocionales puede generar el afán desmedido?
2. ¿Qué es lo que produce el afán y la ansiedad desmedidos?
3. ¿Qué quiso decir Jesús con la expresión: Quién podrá, por mucho que se afane, añadir a su estatura un codo?
4. ¿En quiénes se podría justificar el afán desmedido?
5. Según Jesús, ¿cuál es el gran remedio para las ansiedades de la vida?

many times we do not pray as we ought (Romans 8:26; James 4:3). In those times, God's answer is a resounding "No!" which is the best answer God can give to a bad prayer.

II. THE REMEDY AGAINST WORRYING (MATTHEW 6:28-31)

A. Lessons nature teach us (6:28,29)

The Lord uses the lilies, wild flowers, to teach on divine providence and on what really is beautiful. The interesting thing is that He further says that the beauty of the lilies of the field is greater than that of Solomon's garments in all his "glory." The Lord spoke of "the lilies of the field" and not violets and exotic flowers produced in greenhouses. For the Western culture, to have a house, a fancy car, and bank accounts is true wealth, but in the mind of the Lord there are other values and true priorities that indeed give meaning to life. No one denies that some of these things are important, but they are not the most important things in life. Physical, emotional, mental and spiritual health; inner peace; a united family, and salvation, are the true values of life, along, of course, with the essentials that God knows we need.

B. The sin of distrusting God (6:30,31)

In the examples that the Lord uses (birds of the air, wild flowers, grass of the field) He calls our attention to his use of simple things of nature. By birds, He is not referring to eagles or condors, but simple sparrows, pigeons, doves; by "lilies" he is referring to wild flowers; "grass" does not mean simply grass weeds, but the word "field" is a reference to uncultivated land, that has not been touched by man. The element of simplicity and humility is found in all these examples. It is a frontal attack to the pompous, the magnificent, to opulence. What Christ emphasizes is the gift of life, the value of the body, and the relationship with the "kingdom of God and his righteousness" (v.33). The tragedy is that worrying and greed steal life, health and a relationship with God. In these, the vanity element is never missing, and vanity always leads to competition. And how much competition and vanity prevails in the church today!

III. PRIORITIES IN THEIR PROPER ORDER (MATTHEW 6:32-34)

A. God knows our needs (6:32)

Now the Lord uses the case of the Gentiles as an example of distrust, of worrying: with them it is justified because they do not know the true God, but God's children have no justification for living anxiously. The Lord's message is that if anything distinguishes believers from others is their confidence in divine providence. True faith in God's existence consists on recognizing that there is a God of love, kindness and mercy, and on surrendering to His providence without any conditions. When the Lord taught His disciples the Lord's Prayer, He used the preamble: "... for your Father knows the things you have need of before you ask Him" (Matthew 6:8). If we could make a list of the things that God has given us, we would find that there are much more things that He has given us without us asking than those that we have asked.

B. God first in our lives (6:33,34)

Here is the great remedy for the anxieties of life! First: "Seek". It does not suggest to go in search of something that has been lost, but to place priorities in their proper order, knowing what is most important in life in accordance with God's will. What value is there in knowing that God is by our side if we do not surrender to His sovereignty, or follow the precepts of His word which is full of beautiful promises? Second, "first". Here is an essential prerequisite. Why? Because God is a priority in our lives. God is not a supplement, not just another "thing" among the many we have: He is all! Third: "the kingdom of God and His righteousness". "The kingdom of God" refers to His holy will because where God's will is done, there is His kingdom. Fourth, "and all these things shall be added to you." We cannot reverse the order by putting things first and God last.

GENERAL SUMMARY

If God is not who He claims to be or does what He affirms to do, then it makes no sense to believe in Him. But, if He is what He claims to be and does what He has promised to do, to doubt Him is a grave sin. Many times we do not receive what we ask, because we put God, His will and justice in a very low place on the scale of our priorities. But the Lord invites us to seek first the kingdom of God and His righteousness, and then, the things we really need will come on their own. It is imperative to know the true values of life and not be misled by those whom the world considers important.

QUESTIONS

1. What physical and emotional consequences can excessive desire generate?
2 What does excessive worrying produce?
3. What did Jesus mean with the expression: Which of you by worrying can add one cubit to his stature?
4. In whom could excessive worrying be justified?
5. According to Jesus, what is the great remedy for the worries of life?

EL CRISTIANO Y LA COMPASIÓN

Pensamiento central

La compasión es una característica divina que le ha sido comunicada a la Iglesia para ayudar a todos los que sufren y a los que están en necesidad.

Texto áureo

Porque tuve hambre, y me disteis de comer; tuve sed, y me disteis de beber; fui forastero, y me recogisteis; estuve desnudo, y me cubristeis; enfermo, y me visitasteis; en la cárcel y vinisteis a mí (Mateo 25:35,36).

Base bíblica
Lucas 10:25-37

Objetivos
Con el desarrollo de este estudio podrán:
1. Conocer lo que la Biblia enseña acerca de la compasión.
2. Apreciar el lugar que ocupó la compasión en la vida y ministerio de Cristo.
3. Determinar que la compasión sea una de las partes importantes de su vida.

Fecha sugerida: _____ / _____ / _____

LECTURA BÍBLICA

Lucas 10:25 Y he aquí un intérprete de la ley se levantó y dijo, para probarle: Maestro, ¿haciendo qué cosa heredaré la vida eterna?
26 El le dijo: ¿Qué está escrito en la ley? ¿Cómo lees?
27 Aquél, respondiendo, dijo: Amarás al Señor tu Dios con todo tu corazón, y con toda tu alma, y con todas tus fuerzas, y con toda tu mente; y a tu prójimo como a ti mismo.
28 Y le dijo: Bien has respondido; haz esto, y vivirás.
29 Pero él, queriendo justificarse a sí mismo, dijo a Jesús: ¿Y quién es mi prójimo?
30 Respondiendo Jesús, dijo: Un hombre descendía de Jerusalén a Jericó, y cayó en manos de ladrones, los cuales le despojaron; e hiriéndole, se fueron, dejándole medio muerto.
31 Aconteció que descendió un sacerdote por aquel ca-mino, y viéndole, pasó de largo.
32 Asimismo un levita, llegando cerca de aquel lugar, y viéndole, pasó de largo.
33 Pero un samaritano, que iba de camino, vino cerca de él, y viéndole, fue movido a misericordia;
34 y acercándose, vendó sus heridas, echándoles aceite y vino; y poniéndole en su cabalgadura, lo llevó al mesón, y cuidó de él.
35 Otro día al partir, sacó dos denarios, y los dio al mesonero, y le dijo: Cuídamele; y todo lo que gastes de más, yo te lo pagaré cuando regrese.
36 ¿Quién, pues, de estos tres te parece que fue el prójimo del que cayó en manos de los ladrones?
37 El dijo: El que usó de misericordia con él. Entonces Jesús le dijo: Vé, y haz tú lo mismo.

INTRODUCCIÓN

El diccionario define la palabra "compasión" como, "El sentimiento de conmiseración y lástima que se tiene hacia quienes sufren penalidades o desgracias". Tanto "compasión" como "conmiseración" son palabras compuestas del prefijo "con" y un sustantivo: con-pasión, con-misericordia. Esto significa que es un sentimiento acompañado de "pasión" y "misericordia". La compasión no es un simple sentimiento: es un sentimiento acompañado de acción, como lo es el amor. Amor sin entrega, no es amor; compasión sin acción, no es compasión.

DESARROLLO DEL ESTUDIO

I. UN DOCTOR DE LA LEY INTENTA AVERGONZAR A CRISTO (LUCAS 10:25-28)

A. Haciendo una pregunta capciosa (10:25,26)

El Señor le estaba hablando a un grupo numeroso de personas y entre ellos se encontraba el protagonista de nuestra historia, un "Intérprete de la ley"; que algunos traducen como "abogado", "legista". Entre los judíos la única ley que existía era la ley mosaica, significa que este individuo era un experto, un expositor de la ley de Moisés. Se encontraba sentado cuando el Señor hablaba. El hecho de que se haya "levantado" hace suponer que lo hizo para ser visto y oído por los presentes. Al dirigirse al Señor como "Maestro", pudo haberlo hecho con un toque de burla. Por la respuesta que le dio al Señor, es claro que sabía la respuesta a su misma pregunta. De manera que sus intenciones no eran sanas. Su intención no era saber, sino poner en aprietos al Señor.

B. Cristo lo forzó a citar la Palabra de Dios (10:27,28)

Para el Señor Jesús, lo importante no era lo que el intérprete de la ley preguntaba, sino las intenciones con las cuales lo hacía. Lo fundamental en la vida no es tanto lo que hacemos o lo que decimos, sino las razones que tenemos para hacerlo. El verdadero valor radica en qué tan sana es nuestra vida interior. Con cuánta razón nuestro Señor reprendió a los fariseos, diciéndoles: "¡Generación de víboras! ¿Cómo podéis hablar lo bueno, siendo malos? (Mateo 12:34). El intérprete de la ley: nunca pensó que Cristo lo acorralaría respondiéndole con otra pregunta: "¿Qué está escrito en la ley" Este se vio obligado a recitar Deuteronomio 6:5, y a recordar que a Dios

13 BIBLE STUDY

THE CHRISTIAN AND COMPASSION

Biblical foundation
Luke 10:25-37

Objectives
Upon completion of this study, you will be able to:
1. Know what the Bible teaches about compassion.
2. Appreciate the place that compassion took in the life and ministry of Christ.
3. Determine to make compassion an important part of their lives.

Main idea
Compassion is a divine characteristic that has been communicated to the Church to help all those who are suffering and in need.

Golden verse
For I was hungry and you gave Me food; I was thirsty and you gave Me drink; I was a stranger and you took Me in; I was naked and you clothed Me; I was sick and you visited Me; I was in prison and you came to Me (Matthew 25:35,36).

Suggested date: _____ / _____ / _____

RESPONSIVE READING

Luke 10:25 And behold, a certain lawyer stood up and tested Him, saying, "Teacher, what shall I do to inherit eternal life?"
26 He said to him, "What is written in the law? What is your reading of it?"
27 So he answered and said, "'You shall love the Lord your God with all your heart, with all your soul, with all your strength, and with all your mind,' and 'your neighbor as yourself.'"
28 And He said to him, "You have answered rightly; do this and you will live."
29 But he, wanting to justify himself, said to Jesus, "And who is my neighbor?"
30 Then Jesus answered and said: "A certain man went down from Jerusalem to Jericho, and fell among thieves, who stripped him of his clothing, wounded him, and departed, leaving him half dead.

31 Now by chance a certain priest came down that road. And when he saw him, he passed by on the other side.
32 Likewise a Levite, when he arrived at the place, came and looked, and passed by on the other side.
33 But a certain Samaritan, as he journeyed, came where he was. And when he saw him, he had compassion.
34 So he went to him and bandaged his wounds, pouring on oil and wine; and he set him on his own animal, brought him to an inn, and took care of him.
35 On the next day, when he departed, he took out two denarii, gave them to the innkeeper, and said to him, 'Take care of him; and whatever more you spend, when I come again, I will repay you.'
36 So which of these three do you think was neighbor to him who fell among the thieves?"
37 And he said, "He who showed mercy on him." Then Jesus said to him, "Go and do likewise."

INTRODUCTION

The dictionary defines the word "compassion" as, "The feeling of commiseration and pity to those who have to suffer hardship or misfortune." Both "compassion" and "commiseration" are compound words with the prefix "com" and a noun: com-passion, com-mercy. By definition, then, compassion is a feeling accompanied by "passion" and "mercy". Compassion is not just a feeling, it is a feeling accompanied by action, as is love. Love without surrender is not love; compassion without action is not compassion.

STUDY DEVELOPMENT

A DOCTOR OF THE LAW TRIES TO SHAME CHRIST (LUKE 10:25-28)

A. Asking a tricky question (10:25,26)

The Lord was speaking to a large group of people, among them the protagonist of our story, a "lawyer," an interpreter of the law. Among the Jews the only law that existed was the Mosaic Law, which means that this individual was an expert, an exponent, of the Law of Moses. He was sitting when the Lord was speaking. The fact that he "stood up" suggests that he did it to be seen and heard by those present. There might have been a touch of mockery in his addressing the Lord as "Master." From the answer he gave the Lord, it is clear that he knew the answer to his own question. So, his intentions were not good. His intention was not to know, but to embarrass the Lord.

B. Christ forced him to quote the Word of God (10:27,28)

For the Lord Jesus, the important thing was not what the lawyer asked but the intentions with which he did it. The fundamental thing in life is not so much what we do or what we say, but the reasons we have to do/say it. The real value lies in how healthy our inner life is. With much reason our Lord rebuked the Pharisees, saying: "Brood of vipers! How can you, being evil, speak good things? (Matthew 12:34). The lawyer never thought that Christ would corner him by answering him with another question: "What is written in the law?" He was forced to recite Deuteronomy 6:5, and to remember that God must be loved with all our heart, soul, strength and mind. Repeating of the Word of God must have removed the guise of hypocrisy he had put on. Often we pretend to be what we are not because we do not allow God's Word to stay alive within us.

se le debe amar con todo el corazón, alma, fuerzas, y mente. El repetir la Palabra de Dios, debió arrancarle el disfraz de hipocresía que se había puesto. Muchas veces fingimos ser lo que no somos, porque no permitimos que la Palabra de Dios se mantenga viva dentro de nosotros.

II. UNA RESPUESTA SORPRESIVA DE CRISTO (LUCAS 10:29-32)

A. El doctor de la ley intenta justificarse (10:29)

¡Uno de los pecados más comunes del ser humano es la auto justificación! ¡Cuántos argumentos se utilizan para intentar probar que uno está en lo correcto y el otro equivocado! Detrás de las palabras, "queriendo justificarse a sí mismo", está el drama de la religión hebrea: las obras meritorias que garantizan la salvación. "¿Haciendo qué cosa heredaré la vida eterna?" (v.25). Esta actitud de los méritos personales la denunció el apóstol Pablo: "Porque ignorando la justicia de Dios, y procurando establecer la suya propia, no se han sujetado a la justicia de Dios" (Romanos 10:3). El Señor aceptó la respuesta del legista: "Bien has respondido". La respuesta había sido correcta en teoría, pero no en los hechos. Al decirle el Señor: "Haz esto, y vivirás", no estaba sugiriendo que la salvación radica en hacer cosas buenas, sino en la obediencia a lo que Dios dice.

B. Cristo se vale de una historia (10:30-32)

Esta es una de las parábolas más emotivas que haya contado nuestro Señor. Un hombre descendía de Jerusalén a Jericó. Este camino desciende mil metros en treinta kilómetros; es un camino rocoso y desolado que se prestaba para que por él merodeasen los asaltantes. Tan peligroso era este camino que los romanos los llamaban: "El camino rojo y sangriento". La traducción literal de la palabra "hiriéndole" es "dándole puñetazos y golpes mortales". La golpiza que los malhechores infringieron en el caminante causó que le dejaran "medio muerto". Luego pasó "por casualidad" un sacerdote…y viéndolo, se pasó al otro lado (del camino)". ¿Por qué? Porque pensó que al estar cerca de un moribundo o muerto, se contaminaba y, por lo tanto, no podía ministrar en el templo. Lo mismo hizo el levita. El meollo de la parábola es: El encuentro frontal entre la Ley y la Gracia; entre la Religión y la Fe; entre el Legalismo y la Compasión.

III. UNA HISTORIA CON VERDADES CRISTIANAS (LUCAS 10:33-37)

A. Es mejor la compasión que la religión teórica (10:33-35)

En el año 721 a.C. los asirios conquistaron el reino del norte, Israel, cuya capital era Samaria. La población de este reino, fue llevada en cautiverio y nunca más regresó a Israel. El territorio fue repoblado por los asirios con gentiles de diferentes naciones. Construyeron su propio templo en el monte Gerisim. Eran odiados por los judíos por ser una raza híbrida. De pronto, en la historia compuesta por Cristo, el protagonista no es el sacerdote, ni el levita, ni los bandidos, ni el mesonero, ni el asaltado, sino un samaritano, que "fue movido a misericordia". ¿Por qué? Porque religiosos hay muchos, lo mismo bandidos, víctimas de los abusadores: pero muy pocos que sean misericordiosos. Solamente los misericordiosos se salen de ellos mismos, de su comodidad, para ayudar a los que sufren. En nuestra historia, los religiosos salen sobrando, y solamente se usan como puntos de referencia de lo que no se debe ser.

B. Lo que agrada a Dios son los buenos hechos (10:36,37)

"¿Quién, pues de estos tres te parece que fue el prójimo del que cayó en manos de los ladrones?" (v.36). La respuesta que dio: "El que usó de misericordia con él" (v.37) Se puede interpretar de dos maneras: 1) Que seguía manteniendo su prejuicio racial y por eso se negó a decir, "el samaritano". 2) La otra es que triunfó la gracia en su vida y en lugar de hacer sus distinciones raciales llamando al benefactor "samaritano", confesó derrotado: "el que usó misericordia con él" (v.37). Con esto daba a entender que lo importante en el mundo no son las diferencias raciales sino aquellos que son misericordiosos y, por lo tanto, sus buenas acciones son una prolongación de tal misericordia. Ahora viene el remache de oro: "Vé, y haz tú lo mismo". "No te limites a hablar; no te limites a tus dogmas religiosos; no te encierres en tus liturgias: dedícate a hacer".

RESUMEN GENERAL

Toda la historia es una bella descripción del plan de redención. El Señor Jesucristo, 1) se acercó a nosotros bajando del cielo y tomando forma humana (Filipenses 2:5-7); 2) limpió nuestras heridas (pecados): "Al que nos amó, y nos lavó de nuestros pecados con su sangre" (Apocalipsis 1:5); 3) echó aceite sobre nosotros: "Pero la unción que vosotros recibisteis de él permanece en vosotros" (1 Juan 2:20,27); 4) luego las vendó para que no se volviesen a infectar. Nosotros también somos protegidos de la infecciones del pecado: "Todo aquel que es nacido de Dios… no puede pecar, porque es nacido de Dios" (1 Juan 3:9); 5) Lo puso sobre su cabalgadura. "Jehová cargó en Él el pecado de todos nosotros" (Isaías 53:6); 6) Lo llevó al mesón donde sería cuidado. Nosotros hemos sido introducidos en la iglesia donde somos alimentados, cuidados y fortalecidos: Gracias a Dios por nuestro buen samaritano: ¡Cristo Jesús!

PREGUNTAS

1. ¿Cuál era el pensamiento hebreo en cuanto a cómo obtener la salvación?
2. ¿Qué versículos bíblicos citó el intérprete de la ley?
3. ¿Por qué el camino que descendía de Jerusalén a Jericó era peligroso?
4. ¿Por qué los judíos odiaban y rechazaban a los samaritanos?
5. ¿Cuál es la enseñanza central de la parábola?

II. A SURPRISING ANSWER FROM CHRIST (LUKE 10:29-32)

A. The doctor of the law tries to justify himself (10:29)

One of the most common sins of man is self-righteousness! How many arguments are used to try to prove that one is right and the other wrong! Behind the words, "wanting to justify himself," is the drama of the Hebrew religion: the meritorious works that guarantee salvation. "What shall I do to inherit eternal life?" (v.25). The Apostle Paul denounced this attitude of personal merits: "For they being ignorant of God's righteousness, and seeking to establish their own righteousness, have not submitted to the righteousness of God" (Romans 10:3). The Lord accepted the response of the legist: "You have answered rightly" (v.28). The answer had been correct in theory but not in practice. By telling the Lord, "Do this, and you will live," He was not suggesting that salvation lies in doing good things, but in obedience to what God says.

B. Christ uses a story (10:30-32)

This is one of the most moving parables that our Lord told. A certain man went down from Jerusalem to Jericho. This trail descends a thousand meters in thirty kilometers; It is a rocky, desolate road that assailants found appropriate for prowling. This road was so dangerous that the Romans called it the "Red and bloody way." The literal translation of the word "wounded" is "giving him punches and deadly blows". The beating that wrongdoers infringed on the wayfarer caused him to be left "half dead". Then, "by chance" a certain priest came down... and saw him, he passed by on the other side (of the road)." Why? Because he thought that being near a dying or dead man would contaminate him and, therefore, he would not be able to minister in the temple. So did the Levite. The heart of the parable is this: It is the frontal encounter between the Law and Grace; between Religion and Faith; between Legalism and Compassion.

III. A STORY WITH CHRISTIAN TRUTHS (LUKE 10:33-37)

A. Compassion is better than theoretical religion (10:33-35)

In 721 B.C. the Assyrians conquered the northern kingdom, Israel, whose capital was Samaria. The population of this kingdom was taken into captivity and never returned to Israel. The territory was repopulated by the Assyrians with Gentiles from different nations. They built their own temple on Mount Gerizim. They were hated by the Jews for being a hybrid race. Suddenly, in the story told by Jesus, the protagonist is not the priest, the Levite, the bandits, the innkeeper, or the assaulted, but a Samaritan who "had compassion." Why? Because there are many who are religious, as well as bandits, victims of abusers, but very few who are merciful. Only the godly move out of themselves, out of their comfort, to help the suffering. In our story, the religious are unnecessary, and they are only used as a point of reference to what should not be.

B. What pleases God are good deeds (10:36,37)

"Which of these three do you think was neighbor to him who fell among the thieves?" (v.36). The answer the lawyer gave, "He who showed mercy on him" (v.37), can be interpreted in two ways: 1) That he continued to maintain his racial prejudice and therefore refused to say, "the Samaritan." 2) The triumph of grace in his life in that, instead of making racial distinctions by calling the benefactor "Samaritan," he admitted, defeated, "He who showed mercy on him" (v.37). With this he implied that the important thing in this world is not racial differences but those who are merciful and, therefore, whose good deeds are an extension of such mercy. Now comes the coup de grace: "Go and do likewise." "Do not limit yourself to just talking; do not limit yourself to your religious dogmas; do not lock yourself in your liturgies: dedicate yourself to the doing."

GENERAL SUMMARY

The entire story is a beautiful description of the plan of redemption. The Lord Jesus Christ, 1) came down from heaven to us and, taking human form (Philippians 2:5-7); 2) cleansed our wounds (sins), "To Him who loved us and washed us from our sins in His own blood" (Revelation 1:5); 3) poured oil on us, "But the anointing which you have received from Him abides in you" (1 John 2:20,27); then 4) bandaged them so that the wounds did not get infected again. We are also protected from the infection of sin: "Whoever has been born of God ... cannot sin, because he has been born of God" (1 John 3:9); 5) He set him on his own animal. "The Lord has laid on Him the iniquity of us all" (Isaiah 53:6); 6) He brought him to an inn where he would be taken care of. We have been brought into the church where we are fed, cared for and strengthened: Thanks be to God for our good Samaritan, Jesus Christ!

QUESTIONS

1. What was the Hebrew thought on how to obtain salvation?
2. What Bible verses did the lawyer quote?
3. Why is the expression "a certain man went down from Jerusalem to Jericho" used, and why was it a dangerous trail?
4. Why did the Jews hate and reject the Samaritans?
5. What is the central teaching of the parable?

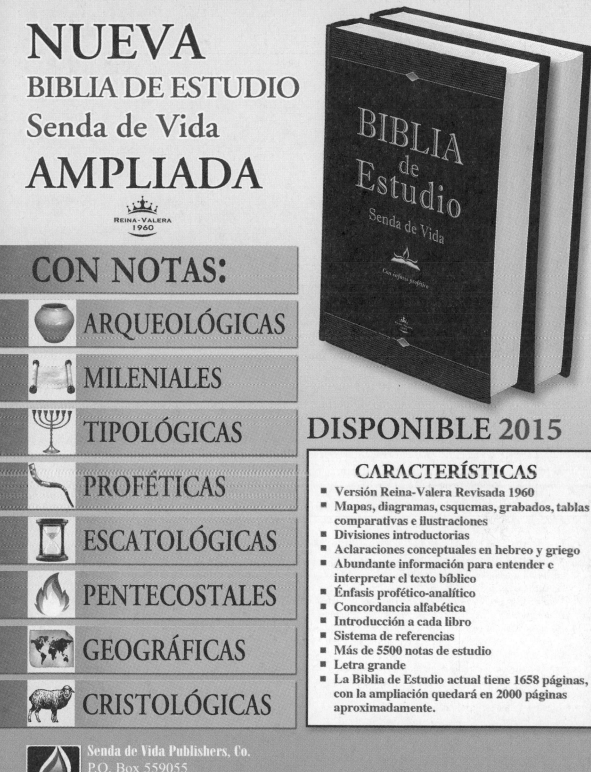

EL ORIGEN DE LA IGLESIA

Pensamiento central
La Iglesia es la comunidad de creyentes que se originó por una decisión soberana de Dios antes de la fundación del mundo y vino a ser una realidad con el sacrificio de Cristo.

Texto áureo
En quien tenemos redención por su sangre, el perdón de pecados según las riquezas de su gracia (Efesios 1:7).

Base bíblica
Efesios 1:3-14

Objetivos
Al concluir esta lección serán capaces de:
1. Conocer el origen de la iglesia.
2. Comprender lo que significa ser parte de la iglesia.
3. Poder explicar el lugar de Cristo en la formación de la iglesia.

Fecha sugerida: _____ / _____ / _____

LECTURA BÍBLICA

Efesios 1:3 Bendito sea el Dios y Padre de nuestro Señor Jesucristo, que nos bendijo con toda bendición espiritual en los lugares celestiales en Cristo.

4 según nos escogió en él antes de la fundación del mundo, para que fuésemos santos y sin mancha delante de él,

5 en amor habiéndonos predestinado para ser adoptados hijos suyos por medio de Jesucristo, según el puro afecto de su voluntad,

6 para alabanza de la gloria de su gracia, con la cual nos hizo aceptos en el Amado,

7 en quien tenemos redención por su sangre, el perdón de pecados, según las riquezas de su gracia,

8 que hizo sobreabundar para con nosotros en toda sabiduría e inteligencia,

9 dándonos a conocer el misterio de su voluntad, según

su beneplácito, el cual se había propuesto en sí mismo,

10 de reunir todas las cosas en Cristo, en la dispensación del cumplimiento de los tiempos, así las que están en los cielos, como las que están en la tierra.

11 En él asimismo tuvimos herencia, habiendo sido predestinados conforme al propósito del que hace todas las cosas según el designio de su voluntad,

12 a fin de que seamos para alabanza de su gloria, nosotros los que primeramente esperábamos en Cristo.

13 En él también vosotros, habiendo oído la palabra de verdad, el evangelio de vuestra salvación, y habiendo creído en él, fuisteis sellados con el Espíritu Santo de la promesa,

14 que es las arras de nuestra herencia hasta la redención de la posesión adquirida, para alabanza de su gloria.

INTRODUCCION

La carta a los Efesios, al igual que Filipenses, Colosenses y Filemón, son llamadas "las cartas de la prisión". Mientras que numerosos estudiosos bíblicos creen que Pablo se encontraba confinado a una detención domiciliaria, otros insisten que se encontraba en la cárcel por lo que menciona en tres pasajes de esta carta: "prisionero por Cristo Jesús" (3:1); "preso en el Señor" (4:1), "embajador en cadenas" (6:20), y por lo que dice en Filemón 1:1: "Pablo, prisionero de Jesucristo". Estas cuatro citas parecen indicar que el apóstol se encontraba realmente en la cárcel. A pesar de estas circunstancias adversas, el apóstol pudo escribir tres de sus cartas más hermosas: Efesios, Filipenses y Colosenses.

DESARROLLO DEL ESTUDIO

I. RAZONES PARA BENDECIR A DIOS (EFESIOS 1:3-6)

A. Por sus bendiciones espirituales (3:3)

Pablo inicia su carta identificándose como un apóstol de Jesucristo, apostolado que se debe a la voluntad de Dios. Luego se dirige a sus destinatarios como "santos y fieles en

Cristo Jesús". Confiesa de esta manera dos cualidades espirituales que poseían los destinatarios de su carta: santidad y fidelidad. Ambas cualidades son inseparables, ya que sin santidad "nadie verá a Dios" (Hebreos 12:14). Y ellos la preservaban siendo fieles al obsequio divino. Después del saludo viene, lo que en círculos exegéticos se conoce como una eulogía ("Bendición"): "Bendito sea el Dios y Padre de nuestro Señor Jesucristo…" En otras cartas el apóstol utiliza como introducción una acción de gracias: "…doy gracias a mi Dios…" (Romanos 1:8); pero en esta opta por "bendecirlo". Es que la gratitud debe ir acompañada de adoración, y la bendición de gratitud.

B. Por sus actos redentores (1:4-6)

En los versículos 4 al 6 se mencionan cuatro actos redentores de Dios de los cuales son beneficiarios los creyentes: 1) "…nos escogió…" (v.4); 2) "…nos predestinó…" (v.5); 3) "…nos adoptó…" (v.5), y 4) "…nos hizo aceptos…" (v.6). Las acciones se originan en la soberana voluntad de Dios, pero se convierten en realidad a través de Jesucristo. No hay nada en el universo, sea material o espiritual, que no tenga existencia en o por medio de Cristo (Colosenses

14 BIBLE STUDY

THE ORIGIN OF THE CHURCH

Biblical foundation
Ephesians 1:3-14

Objectives
As we develop the lesson you will be able to:
1. Know the origins of the Church.
2. Understand what it means to be a part of the Church.
3. Explain the significance of Christ in the shaping of the Church.

Main idea
The Church is the community of believers that originated in God's sovereign design before the foundation of the world and became a reality with the sacrifice of Jesus Christ.

Golden verse
In Him we have redemption through His blood, the forgiveness of sins, according to the riches of His grace (Ephesians 1:7)

Suggested date: _____ / _____ / _____

RESPONSIVE READING

Ephesians 1:3 Blessed be the God and Father of our Lord Jesus Christ, who has blessed us with every spiritual blessing in the heavenly places in Christ,
4 just as He chose us in Him before the foundation of the world, that we should be holy and without blame before Him in love,
5 having predestined us to adoption as sons by Jesus Christ to Himself, according to the good pleasure of His will,
6 to the praise of the glory of His grace, by which He made us accepted in the Beloved.
7 In Him we have redemption through His blood, the forgiveness of sins, according to the riches of His grace
8 which He made to abound toward us in all wisdom and prudence,
9 having made known to us the mystery of His will, ac-
cording to His good pleasure which He purposed in Himself,
10 that in the dispensation of the fullness of the times He might gather together in one all things in Christ, both which are in heaven and which are on earth—in Him.
11 In Him also we have obtained an inheritance, being predestined according to the purpose of Him who works all things according to the counsel of His will,
12 that we who first trusted in Christ should be to the praise of His glory.
13 In Him you also trusted, after you heard the word of truth, the gospel of your salvation; in whom also, having believed, you were sealed with the Holy Spirit of promise,
14 who is the guarantee of our inheritance until the redemption of the purchased possession, to the praise of His glory.

INTRODUCTION

The letter to the Ephesians, just like Philippians, Colossians and Philemon, are called "the prison letters". While many scholars believe that Paul was confined to house arrest, others insist he was in a jail cell for which it is mentioned in three scripture references in this letter: "prisoner of Christ Jesus" (3:1), "the prisoner of the Lord" (4:1), "ambassador in chains" (6:20), and by what He says in Philemon 1:1 "Paul, a prisoner of Christ Jesus". These four verses seem to indicate that the apostle was actually in a jail cell. In spite of these adverse circumstances, the apostle was able to write three of his most beautiful letters: Ephesians, Philippians and Colossians.

STUDY DEVELOPMENT

I. REASONS TO BLESS GOD (EPHESIANS 1:3-6)

A. For His spiritual blessings (3:3)

Paul begins this letter identifying himself as an apostle of Jesus Christ, an apostleship due to the will of God. He then addresses the recipients of the letter as "the Saints and faithful in Christ Jesus". In doing this he confesses two spiritual

qualities that the recipients of this letter possessed: holiness and faithfulness. Both qualities are inseparable, being that without holiness "No one will see the Lord" (Hebrews 12:14). And they preserve these being faithful to the divine gifts. After the greeting comes, what in many exegetic circles is known as, a eulogy ("Blessing"): "Blessed be the God and father of our Lord Jesus Christ." In other letters the apostle uses thanksgiving as an introduction: "...I thank my God through Jesus Christ for you all..." (Romans 1:8), but in this letter he chooses to "bless" Him. Gratitude should be accompanied by worship and the blessing of gratefulness.

B. For His redeeming acts (1:4-6)

In verses four through six Paul mentions four redeeming acts of which all believers are beneficiaries: 1) "He chose us..." (v.4); 2) "He predestined us..." (v.5); 3) "He adopted us..." (v.5); 4) "He made us accepted..." (v.6). These actions originate in God's sovereign will, but they become a reality through Jesus Christ. There is nothing in the universe, material or spiritual, that does not exist in or because of Christ (Colossians 1:16). We as believers were chosen "in Him" (v.4); we were predestined and adopted "by Jesus Christ "(v.5), and

1:16). Los creyentes fuimos escogidos "en él" (v.4); fuimos predestinados y adoptados "por medio de Jesucristo" (v.5), y hechos aceptos "en el Amado" (v.6). La participación de nuestro Señor Jesucristo en el plan de redención y la vida cristiana es acentuada en la expresión "en Cristo". No hay ningún beneficio que descienda del cielo a la tierra que no pase por la persona de nuestro Señor.

II. LO QUE EL CREYENTE TIENE EN CRISTO (EFESIOS 1:7-10)

A. El perdón de pecados (1:7,8)

"En quien tenemos redención por su sangre". "Redención es un término que se usa en el Nuevo Testamento para explicar la liberación efectuada por medio de la muerte de Cristo de la ira retributiva de un Dios santo y la pena meritoria del pecado". En la carta a los Gálatas 3:13, el apóstol Pablo dice que "Cristo nos redimió de la maldición de la ley…" (3:13); "para que redimiese a los que estaban bajo la ley, a fin de que recibiésemos la adopción de hijos" (4:5). La ley de Dios condenaba al hombre por su rebeldía y violaciones al carácter de Dios. Por lo tanto, la ley no salvaba sino condenaba, y de esa sentencia de condenación fuimos rescatados o redimidos por medio del sacrificio de Cristo. "Sabiendo que fuisteis rescatados de vuestra vana manera de vivir… con la sangre preciosa de Cristo, como un cordero sin mancha y sin contaminación" (1 Pedro 1:18,19).

B. El conocimiento de su voluntad (1:9,10)

El apóstol utiliza veinte veces una palabra que encierra un filón de riqueza teológica. Esa palabra es "misterio" y significa: "algo escondido", "algo secreto", "algo oculto". Indicando que las cosas divinas solamente se perciben por revelación de Dios ya que la mente humana, atrofiada por el pecado y con sus limitaciones, no puede conocer las cosas de Dios (1 Corintios 2:14). La crasa ignorancia de las cosas de Dios es resultado de la altivez del hombre que determinó no estar sumiso a Dios (Romanos 1:21). De acuerdo a las palabras del Señor, nadie, por su propia cuenta y sin la asistencia divina puede aceptar a Cristo como Salvador (Juan 6:44). Se hace necesario escuchar la proclamación del Evangelio: "Así que la fe es por el oír… la palabra de Dios" (Romanos 10:17). Y la intervención providente de Dios que le ofrece gratuitamente la fe salvadora (Efesios 2:8). Ahora bien, el hombre tiene la libertad de aceptar o rechazar lo que se le ofrece.

III. LOS PROPÓSITOS DE DIOS PARA EL CREYENTE (EFESIOS 1:11-14)

A. Que el nombre de Dios se glorifique en su vida (1:11,12)

El v. 11 empieza: "En él asimismo tuvimos herencia". La Biblia de Cantera Burgos dice: "en quien además fuimos constituidos herederos". La tendencia entre las nuevas versiones es traducir: "Fuimos reclamados por Dios como su porción". La razón es que va de acuerdo con el precedente que se encuentra en el Antiguo Testamento. En el Canto de

Moisés (Deuteronomio 32:8,9), aunque las naciones tuvieran ángeles protectores asignados por Dios, Israel tiene directamente a Dios, "porque la porción de Jehová es su pueblo" (v.9). Es decir que en Efesios 1:11, los creyentes en Cristo son el pueblo escogido por Dios, reclamado por Él como su porción o herencia (v.18). "A fin de que seamos para alabanza de su gloria" (v.12). El punto es que "si los cielos cuentan la gloria de Dios, y el firmamento anuncia la obra de sus manos" (Salmo 19:1), la Iglesia lo hace de manera más contundente.

B. Que el creyente sea lleno del Espíritu Santo (1:13,14)

El apóstol inicia el v.13 con la frase "En él también vosotros…" después de haber escrito "nosotros los que primeramente esperábamos en Cristo" (v.12). El "nosotros" del v.12 es una referencia al pueblo judío, y el "vosotros" del v.13 al pueblo gentil. El apóstol enfatiza la gran integración que Dios hizo en Cristo de dos pueblos distintos: los judíos, a quienes Dios había elegido (Romanos 9:4,5), y los gentiles de los cuales Dios dijo por medio del profeta Oseas: "Llamaré pueblo mío al que no era mi pueblo…" (Romanos 9:25,26). De manera que, en la revelación que le fue dada por Dios, hay un pueblo que es superior al pueblo judío: la Iglesia, compuesta de judíos y gentiles, que han reconocido a Cristo como el Hijo de Dios. ¿Cuál es la garantía, de pertenecer a esta comunidad de fe? ¡El ser sellados y llenados con el Espíritu Santo! (Efesios 1:13). Pero este sello no es solamente una marca, sino, también su presencia que nos constituye en templos de Dios, donde Él mora en nosotros" (1 Corintios 3:16).

RESUMEN GENERAL

Uno de los grandes temas de la carta a los efesios, es el origen de la Iglesia. La Iglesia la integran judíos y gentiles que han recibido a Cristo como su Salvador personal; todo lo que tiene que ver con ella fue decidido por Dios desde antes de la fundación del mundo, entre ellas: la intervención de Cristo con su muerte y resurrección; la cual satisfizo las demandas de la justicia de Dios; quienes aceptan a Cristo como el Hijo de Dios y Salvador del mundo, son santificados y vienen a ser hijos de Dios y participantes de su santidad, los creyentes son sellados y llenados con el Espíritu Santo; ÉL es en el creyente la garantía de ser hijo de Dios y propiedad de Dios.

PREGUNTAS

1. Diga los cuatro actos redentores mencionados por Pablo en los versículos 4 al 6, de los cuales son beneficiarios los creyentes.
2. ¿Cuál es la expresión (es), que utiliza el apóstol Pablo para acentuar la participación de Cristo en el plan de redención?
3. ¿Qué quiere decir Pablo con la palabra "Misterio"?
4. ¿Por qué el apóstol usa la expresión: "En él también vosotros…" (v.13) y luego "nosotros los que… esperábamos en Cristo?" (v.12)
5. ¿Cuál es la garantía de pertenecer a esta comunidad de fe?

made acceptable "in the Beloved" (v.6). The participation of our Lord Jesus Christ in the plan of redemption and in Christian life itself is accentuated in the expression "in Christ." There is no blessing that descends from heaven to earth that does not go through the person of our Lord.

II. WHAT A BELIEVER HAS IN CHRIST (EPHESIANS 1:7-10)

A. The forgiveness of sins (1:7,8)

"In Him we have redemption through His blood." "Redemption is a term that is used in the New Testament to explain the freedom in effect by the death of Christ from the retributive wrath of God and the merited penalty of sin." In Galatians 3:13, the apostle Paul says that "Christ has redeemed us from the curse of the law…" (3:13), "To redeem those who were under the law, that we might receive the adoption as sons" (4:5). The law of God condemned man for his rebellion and violations against the character of God. Therefore, the law did not save but condemned, and from that sentence of condemnation we were rescued or redeemed through the sacrifice of Christ. "Knowing that you were not redeemed with corruptible things, like silver or gold, from your aimless conduct received by tradition from your fathers, but with the precious blood of Christ, as of a lamb without blemish and without spot" (1 Peter 18,19).

B. The knowledge of His will (1:9,10)

Twenty times the apostle uses a word that contains a reef of theological riches. That word is "mystery" and it means: "something hidden", "something occult". This would indicate that divine things are only perceived by a revelation from God being that the human mind, atrophied by sin and with its limitations, cannot know the things of God (1 Corinthians 2:14). Gross ignorance to the things of God is a result of the haughtiness of man who determined to avoid submission to God (Romans 1:21). According to the words of the Lord, no one, by their own account and without divine assistance, can accept Christ as Savior (John 6:44). It is necessary to hear the proclamation of the gospel: "Faith comes by hearing... the word of God" (Romans10:17). God's providential intervention offers this saving faith freely (Ephesians 2:8). Now then, man has the freedom to accept or refuse what he is offered.

III. GOD'S PURPOSES FOR THE BELIEVER (1:11-14)

A. That the name of God be glorified in his life (1:11,12)

Verse 11 begins, "in Him we have obtained an inheritance." The Cantera Burgos Bible says, "in whom we were additionally made heirs." The tendency in the newer versions is to translate: "we were reclaimed by God as His portion". Reason being that it agrees with the precedent that is found in the Old Testament. In the song of Moses (Deuteronomy 32:8,9), even if nations would have guardian angels assigned by God, Israel has God Himself, "for the Lord's portion is His people" (v.9). So, in Ephesians 1:11, believers in Christ are the people chosen by God, reclaimed by Him as His portion and inheritance (v.18). So that we "should be to the praise of His glory" (v.12). The point is that if "the heavens declare the glory of God, and the firmament shows His handiwork" (Psalm 19:1), the church does it in a more convincing way.

B. That the believer be filled with the Holy Spirit (1:13,14)

The apostle begins verse 13 with the phrase "in him you also…" After having written, "that we who first trusted in Christ" (v.12). The "we" from verse 12 is a reference to the Jewish people, whereas the "you" from verse 13 refers to the Gentiles. The apostle emphasizes the great integration that God has made in Christ of two different people: The Jews, who God had chosen (Romans 9:4,5), and the Gentiles that God chose through the prophet Hosea: "I will call them My people who were not My people…" (Romans 9:25,26). So that, in the revelation that was given by God, there is a people that is superior to the Jewish people: the church, made up of Jews and Gentiles alike, that has acknowledged Christ as the son of God. What is the guarantee to belonging to this community of faith? To be sealed and filled with the Holy Spirit! (Ephesians 1:13). But this seal isn't just a mark, but also His presence that makes us the temple of God, where He lives in us" (1 Corinthians 3:16).

GENERAL SUMMARY

One of the greatest messages of the letter to the Ephesians, is the origin of the church. The church is made up of Jews and Gentiles that have received Christ as their personal savior; everything that has to do with the church was decided by God before the foundation of the world, including: the intervention of Christ with His death and resurrection; which satisfied the demands of God's justice; those who accept Christ as the Son of God and the savior of the world are sanctified and become children of God and participants in His holiness. Believers are sealed and filled with the Holy Spirit. That He is in the believer is the guarantee of being a child of God and belonging to God.

QUESTIONS

1. List the four redeeming acts mentioned by Paul in verses 4 through 6 of which all believers are beneficiaries.
2. What is the expression that Paul uses to accentuate Christ's participation in the plan of redemption?
3. What does Paul mean when he uses the phrase "mystery?"
4. Why does the apostle use the phrase, "that we who first trusted…" (v.12), and later uses, "in him you also trusted…" (v.13)?
5. What is the warranty of belonging to this community of faith?

LO QUE TODA IGLESIA DEBE POSEER

Base bíblica
Efesios 1:15-23

Pensamiento central

Dios ha provisto para la Iglesia una serie de dones espirituales los cuales reparte de acuerdo al interés que tengan los creyentes en poseerlos.

Texto áureo

Para que el Dios de nuestro Señor Jesucristo, el Padre de gloria, os dé espíritu de sabiduría y de revelación en el conocimiento de él (Efesios 1:17).

Objetivos

A través de este estudio estarán capacitados para:

1. Entender mejor el pasaje bíblico escogido.
2. Comprender que Dios ha provisto para la iglesia variados dones espirituales que se deben manifestar en todas las congregaciones que la integran.
3. Ser estimulados a vivir en consagración para que los dones se manifiesten con toda libertad y naturalidad.

Fecha sugerida: _____ / _____ / _____

LECTURA BÍBLICA

Efesios 1:15 Por esta causa también yo, habiendo oído de vuestra fe en el Señor Jesús, y de vuestro amor para con todos los santos,
16 no ceso de dar gracias por vosotros, haciendo memoria de vosotros en mis oraciones,
17 para que el Dios de nuestro Señor Jesucristo, el Padre de gloria, os dé espíritu de sabiduría y de revelación en el conocimiento de él,
18 alumbrando los ojos de vuestro entendimiento, para que sepáis cuál es la esperanza a que él os ha llamado, y cuáles las riquezas de la gloria de su herencia en los santos,

19 y cuál la supereminente grandeza de su poder para con nosotros los que creemos, según la operación del poder de su fuerza,
20 la cual operó en Cristo, resucitándole de los muertos y sentándole a su diestra en los lugares celestiales,
21 sobre todo principado y autoridad y poder y señorío, y sobre todo nombre que se nombra, no sólo en este siglo, sino también en el venidero;
22 y sometió todas las cosas bajo sus pies, y lo dio por cabeza sobre todas las cosas a la iglesia,
23 la cual es su cuerpo, la plenitud de Aquel que todo lo llena en todo.

INTRODUCCIÓN

Este bloque bíblico se conoce entre los comentaristas de la Biblia como "la oración de Pablo a favor de los efesios". En este pasaje no hay ninguna recriminación, como aquellas que se encuentran en las cartas a los Gálatas y 1 Corintios. Hay aquí tres tratados teológicos: (1) Cristología (disciplina que estudia a Cristo), (2) Eclesiología (disciplina que estudia a la Iglesia), y (3) Soteriología (disciplina que estudia el plan de salvación). La profundidad con que el apóstol trata esos tres campos, es inmensa. Es obvio el gozo que el apóstol Pablo tenía por la vida espiritual de los destinatarios de su carta, por el gran deseo de que crecieran en el conocimiento de los misterios del Evangelio y en la implementación práctica de dicho conocimiento.

DESARROLLO DEL ESTUDIO

I. DOS CONFESIONES DEL APÓSTOL PABLO (EFESIOS 1:15,16)

A. Que sabe de la fe y el amor que hay entre los efesios (1:15)

Pablo se une ahora a la comunidad efesia para darle continuidad y crecimiento a su vida espiritual. Ellos habían sido sellados con el Espíritu Santo, pero esa experiencia no era el clímax de su vida espiritual. El apóstol no se distancia de la vida espiritual de sus destinatarios sino que se siente responsable de su crecimiento. "Por esta causa también yo" significa: "Deseo que ustedes entiendan que han tenido hermosas experiencias con Dios, pero eso es solamente el principio; hay mucho más para ustedes y yo quiero ser un ayudador para que alcancen lo que Dios tiene para ustedes". Pero, lo fundamental en la vida espiritual de los efesios era que existía en ellos dos elementos que si se carece de ellos, se deja de ser cristiano: fe en el Señor Jesucristo, y amor hacia los hermanos. Dos aspectos de la vida cristiana que van inseparables: en el momento en que uno desaparece, el otro también desaparecerá. El Señor dijo: "En esto conocerán todos que sois mis discípulos, si tuviereis amor los unos con los otros" (Juan 13:35).

B. Que no cesa de orar por ellos (1:16)

Para el apóstol, la fe en Cristo y el amor hacia los hermanos, eran solamente el fundamento y no la cúspide de lo que debía existir en la iglesia. Al decir el apóstol "no ceso de dar gracias por vosotros". Estas gracias eran a Dios una oración. A la vez que bendecía a Dios en oración por la buena calidad de la vida espiritual de ellos, oraba sin cesar para que Dios les concediera, (1) "espíritu de sabiduría"; (2) "y de revelación"; (3) "en el conocimiento de él"; (4) "alumbrando los ojos de vuestro entendimiento"; (5) "para que sepáis cuál es la esperanza a la cual él os ha llamado";

15 BIBLE STUDY

WHAT EVERY CHURCH SHOULD POSSESS

Biblical foundation
Ephesians 1:15-23

Objectives
As we develop the lesson you will be able to:
1. Better understand the scripture passage chosen.
2. Understand that God has provided for His church various spiritual gifts that should be manifested in all the congregations that make up the Church.
3. Be motivated to live in consecration so that the gifts would be manifested freely and naturally.

Suggested date: _____ / _____ / _____

Main idea
God has provided for His church a series of spiritual gifts which He gives according to the interest believers have in possessing them.

Golden verse
That the God of our Lord Jesus Christ, the Father of glory, may give to you the spirit of wisdom and revelation in the knowledge of Him, (Ephesians 1:17)

RESPONSIVE READING

Ephesians 1:15 "Therefore I also, after I heard of your faith in the Lord Jesus and your love for all the saints,
16 do not cease to give thanks for you, making mention of you in my prayers:
17 that the God of our Lord Jesus Christ, the Father of glory, may give to you the spirit of wisdom and revelation in the knowledge of Him,
18 the eyes of your understanding being enlightened; that you may know what is the hope of His calling, what are the riches of the glory of His inheritance in the saints,
19 and what is the exceeding greatness of His power toward us who believe, according to the working of His mighty power
20 which He worked in Christ when He raised Him from the dead and seated Him at His right hand in the heavenly places,
21 far above all principality and power and might and dominion, and every name that is named, not only in this age but also in that which is to come.
22 And He put all things under His feet, and gave Him to be head over all things to the church,
23 which is His body, the fullness of Him who fills all in all."

INTRODUCTION

This biblical passage is known among Bible commentary writers as "the prayer of Paul for the Ephesians". In this passage there is no counter charging as is found in the letters to the Galatians and 1 Corinthians. Here we find three theological documents: (1) Christology (The discipline that studies Christ), (2) Ecclesiology (The discipline that studies The Church), and (3) Soteriology (The discipline that studies the plan of salvation). The depth with which the apostle deals with these three themes is immense. We clearly see the joy that the apostle Paul has for the spiritual life of the recipients of this letter and his desire for them to grow in the knowledge of the mysteries of the gospel and the practical implementation of that knowledge.

STUDY DEVELOPMENT

I. TWO CONFESSIONS OF THE APOSTLE PAUL (EPHESIANS 1:15,16)

A. That he knows of the faith and love that exists in the Ephesians (1:15)

Paul now joins the Ephesian community to give continuity and growth to their spiritual life. They had been sealed with the Holy Spirit, but that experience was not the climax of their spiritual life. The apostle does not distance himself from the spiritual life of these recipients, but he feels responsible for their growth. "Therefore, I also..." means: "my desire is that you understand that yes you have had beautiful experiences with God, but that is just the beginning; there is much more for you and I want to be your helper as you reach for what God has for you". At the foundation of the spiritual life of the Ephesians there existed two elements, that if they were lacking, they would cease to be Christians: that is faith in the Lord Jesus Christ and love towards the brethren. These are two aspects of the Christian life that are inseparable. The moment that one disappears the other will also disappear. The Lord said: "By this all will know that you are my disciples, if you have love for one another" (John 13:35).

B. That he does not stop praying for them (1:16)

For the apostle, faith in Christ and love towards the brothers, are just the foundation and not the cusp of what should exist in the church. When the apostle says, "I... do not cease to give thanks for you", this thanksgiving was a prayer to God. As he blesses God in prayer for the quality of their spiritual life, he also prayed without ceasing so that God would give them, (1) "The spirit of wisdom", (2) "and revelation", (3) "in the knowledge of him", (4) "The eyes of your understanding being enlightened", (5) "that you may know what is the hope of His calling", (6) "what are the riches of the glory of His inheritance in the Saints", (7) "and what is the exceeding

(6) "cuáles las riquezas de la gloria de su herencia en los santos"; (7) "y cuál la supereminente grandeza de su poder para con nosotros los que creemos". Estos siete puntos son todo un tratado de profundidad teológica que cada creyente debería entender a la perfección.

II. POR QUÉ ORABA PABLO POR LOS EFESIOS (EFESIOS 1:17-20)

A. Para que se manifestaran entre ellos los dones del Espíritu (1:17)

En este pasaje Pablo dice a los efesios: "Para que el Dios de nuestro Señor Jesucristo, el Padre de gloria, os dé espíritu de sabiduría y de revelación en el conocimiento de él". "Sabiduría", "revelación" y "conocimiento" son algunos de los dones que Dios ha dado a la Iglesia para su edificación como congregación, para edificación de uno mismo, y para la conversión de los irredentos. "Sabiduría" es la traducción de la palabra sofía, y como don del Espíritu se menciona en 1 Corintios 12:8: "palabra de sabiduría"; "revelación", se menciona en 1 Corintios 14:26: "tiene revelación" apokálupsis; de donde viene el título del libro que lleva su nombre; "conocimiento", se menciona en 1 Corintios 12:8: como "palabra de conocimiento", lógos gnóseos. Por lo tanto, lo que al apóstol Pablo le interesaba encontrar en las iglesias era la manifestación de los dones espirituales. Recuérdese que cuando en la Biblia se menciona la palabra "don", no significa "talento o habilidad humana": sino un obsequio, un regalo, de Dios por medio del Espíritu Santo.

B. Para que entendieran todo lo que implica la exaltación de Cristo (1:18-20)

El apóstol empieza el v.18 con una metáfora: "habiendo sido alumbrados los ojos de vuestro entendimiento". En griego no dice "entendimiento", dice "corazón". ¿Por qué "corazón"? Porque en la Biblia se usa "corazón" como asiento de las emociones y del conocimiento más elevado de las cosas espirituales. El corazón era símbolo no solamente de los afectos más profundos, sino también de los conocimientos de mayor trascendencia. La idea es que puedan saber (1) "cuál es la esperanza a que él os ha llamado"; (2) "cuáles son las riquezas de la gloria de su herencia en los santos"; (3) "y cuál la supereminente grandeza de su poder" (v.19). La palabra "esperanza" no denota algo incierto, de que puede o no suceder. La idea de esta palabra equivale a "meta". Esto es, "la meta hacia la cual ustedes se dirigen; esa meta no se va a mover: está esperando a que ustedes lleguen a ella". Esa esperanza consiste en cosas tan maravillosas que la mente humana no tiene la capacidad de imaginar (1 Corintios 2:9).

III. EL ALCANCE DE LA EXALTACIÓN DE CRISTO (EFESIOS 1:21-23)

A. Su señorío es sobre todo el universo (1:21)

La acción divina de sentar al Hijo a su derecha implica cuatro triunfos definitivos de Cristo: (1) Que su sacrificio en la cruz fue aceptado por el Padre, por lo tanto, perfecto; (2) que fue constituido como el verdadero Sumo Sacerdote de la humanidad. En el sistema levítico, el sumo sacerdote, cuando ofrecía el sacrificio anual por el pueblo, no estaba

autorizado a sentarse, ya que su obra no era permanente: al año siguiente tenía que repetirlo. Pero en el caso de Cristo, una vez consumado su sacrificio, el Padre lo honró sentándolo a su diestra ya que no hay necesidad de que lo repita (Hebreos 7:17); (3) Que fue declarado heredero de todas las cosas. Solamente los príncipes se sentaban a la diestra de los reyes (Hebreos 1:2,3); (4) Que es el único mediador entre Dios y los hombres (1 Timoteo 2:5; Hebreos 7:25). Se especifica, además, que fue Cristo fue exaltado sobre todo: "principado y autoridad y poder y señorío". Indiscutiblemente estos poderes son jerarquías angelicales: "Arcángeles", "ángeles", "querubines" y "serafines".

B. La Iglesia se beneficia con la exaltación de Cristo (1:22,23)

Ahora el apóstol añade dos implicaciones más de la exaltación de Cristo: una que tiene que ver con el universo material, con el cosmos en general: "Dios sometió todas las cosas bajo sus pies"; la otra, con la Iglesia: "y lo dio por cabeza sobre todas las cosas a la Iglesia". Muchos coinciden en decir que en Efesios 1:22,23 el apóstol Pablo presenta a Cristo como el segundo Adán (1 Corintios 15:45). Cuando Dios creó al hombre determinó que señorease sobre la creación (Génesis 1:16-18), decisión que se repite en el Salmo 8:6: "Le hiciste señorear sobre las obras de tus manos; todo lo pusiste debajo de sus pies". Por lo tanto, la exaltación de Cristo incluye la soberanía de todas las cosas que nuestro primer padre, Adán perdió por su desobediencia; ahora Cristo, el segundo Adán, con su obediencia recuperó todo lo que se había perdido. Por lo tanto, Cristo es hecho la Cabeza suprema de una nueva humanidad que ha sido constituida en su cuerpo y la llena con su plenitud, la cual recibió del mismo Padre.

RESUMEN GENERAL

Pablo felicita a los hermanos en Éfeso por la fe que tenían en el Señor y por el amor que prevalecía entre ellos. Les confiesa que ora por ellos a fin de que el Señor les conceda los dones, principalmente de sabiduría, revelación, y conocimiento. Les explica que la exaltación de Cristo fue tan excelsa que el Padre lo sentó a su diestra para ejercer hegemonía sobre todo el universo, material y espiritual. La exaltación de Cristo beneficia a la Iglesia porque ella se convierte en su cuerpo, ya que él reside en la Iglesia y es su cabeza, esto es, la fuente de su vida y dirección. La Iglesia de hoy requiere una fe firme en nuestro Señor Jesucristo, un amor inquebrantable entre los hermanos, los dones del Espíritu Santo, y permitir que el Cristo exaltado more y se manifieste en ella.

PREGUNTAS

1. ¿Qué elementos sobresalían en la vida espiritual de los Efesios, que si se carece de ellos, se deja de ser cristiano?
2. ¿Por qué cosas oraba Pablo sin cesar que Dios les concediera a los creyentes de Éfeso?
3. ¿Qué eran las tres cosas que Pablo deseaba que supieran los efesios al pedir iluminación para ellos?
4. Mencione los cuatro triunfos del Hijo que implican el sentarse a la derecha del Padre.
5. ¿Cuáles son algunos de los elementos que requiere la iglesia de hoy?

greatness of His power toward us who believe". These seven points complete a document of theological depth that every believer should understand to perfection.

II. WHY DID PAUL PRAY FOR THE EPHESIANS? (EPHESIANS 1:17-20)

A. So that the gifts of the Spirit would be manifested in them (1:17)

In this passage Paul tells the Ephesians, "that the God of our Lord Jesus Christ, the Father of glory, may give you the spirit of wisdom and revelation in the knowledge of him». «Wisdom», «revelation», and «knowledge», are some of the gifts that God has given to the church for its edification as a congregation, for personal edification, and for the conversion of the unredeemed. «Wisdom», is a translation of the word sofia, and as a gift of the Spirit it is mentioned in 1 Corinthians 12:8: "Word of wisdom"; "Revelation" is mentioned in 1 Corinthians 14:26: "each of you has a… revelation," apokalupsis, where we get the title of the book that carries its name; "Knowledge" is mentioned in 1 Corinthians 12:8 as "word of knowledge," logos gnoseos. Therefore, what the apostle was interested in finding in the churches was the manifestation of the spiritual gifts. Remember that when the Bible mentions the word "gift", it does not simply mean a "talent or human ability", but a gift from God through the Holy Spirit.

B. So that they could understand all that the exaltation of Christ implies (1:18-20)

The apostle begins verse 18 with a metaphor: "the eyes of your understanding being enlightened". In Greek it does not say "understanding", but it says "heart". Why "heart"? Because the Bible uses "heart" as the basis for emotions and for the highest understanding of spiritual things. The heart was the symbol not only of the deepest feelings, but also of the most transcendent cognitions. The idea is that they would be able to know (1) "What is the hope of his calling", (2) "What are the riches of the glory of his inheritance in the saints", (3) "And what is the exceeding greatness of his power toward us who believe" (v.19). The word "hope" does not denote something uncertain, that may or may not happen. The idea that this word conveys is equivalent to "goal". That is, "the goal towards which you are moving, that goal will not be moved. It is waiting for you to reach it". This hope consists of things so marvelous that the human mind does not have the ability to imagine (1 Corinthians 2:9).

III. THE REACH OF THE EXALTATION OF CHRIST (EPHESIANS 1:21-23)

A. His Lordship is over all the universe (1:21)

The divine action of seating the Son at the right hand of the Father implies four definitive triumphs of Christ: (1) that His sacrifice on the cross was accepted by the Father, therefore, perfect; (2) that He was appointed as the true high priest of humanity. In the Levitical system, the high priest, when he offered the annual sacrifice for the people, was not allowed to sit down being that his work was not permanent. The next year he needed to repeat it. But in the case of Christ, once His sacrifice was consummated, the Father honored Him by

seating Him at His right hand being that there was no need to repeat the sacrifice (Hebrews 7:17); (3) that He was declared heir of all things. Only the princes would sit at the right hand of the Kings (Hebrews 1:2,3); (4) that He is the only mediator between God and man (1 Timothy 2:15; Hebrews 7:25). Additionally the text specifies that Christ was exalted: «far above all principality and power and might and dominium». These powers are without question angelical hierarchies: «archangels», «angels», «cherubim», and «seraphim».

B. The Church benefits from the exaltation of Christ (1:22,23)

Now the apostle adds two additional implications of the exaltation of Christ: one that has to do with the material universe, with the cosmos in general: "and he put all things under his feet"; the other, with the church: "And gave him to be head over all things to the church". Many agree in saying that in Ephesians 1:22, 23 the apostle Paul presents Christ as the second Adam (1 Corinthians 15:45). When God created man he determined for him to lord over creation (Genesis 1:16-18), a decision that is repeated in Psalm 8:6, "you have made him to have dominion over the works of your hands; you have put all things under his feet". Therefore, the exaltation of Christ includes the sovereignty over all the things that our first father, Adam, lost because of his disobedience. Now Christ, the second Adam, through His obedience recovered all that had been lost. So Christ is made the supreme authority of a new humanity that has been constituted in His body and He fills it with the fullness of His being, which He received from the Father.

GENERAL SUMMARY

Paul congratulates the brothers in Ephesus for the faith they had in the Lord and for the love that was prevalent among them. He confesses that he prays for them so that the Lord will grant them gifts, primarily of wisdom, revelation, and knowledge. He explains to them that the exaltation of Christ was so elevated that the Father seated Him at his right hand to exercise predominance over all the universe, material and spiritual. The exaltation of Christ benefits the church because she becomes His body, being that He resides in the church and is its head, that is, the source of its life and direction. The church of today requires a firm faith in our Lord Jesus Christ, an unbreakable love between the brethren, the gifts of the Holy Spirit, the need to allow Christ to be exalted more and to be manifested in the church.

QUESTIONS

1. What elements are highlighted in the spiritual life of the Ephesians that if they are lacking, one stops being a Christian?
2. What things did Paul pray without ceasing for God to grant the believers in Ephesus?
3. What three things did Paul want the Ephesians to know as he prayed for them to be illuminated?
4. List the four triumphs of the Son that are associated with being seated at the right hand of the Father.
5. What are some of the elements required in the church today?

DIOS, EL FUNDADOR DE LA IGLESIA

Pensamiento central

La Iglesia es una comunidad de fe que fue fundada por Dios desde la misma eternidad, pero que tuvo su existencia terrenal el día de Pentecostés.

Texto áureo

Porque somos hechura suya, creados en Cristo Jesús para buenas obras, las cuales Dios preparó de antemano para que anduviésemos en ellas (Efesios 2:10).

Base bíblica
Efesios 2:1-10

Objetivos

Por medio del presente estudio podrán:

1. Conocer mejor el contenido de la carta a los Efesios.
2. Saber la condición del hombre sin Cristo.
3. Entender mejor lo que es la iglesia.

Fecha sugerida: _____ / _____ / _____

LECTURA BÍBLICA

Efesios 2:1 Y él os dio vida a vosotros, cuando estabais muertos en vuestros delitos y pecados,

2 en los cuales anduvisteis en otro tiempo, siguiendo la corriente de este mundo, conforme al príncipe de la potestad del aire, el espíritu que ahora opera en los hijos de desobediencia,

3 entre los cuales también todos nosotros vivimos en otro tiempo en los deseos de nuestra carne, haciendo la voluntad de la carne y de los pensamientos, y éramos por naturaleza hijo de ira, lo mismo que los demás.

4 Pero Dios, que es rico en misericordia, por su gran amor con que nos amó,

5 aun estando nosotros muertos en pecados, nos dio juntamente con Cristo (por gracia sois salvos),

6 y juntamente con él nos resucitó, asimismo nos hizo sentar en los lugares celestiales con Cristo Jesús,

7 para mostrar en los siglos venideros las abundantes riquezas de su gracia en su bondad para con nosotros en Cristo Jesús.

8 Porque por gracia sois salvos por medio de la fe; y esto no de vosotros, pues es don de Dios;

9 no por obras, para que nadie se gloríe.

10 Porque somos hechura suya, creados en Cristo Jesús para buenas obras, las cuales Dios preparó de antemano para que anduviésemos en ellas.

INTRODUCCIÓN

Los primeros tres versículos son una descripción patética pero a la vez realista de lo que es no conocer la gracia redentora de Dios. Estaban muertos en delitos y pecados, siendo llevados por la corriente de este mundo y estando bajo la sumisión del diablo. Del v.4 en adelante se inicia un cambio radical al mencionar el apóstol la injerencia de Dios en el devenir histórico, no solamente de los efesios y judíos ya salvos, sino también en toda la raza humana. Se puede decir que para el apóstol, la historia de la humanidad se divide en dos partes: A.C. y D.C.

DESARROLLO DEL ESTUDIO

I. LA CONDICIÓN DEL HOMBRE SIN CRISTO (EFESIOS 2:1,2)

A. Está muerto en delitos y pecados (2:1)

El tema de la muerte espiritual se remonta al jardín del Edén, cuando Dios advirtió a Adán de las consecuencias de la desobediencia (Génesis 2:17). Adán corría el riesgo de morir físicamente (separación del espíritu del cuerpo), y espiritualmente (separación de la comunión con Dios). Esta muerte espiritual la discute el apóstol Pablo en su carta a los Romanos: "Por cuanto todos pecaron, y están destituidos de la gloria de Dios" (Romanos 3:23). Por "gloria de Dios" se entiende la vida divina que le fue dada al hombre cuando Dios lo hizo a su imagen y semejanza. Esta gloria, este esplendor de Dios, lo perdieron Eva y Adán por su desobediencia. Toda esta argumentación sobre la muerte espiritual la utiliza el apóstol para probar que nadie puede producir obras meritorias que le produzcan la salvación, porque nadie tiene vida para hacer algo que agrade a Dios.

B. Es hijo de ira (2:2)

Pero no solamente estaban muertos en delitos y pecados, lo cual produce separación de Dios. Sino que este era (1) su estilo de vida: "en los cuales anduvisteis"; (2) que los hacía "seguir la corriente de este mundo"; (3) "conforme al príncipe de la potestad del aire". Dentro de este encuadro de tragedia hay una afirmación alentadora: "en los cuales anduvisteis en otro tiempo". Esta es una expresión que utiliza con frecuencia el apóstol en sus cartas junto con otras similares: "fuisteis", "estabais", "erais", "vivíais". Con ellas recalca lo que el creyente fue, pero que ya no es, corroborándolo con la gran afirmación de que todo eso pasó y que todo es nuevo en Cristo Jesús (2 Corintios 5:17). "Siguiendo la corriente de este mundo", no significa el mundo material que fue creado por Dios, sino el mundo espiritual influenciado directamente por Satanás.

16 BIBLE STUDY

GOD, THE FOUNDER OF THE CHURCH

Biblical foundation
Ephesians 2:1-10

Objectives
As we develop the lesson you will be able to:
1. Better understand the content of the letter to the Ephesians.
2. Know the condition of man without Christ.
3. Better understand what the church is.

Main idea
The church is a community of faith that was founded by God since the beginning of eternity, but began its earthly existence on the day of Pentecost.

Golden verse
For we are his workmanship, created in Christ Jesus for good works, which God prepared beforehand that we should walk in them (Ephesians 2:10).

Suggested date: _____ / _____ / _____

RESPONSIVE READING

Ephesians 2:1 "And you He made alive, who were dead in trespasses and sins,
2 in which you once walked according to the course of this world, according to the prince of the power of the air, the spirit who now works in the sons of disobedience,
3 among whom also we all once conducted ourselves in the lusts of our flesh, fulfilling the desires of the flesh and of the mind, and were by nature children of wrath, just as the others.
4 But God, who is rich in mercy, because of His great love with which He loved us,
5 even when we were dead in trespasses, made us alive together with Christ (by grace you have been saved),
6 and raised us up together, and made us sit together in the heavenly places in Christ Jesus,
7 that in the ages to come He might show the exceeding riches of His grace in His kindness toward us in Christ Jesus.
8 For by grace you have been saved through faith, and that not of yourselves; it is the gift of God,
9 not of works, lest anyone should boast.
10 For we are His workmanship, created in Christ Jesus for good works, which God prepared beforehand that we should walk in them."

INTRODUCTION

The first three verses is a somber, although realistic description of what it is to know the redeeming grace of God. They were dead in their trespasses and sins, being taken by the wave of this world and being under the devil's submission. From verse 4 on, a radical change begins as the apostle mentions God›s interference in what was to become of the Ephesians and Jews who were already saved, but also of the entire human race. It can be said that for the apostle, the history of mankind can be divided into two parts: before Christ, and after Christ.

STUDY DEVELOPMENT

I. THE CONDITION OF MAN WITHOUT CHRIST (EPHESIANS 2:1,2)

A. He is dead in trespasses and sins (2:1)

The message of spiritual death takes us back to the garden of Eden when God warned man of the consequences of disobedience (Genesis 2:17). Adam ran the risk of dying physically (separation of the spirit from the body), and spiritually (separation from communion with God). This spiritual death is one that the apostle Paul discusses in his letter to the Romans: "for all have sinned and fall short of the glory of God" (Romans 3:23).

By "the glory of God", we understand that there is a divine life that was given to man when God made him according to His image and likeness. This glory, this splendor of God, was lost by Adam and Eve because of their disobedience. And all of this discussion about a spiritual death is used by the apostle to prove that no one can produce works that merit salvation, no one's life by works is pleasing to God.

B. He is a child of wrath (2:2)

Not only were they dead in trespasses and sins, which produced a separation from God, but this was (1) their way of life: "in which you once walked", (2) what made them walk, "according to the course of this world", (3) "according to the prince of the power of the air". Within this tragic scene there is a comforting affirmation: "in which you once walked". This is an expression that the apostle frequently uses in his letters along with other similar phrases: "were", "lived", "once". With these phrases he highlights what the believer once was, but is no longer, corroborating the great affirmation that all of this has passed and all is new in Christ Jesus (2 Corinthians 5:17). Walking "according to the course of this world", does not mean the material world that was created by God, but the spiritual world that is directly influenced by Satan.

II. LO QUE HACE LA MISERICORDIA DE DIOS (EFESIOS 2:3-7)

A. Da vida (2:3,4)

Todo este pasado lleno de tragedia lo cita el apóstol con la intención de magnificar la obra de Dios en sus vidas que a continuación pasa a describir, valiéndose de un "pero" con el cual empieza el v.4: "Pero Dios…". Este "pero" sirve como un puente entre lo previamente dicho y lo que sigue a continuación. Quienes estén bien familiarizados con el estilo de escribir del apóstol Pablo, saben que fue típico en él contar, con tonos patéticos la condición pasada de los creyentes, y después formar un puente con un "pero" para exaltar la obra de Dios en ellos y la condición presente que ahora disfrutan (ver Tito 3:3-7 y 1 Corintios 6:9-11). Toda esta gloriosa transformación fue ejecutada por un Dios cuyos atributos son: la "misericordia", el "amor", la "gracia" (v.5), y la "bondad". Para los gentiles convertidos era inconcebible que hubiera un Dios que tuviera esos atributos, ya que los dioses del paganismo del cual habían salido se caracterizaban por su ira, venganza y castigo.

B. Nos une a Cristo en su victoria (2:5-7)

Todas las experiencias cristianas ocurren en "compañía de" Cristo: somos crucificados con él, muertos con él, sepultados con él, resucitados con él, glorificados con él, y sentados con él en los lugares celestiales. Uno de los puntos vitales de la fe cristiana que el apóstol menciona es que la salvación es "por gracia". Significa "un favor inmerecido", "un regalo". Tanto para judíos como a gentiles esto era novedad, ya que en todas las religiones y en la mente de toda persona existe la creencia de que la salvación es por obras buenas que uno haga: "Si debo algo, lo tengo que pagar"; "Si hago algo bueno, tengo que ser recompensado". Incluso, en algunos círculos pseudo-cristianos existe la idea de que en la salvación Dios hace una parte, y el hombre otra. Es un error tratar de hacer méritos para que Dios le conceda algo, principalmente en cuanto a la salvación. Lo que Dios pide no son sacrificios, sino un espíritu quebrantado, un corazón contrito y humillado (Salmo 51:16,17).

III. CÓMO SE OBTIENE LA SALVACIÓN (EFESIOS 2:8-10)

A. Por gracia y fe (2:8,9)

Desde tiempos remotos el ser humano se ha venido haciendo la pregunta: ¿Qué debo hacer para estar en buenos términos con Dios? Job, preguntó: "¿Y cómo se justificará el hombre con Dios?" (Job 9:2). Ante el punzante sermón de Pedro, los presentes respondieron: "Varones hermanos, ¿qué haremos?" (Hechos 2:37), y el carcelero de Filipos preguntó: "¿Qué debo hacer para ser salvo?" (Hechos 16:30). Los judíos insistían en que la salvación radicaba en el cumplimiento fiel de la ley mosaica; y los cristianos judaizantes se aferraban en creer en que el evangelio había que complementarlo con

la observancia del sábado y la práctica de la circuncisión. El asunto lo trató ampliamente el apóstol Pablo en su carta a los Romanos y a los Gálatas. Su tajante conclusión fue: "Ya que por las obras de la ley ningún ser humano será justificado delante de él; porque por medio de la ley es el conocimiento del pecado" (Romanos 3:20), y añade: "Concluimos, pues, que el hombre es justificado por fe sin las obras de la ley" (Romanos 3:28).

B. Por obra de Dios (2:10)

Es probable que al escribir el v.10, el apóstol tuviera en mente la creación del hombre que se narra en el libro de Génesis (1:26,27). En los dos textos de Génesis se menciona que el hombre fue hecho a "imagen" y "semejanza" de Dios. En Efesios 2:10 el nuevo hombre es creado "en Cristo Jesús". De manera que en ambos casos el elemento divino está presente en su creación; en Génesis al hombre se le asignó una tarea que tenía que ver con el jardín del Edén; en Efesios se dice que somos creados "para buenas obras, las cuales Dios preparó de antemano para que anduviésemos en ellas". Adán no tenía que plantar el jardín: lo hizo Dios, y lo único que a Adán le correspondía era cuidar lo que Dios había hecho y le había encomendado. En el caso del cristiano, hay algo similar: el cristiano no puede producir por su propia cuenta las buenas obras, ya "Dios las preparó de antemano", esto es, desde antes de la creación del mundo, pero sí tiene el privilegio de que a través de él se manifiesten a fin de que Dios sea glorificado.

RESUMEN GENERAL

El estilo de escribir de Pablo sería como el de un pintor que primero pinta un fondo gris, negruzco, un tanto tenebroso, que es, precisamente, solo el fondo de una gran pintura que va a estampar en el lienzo. Sobre ese fondo negruzco empieza a dar pinceladas con colores brillantes, armónicos, bellos y llenos de proporción. Lo negruzco representa la vida pasada, y los colores brillantes llenos de hermosura vienen siendo la bondad, misericordia, amor y gracia de Dios que traen salvación. Es así que, tanto judíos como gentiles, son constituidos en pueblo de Dios. ¡Una bella pintura donde luce la Iglesia como pueblo, familia y templo de Dios.

PREGUNTAS

1. Según Efesios 1:1, ¿cuál es la condición espiritual del ser humano?
2. ¿Cuál es la afirmación alentadora que encontramos dentro del cuadro trágico que describe el apóstol en el versículo 2:2?
3. ¿De cuáles experiencias participa el creyente al estar unido a Cristo?
4. ¿Qué es lo que Dios ya preparó de antemano para sus hijos?
5. Describa el estilo de escribir del apóstol Pablo comparado con el estilo de un pintor.

II. WHAT THE MERCY OF GOD DOES (EPHESIANS 2:3-7)

A. It gives life (2:3,4)

All of this past filled with tragedy is cited by the apostle with the intention of magnifying the work of God in their lives; and he continues on describing, this time including a "but" with which he begins verse four: "But God». This «but» serves as a bridge between what was previously said and what follows. Those who are familiar with the apostle Paul›s writing style know that it is not uncommon for him to use descriptions that speak of the pathetic condition of the believer›s past and then to form a bridge with a «but» to exalt the work of God in them and the present condition which they now enjoy (see Timothy 3:3-7 and 1 Corinthians 6:9-11). All of this glorious transformation was executed by a God, whose attributes include: «mercy», «love», «grace» (v.5), and «goodness». For the converted Gentiles it was inconceivable that there was a God that had these attributes being that the pagan gods, whose worship they had come from, were characterized by their wrath, vengeance, and punishment.

B. It unites us with Christ in His victory (2:5-7)

All of the Christian experiences occur "in the company of" Christ: we are crucified with Him, die with Him, are buried with Him, are resurrected with Him, glorified with Him, and seated with Him in heavenly places. One of the vital points of the Christian faith that the apostle mentions is salvation «by grace». This means, «an unmerited favor», «a gift». This, not only for the Jews but also for the Gentiles, was something new being that in all religions, and in the mind of every person, was the belief that salvation was by the good works that one would do: «if I owe something, then I have to pay it»; «if I do something good, then it should be rewarded». As a matter of fact, in some pseudo-Christian circles is the idea that in salvation, God does one part and man does the other. It is an error to try to do works so that God will give us something, especially as it pertains to salvation. What God asks of us is not sacrifices, but a broken spirit, and a contrite and humbled heart (Psalm 51:16-17).

III. HOW IS SALVATION OBTAINED? (EPHESIANS 2:8-10)

A. By grace and faith (2:8,9)

Since times long ago man has asked himself the question, what do I need to do to be on good terms with God? Job asked, "But how can a man be righteous before God?" After hearing Peter's piercing sermon, those present responded, "Man and brethren, what shall we do?" (Acts 2:37). The jailer in Philippi asked, "what must I do to be saved?" (Acts 16:30). The Jews insisted in that salvation was dependent on faithful observance of the Mosaic law; the Christian Jews held onto the belief that the gospel must be complemented with the observance of the Sabbath and the practice of circumcision. This subject was addressed in detail by the apostle Paul in his letter to the Romans and to the Galatians. His cutting conclusion was, "Therefore by the deeds of the law no flesh will be justified in His sight, for by the law is the knowledge of sin" (Romans 3:20). He adds, "Therefore we conclude that a man is justified by faith apart from the deeds of the law" (Romans 3:28).

B. By the work of God (2:10)

It is possible that in describing verse 10, the apostle had in mind the creation of man that is narrated in the book of Genesis (1:26, 27). In these two verses in Genesis we see that man was made in the "image" and "likeness" of God. In Ephesians 2:10 the new man is created "in Christ Jesus". So in both of these cases the divine element is present in His creation. In Genesis, man was assigned a task that had to do with the Garden of Eden; in Ephesians it says that we are created "for good works which God prepared beforehand that we should walk in them". Adam did not need to plant in the Garden of Eden, God did it. The only thing that Adam needed to do was to take care of what God had made and what God had entrusted to him. In the case of a Christian there is something similar: A Christian cannot produce good works on his own because "God prepared them beforehand", that is, from before the creation of the world, but he does have the privilege that through him they be manifested so that God can be glorified.

GENERAL SUMMARY

Paul's writing style can be described as a painter that first paints a gray background, dark, with the sad tones, that is precisely only the background of a great painting that will cover the canvas. It is on this background that we begin to see brushstrokes of brilliant colors, harmonized, beautiful and full of proportion. The darkness represents our past life, and the brilliant colors filled with beauty are the goodness, mercy, love and grace of God that brings us salvation. So that Jews and Gentiles alike are made into a people of God; a beautiful painting where the church appears as a people, family, and temple of God.

QUESTIONS

1. According to Ephesians 1:1, what is the spiritual condition of a human being?
2. What is the comforting affirmation that we find within the tragic scene that as described by the apostle in verse 2:2?
3. What experiences does the believer participate in when being united to Christ?
4. What is it that God has prepared beforehand for His children?
5. Describe the apostle Paul's writing style as compared to a painter's painting style.

LA IGLESIA COMO PUEBLO, FAMILIA Y TEMPLO DE DIOS

ESTUDIO BÍBLICO 17

Base bíblica
Efesios 2:11-22

Pensamiento central
La Iglesia como pueblo, familia y templo de Dios posee un excelso privilegio que va acompañado de grandes responsabilidades y deberes.

Texto áureo
Así que ya no sois extranjeros ni advenedizos, sino conciudadanos de los santos, y miembros de la familia de Dios (Efesios 2:19).

Objetivos
Al finalizar esta lección podrán:
1. Entender lo que es la persona sin Cristo.
2. Entender lo que es la persona en Cristo.
3. Mostrar en su diario vivir lo que significa ser parte de la iglesia.

Fecha sugerida: _____ / _____ / _____

LECTURA BÍBLICA

Efesios 2:11 Por tanto, acordaos que en otro tiempo vosotros, los gentiles en cuanto a la carne, erais llamados incircuncisión por la llamada circuncisión hecha con mano en la carne.
12 En aquel tiempo estabais sin Cristo, alejados de la ciudadanía de Israel y ajenos a los pactos de la promesa, sin esperanza y sin Dios en el mundo.
13 Pero ahora en Cristo Jesús, vosotros que en otro tiempo estabais lejos, habéis sido hechos cercanos, por la sangre de Cristo.
14 Porque él es nuestra paz, que de ambos pueblos hizo uno, derribando la pared intermedia de separación,
15 aboliendo en su carne las enemistades, la ley de los mandamientos expresados en ordenanzas, para crear en sí mismo de los dos un solo y nuevo hombre, haciendo la paz,
16 y mediante la cruz reconciliar con Dios a ambos en un solo cuerpo, matando en ella las enemistades.
17 Y vino y anunció las buenas nuevas de paz a vosotros que estabais lejos, y a los que estaban cerca;
18 porque por medio de él los unos y los otros tenemos entrada por un mismo Espíritu al Padre.
19 Así que ya no sois extranjeros ni advenedizos, sino conciudadanos de los santos, y miembros de la familia de Dios,
20 edificados sobre el fundamento de los apóstoles y profetas, siendo la principal piedra del ángulo Jesucristo mismo,
21 en quien todo el edificio, bien coordinado, va creciendo para ser un templo santo en el Señor;
22 en quien vosotros también sois juntamente edificados para morada de Dios en el Espíritu.

INTRODUCCIÓN

Pablo se refiere a la vida pasada de los efesios: Eran llamados "incircuncisión", estaban "sin Cristo", estaban "alejados de la ciudadanía de Israel", eran "ajenos a los pactos de la promesa", estaban "sin esperanza y sin Dios en el mundo", eran extranjeros y advenedizos. Pero lo importante no es lo que fueron sino lo que ahora son en Cristo Jesús: (1) "habéis sido hechos cercanos" (v.13); (2) han sido integrados en el verdadero Israel (Gálatas 6:16); (3) tienen entrada por un mismo Espíritu al Padre (v.18); (4) son "ciudadanos de los santos" (v.19); (5) "miembros de la familia de Dios" (v.19); (6) se encuentran "edificados sobre el fundamento de los apóstoles y profetas" (v.20); (7) son "edificio" (v.21): (8) son un "templo santo en el Señor" (v.21,22). Consideraremos este glorioso plan redentor.

DESARROLLO DEL ESTUDIO

I. LA INTEGRACIÓN DE DOS PUEBLOS EN UNO (EFESIOS 2:11-14)

A. El pasado de los gentiles (2:11,12)
El tema de la circuncisión requiere algo de explicación por el lugar que tuvo en la historia de Israel. Fue practicada por muchos pueblos antiguos, entre ellos: Los semitas, árabes, moabitas, egipcios y amonitas. Los filisteos no la practicaban y por esa razón eran llamados peyorativamente "incircuncisos" por los hebreos. Entre los judíos, tuvo su institución con el pacto concertado entre Dios y Abraham y su descendencia (Génesis 17:10,11). Todo varón era circuncidado a los ocho días de nacido (Génesis 17:12); también, toda persona comprada como esclava. Era tan estricto que todo el que se negara hacerlo se le daba muerte. El término "incircunciso" no fue dado por Dios a los gentiles: fueron los mismos judíos que optaron llamar así a los gentiles en tono peyorativo.

B. El presente de ambos pueblos (2:13,14)
En su carta a los romanos, el apóstol Pablo elabora sobre la condición perdida de los gentiles y judíos. En el capítulo 1, trata del estado perdido de los gentiles; luego, en el capítulo 2, trata de la misma situación de los judíos a pesar de tener la ley, los pactos y las promesas. La condenación era para aquellos que pensaban que por sus buenas obras y observancias minuciosas de la ley obtenían la salvación. Ya

17 BIBLE STUDY

THE CHURCH AS A PEOPLE, FAMILY, AND TEMPLE OF GOD

Biblical foundation
Ephesians 2:11-22

Objectives
As we develop the lesson you will be able to:
1. Understand who a person is without Christ.
2. Understand who a person is with Christ.
3. Demonstrate in their daily living what it means to be part of the Church.

Main idea
The church as a people, family, and temple of God possesses a most high privilege that is accompanied with great responsibilities and duties.

Golden verse
"Now, therefore, you are no longer strangers and foreigners, but fellow citizens with the saints and members of the household of God" (Ephesians 2:19)

Suggested date: _____ / _____ / _____

RESPONSIVE READING

Ephesians 2:11 "Therefore remember that you, once Gentiles in the flesh—who are called Uncircumcision by what is called the Circumcision made in the flesh by hands—
12 that at that time you were without Christ, being aliens from the commonwealth of Israel and strangers from the covenants of promise, having no hope and without God in the world.
13 But now in Christ Jesus you who once were far off have been brought near by the blood of Christ.
14 For He Himself is our peace, who has made both one, and has broken down the middle wall of separation,
15 having abolished in His flesh the enmity, that is, the law of commandments contained in ordinances, so as to create in Himself one new man from the two, thus making peace,

16 and that He might reconcile them both to God in one body through the cross, thereby putting to death the enmity.
17 And He came and preached peace to you who were afar off and to those who were near.
18 For through Him we both have access by one Spirit to the Father.
19 Now, therefore, you are no longer strangers and foreigners, but fellow citizens with the saints and members of the household of God,
20 having been built on the foundation of the apostles and prophets, Jesus Christ Himself being the chief corner stone,
21 in whom the whole building, being fitted together, grows into a holy temple in the Lord,
22 in whom you also are being built together for a dwelling place of God in the Spirit."

INTRODUCTION

Paul here refers to the past life of the Ephesians: they were called "uncircumcised", they were "without Christ", they were "aliens from the commonwealth of Israel", "Strangers from the covenants of promise", they were "without hope and without God in the world", and they were strangers and foreigners. But the important thing is not what they were but what they are now in Christ Jesus. They: (1) "have been brought near" (v.13); (2) have been integrated into the true Israel (Galatians 6:16); (3) "have access by one spirit to the Father" (v.18); (4) are fellow citizens with the Saints (v.19); (5) are "members of the household of God" (v.19); (6) have "been built on the foundation of the apostles and prophets" (v.20); (8) are a "holy temple in the Lord" (v.21,22). Let us consider this glorious plan of redemption.

STUDY DEVELOPMENT

I. THE INTEGRATION OF TWO PEOPLES INTO ONE (EPHESIANS 2:11-14)

A. The past of the Gentiles (2:11,12)
The topic of circumcision requires some explanation be-

cause of its significance in the history of Israel. This custom was practiced by many ancient peoples. Among them were the Semites, Arabs, Moabites, Egyptians, and Ammonites. The Philistines did not have this practice which is why they were called, disparagingly, "uncircumcised" by the Hebrews. Among the Jews, this practice had its origin in the covenant that was made between God and Abraham and his descendants (Genesis 17:10, 11). Every male was circumcised at eight days of birth (Genesis 17:12); also, every person who was bought as a slave. This was so strict a practice that anyone that refused it was given a death sentence. The term "uncircumcised", was not given by God to the Gentiles: it was the Jews who chose to call the Gentiles by this derogatory term.

B. The present of both peoples (2:13,14)
In his letter to the Romans, the apostle Paul elaborates on the lost condition of the Gentiles and Jews. In chapter 1, he writes about the lost state of the Gentiles, then, in chapter 2, he discusses the same situation the Jews are in despite having the law, the covenants, and the promises. Condemnation was for those who thought that, by good works and observing the minuscule details of the law, they would obtain salvation. In

en los capítulos 3 y 4 de Romanos, el apóstol arriba a la fatal conclusión que ambos pueblos estaban bajo juicio porque ambos habían pecado: "Por cuanto todos pecaron, y están destituidos de la gloria de Dios" (Romanos 3:23,24). Ya en los versículos 21 y 22 el apóstol había declarado que la salvación, tanto para judíos como para gentiles es exclusivamente por fe, y fe en el Señor Jesucristo, todo por gracia de Dios y no por méritos personales.

II. CRISTO EL GRAN RECONCILIADOR (EFESIOS 2:15-18)

A. La abolición de las enemistades (2:15,16)

La rivalidad entre judíos y gentiles era más fuerte de parte de estos que de los gentiles. Y esto existía entre algunos cristianos al principio de la Iglesia influenciados por sus escrúpulos religiosos. Mientras que el evangelio une las gentes, la religiosidad y el fanatismo desunen. El mismo apóstol Pedro fue víctima de estos escrúpulos raciales por temor a las críticas discriminatorias de los discípulos de Jacobo, actitud que le valió una severa reprimenda del apóstol Pablo (Gálatas 2:11-14). Toda esta rivalidad fue deshecha por Cristo en la cruz ya que en ella le puso fin a los mandamientos y ordenanzas. No aquellos mandamientos que expresaban el carácter de Dios, sino aquellos que tenían que ver con ritos, ceremonias, ordenanzas, prácticas que eran secundarias y temporales (Romanos 10:4). De manera que la reconciliación la obró Cristo en la cruz eliminando todas las barreras para formar así un solo pueblo: la Iglesia.

B. Las buenas noticias en Cristo (2:17,18)

La aversión de los judíos hacia los gentiles era tal que en el templo de Jerusalén había letreros en latín y griego en lo que se llamaba "Área de los gentiles" advirtiéndolos que si cruzaban más adelante del área destinada a ellos, serían condenados a muerte. Delito que, supuestamente cometió el apóstol Pablo cuando fue arrestado en Jerusalén: "…ha metido a griegos en el templo, y ha profanado este santo lugar" (Hechos 21:28). En oposición a la hostilidad de los judíos hacia los gentiles, el plan de Dios era que los gentiles conocieran el evangelio para que los dos vinieran a ser una sola nación en Cristo. Este plan de Dios fue predicho por el profeta Oseas, pasaje que el apóstol Pablo citó: "Como también en Oseas dice: Llamaré pueblo mío al que no era mi pueblo, y a la no amada, amada…" (Romanos 9:25,26). Ya en el v.18 el apóstol Pablo le da un tiro de gracia a esta idea, ya que no solamente los gentiles tenían entrada a todos los rincones del templo de Jerusalén, sino hasta la misma presencia del Padre (Hebreos 10:19-22).

III. LO QUE ES LA IGLESIA (EFESIOS 2:19-22)

A. La Iglesia como pueblo, familia y edificio de Dios (2:19,20)

El apóstol utiliza dos palabras: "Así que…", que conlleva dos ideas: "Punto y final" para lo que fueron los gentiles, pero "punto y seguido" porque ahora empieza la descripción de lo que son. Es una muerte y sepultura para el pasado, pero una resurrección para el presente. El punto y final para la condición de "extranjeros y advenedizos", pero punto y seguido como "ciudadanos de los santos, miembros de la familia de Dios, piedras de un edificio, y templo de Dios en el Espíritu Santo". Antes estábamos vivos al pecado, pero ahora estamos muertos a ese estilo de vida (Gálatas 2:20); antes fuimos una vieja criatura, ahora somos una nueva en la cual las cosas viejas pasaron y todas son hechas nuevas (2 Corintios 5:17); antes éramos tinieblas, ahora somos luz en el Señor (Efesios 5:8); antes estábamos sin Cristo, pero ahora somos de él.

B. La Iglesia como templo de Dios (2:21,22)

En el v.20, el apóstol presenta a los apóstoles, profetas y a nuestro Señor Jesucristo como parte del edificio que Dios está construyendo, y que viene a ser la Iglesia. Una vez que la última pieza de este edificio haya sido puesta y la construcción haya terminado, Cristo vendrá por este su nuevo templo. En la Nueva Jerusalén que Juan contempló en visión, no vio en ella templo; "porque el Señor Dios Todopoderoso es el templo de ella, y el Cordero" (Apocalipsis 21:22). Tomando en cuenta que en las cartas del apóstol Pablo, la Iglesia es mencionada como el templo de Dios, algunos comentaristas afirman que en la Nueva Jerusalén, Dios es el templo porque se encuentra en sus hijos, en la Iglesia, y quien ve a la Iglesia ve a Dios en ella. Pablo dice de los creyentes: "¿No sabéis que sois templo de Dios, y que el Espíritu de Dios mora en vosotros?" (1 Corintios 3:16).

RESUMEN GENERAL

Existía la idea en los judíos que eran la nación por excelencia por causa del pacto concertado entre Dios y Abraham. Los gentiles no eran parte de este convenio entre Dios e Israel, por lo tanto, eran considerados por los judíos como gente desconocida por Dios. Con la muerte de Cristo, los ritos, ceremonias y liturgias practicadas por los judíos caducaron, porque con su muerte, Cristo anuló todas las prácticas mencionadas. De manera que ya no había nada que separara a los gentiles de los judíos. Pero la obra de Cristo no concluyó ahí, sino que hizo de los dos pueblos, uno: la Iglesia, que es el nuevo Israel de Dios. En la Iglesia, tanto judíos como gentiles, tienen los mismos privilegios y las mismas responsabilidades.

PREGUNTAS

1. ¿Cómo eran considerados los gentiles por parte de los judíos?
2. ¿Cómo considera Pablo tanto a judíos como a gentiles en su carta a los Romanos?
3. ¿Qué fue lo que logró la muerte de Cristo en la cruz?
4. Antes a los gentiles no se les permitía la entrada al templo de Jerusalén, ahora, con Cristo a ¿dónde pueden entrar?
5. De acuerdo al apóstol Pablo, ¿qué es la iglesia ahora?

chapters 3 and 4 of the book of Romans, the apostle arrives at the fatal conclusion that both peoples are under judgment because both have sinned: "For all have sinned and fall short of the glory of God," (Romans 3:23). The apostle has already declared in verses 21 and 22 that salvation, for Jews as well as for Gentiles, is exclusively by faith in the Lord Jesus Christ. Everything is by the grace of God and not by personal merits.

II. JESUS CHRIST THE GREAT RECONCILER (EPHESIANS 2:15-18)

A. The abolishment of enmities (2:15,16)

The rivalry between Jews and Gentiles was stronger on the part of Jews than on the Gentiles. This also existed among some Christians, in the church's beginnings, who were influenced by religious scruples. While the gospel unites people, religiosity and fanaticism separates them. The apostle Peter himself was a victim of racial scruples by fearing the discriminating criti-cism of the disciples of James, an attitude that drew a severe reprimand from the apostle Paul (Galatians 2:11-14). All of this rivalry was undone by Christ on the cross being that on it he put an end to commandments and ordinances. Not those commandments that expressed the character of God, but those that had to do with rituals, ceremonies, ordinances, and practices that were secondary and temporary (Romans 10:4). We see that reconciliation was made by Christ on the cross eliminating all barriers to make for Himself one people: the Church.

B. The good news in Christ (2:17,18)

The aversion of the Jews towards the Gentiles was such that in the temple in Jerusalem there were signs in Latin and Greek that labeled the "area for the Gentiles" and warned them that if they crossed those boundaries they could be condemned to death. This was a crime that the apostle Paul allegedly committed when he was arrested in Jerusalem: "he also brought Greeks into the temple and has defiled this holy place" (Acts 21:28). As opposed to the hostility that the Jews had towards the Gentiles, the plan of God was that Gentiles would also know the gospel so that both would come to be one nation in Christ. This plan of God was predicted by the prophet Hosea, a passage that the apostle Paul cited: "As He says also in Hosea: 'I will call them My people, who were not My people, And her beloved, who was not beloved...'" (Romans 9:25,26). Now in verse 18 the apostle Paul gives a shot of grace to this idea, being that not only could the Gentiles enter all of the corners of the temple, but also the very presence of God (Hebrews 10:19-22).

III. WHAT THE CHURCH IS (EPHESIANS 2:19-22)

A. The church as a people, family, and building of God (2:19,20)

The apostle uses two words: «Now, therefore...» which carries two ideas: «Period, end of story», to what the Gentiles once were, but, «period, new sentence», because now begins a description of what they now are. It is a death and burial of the past, but a resurrection to the present; A «period, end of story», to the condition of «strangers and upstarts», but «period, new sentence» to the status of «fellow citizens with the Saints, members of the household of God, stones of a building, and temple of the Holy Spirit». Before, we were alive to sin, but now we are dead to this lifestyle (Galatians 2:20). Before, we were an old creation, now we are a new creation where old things have passed away and all things have become new (2 Corinthians 5:17). Before, we were darkness, now we are light in the Lord (Ephesians 5:8). Before, we were without Christ, but now we are His.

B. The church as temple of God (2:21,22)

In verse 20 the apostle presents the apostles, prophets, and our Lord Jesus Christ as part of the building that God is constructing, that is of the church. Once the last piece of this building has been set in place and the construction has ended, Christ will come for this new temple. In the new Jerusalem that John saw in his vision, he did not see a temple, "for the Lord God Almighty and the Lamb are its temple" (Revelation 21:22). Keeping in mind that in the apostle Paul's letters the church is mentioned as the temple of God, some commentary writers affirm that in the New Jerusalem, God is the temple because He is found in His children, in the church, and whoever sees the church sees God in her. Paul says to the believers, "Do you not know that you are the temple of God and that the Spirit of God dwells in you?" (I Corinthians 3:16).

GENERAL SUMMARY

The idea existed among the Jews that they were the nation of excellence because of the covenant that was made between God and Abraham. The Gentiles were not part of this agreement between God and Israel, therefore, they were considered by the Jews as a people unknown to God. With the death of Christ, the rituals, ceremonies and liturgics practiced by the Jewish people expired, because with His death, Christ annulled all of the practices mentioned. So now there was nothing that separated the Gentiles from the Jews. But the work of Christ did not end there. It made two peoples become one, called the Church, that is the new Israel of God. In the church, both Jews and Gentiles have the same privileges and the same responsibilities.

QUESTIONS

1. How were the Gentiles considered by the Jews?
2. How does Paul see Jews as well as Gentiles in his letter to the Romans?
3. What did the death of Christ on the cross accomplish?
4. Before, the Gentiles were not allowed into the temple of Jerusalem, now, with Christ, where can they enter?
5. According to the apostle Paul what is the church now?

LA IGLESIA COMO UN MISTERIO

Pensamiento central

La iglesia es un misterio porque se originó en la mente de Dios desde antes de la fundación del mundo, y solamente puede ser entendida por revelación divina.

Texto áureo

Que los gentiles son coherederos y miembros del mismo cuerpo, y copartícipes de la promesa en Cristo Jesús por medio del evangelio (Efesios 3:6).

Base bíblica
Efesios 3:1-12

Objetivos

Este estudio permitirá que pueda:

1. Entender con suficiente claridad lo que es la iglesia.
2. Tener una idea precisa del por qué Pablo se refiere a la iglesia como un "ministerio".
3. Comprender el lugar que Dios el Padre, nuestro Señor Jesucristo, el Espíritu Santo, y los creyentes ocupan dentro de este misterio.

Fecha sugerida: _____ / _____ / _____

LECTURA BÍBLICA

Efesios 3:1 Por esta causa yo Pablo, prisionero de Cristo Jesús por vosotros los gentiles;

2 si es que habéis oído de la administración de la gracia de Dios que me fue dada para con vosotros;

3 que por revelación me fue declarado el misterio, como antes lo he escrito brevemente.

4 leyendo lo cual podéis entender cuál sea mi conocimiento en el misterio de Cristo,

5 misterio que en otras generaciones no se dio a conocer a los hijos de los hombres, como ahora es revelado ahora a sus santos apóstoles y profetas por el Espíritu:

6 que los gentiles son coherederos y miembros del mismo cuerpo, y copartícipes de la promesa en Cristo Jesús por medio del evangelio,

7 del cual yo fui hecho ministro por el don de la gracia de Dios que me ha sido dado según la operación de su poder.

8 A mí, que soy menos que el más pequeño de todos los santos, me fue dada esta gracia de anunciar entre los gentiles el evangelio de las inescrutables riquezas de Cristo,

9 y de aclarar a todos cuál sea la dispensación del misterio escondido desde los siglos en Dios, que creó todas las cosas;

10 para que la multiforme sabiduría de Dios sea ahora dada a conocer por medio de la iglesia a los principados y potestades en los lugares celestiales,

11 conforme al propósito eterno que hizo en Cristo Jesús nuestro Señor,

12 en quien tenemos seguridad y acceso con confianza por medio de la fe en él.

INTRODUCCIÓN

La palabra "iglesia" es la traducción del vocablo griego "ekleisía", palabra que esta formada con la preposición "ek" que significa "fuera de", y el verbo "kaléo", que es "llamar". Por lo tanto, significa "llamar a alguien fuera". En la Septuaginta (versión griega del Antiguo Testamento), el vocablo se aplica a la asamblea de los israelitas, especialmente cuando se reunían con propósitos sagrados. Dietrich Bonhoeffer, el gran mártir cristiano alemán, denominó a la Iglesia como "la comunidad de fe". Cuando se estudia el tema de la Iglesia, se tiene que tomar como punto de partida la eternidad de la misma, su existencia en la sabiduría y soberanía de Dios. Según el apóstol Pablo, la Iglesia existía en la mente de Dios como parte de su plan redentor (Efesios 1:4).

DESARROLLO DEL ESTUDIO

I. EL MISTERIO DE LA IGLESIA ES CONOCIDO ÚNICAMENTE POR REVELACIÓN DIVINA (EFESIOS 3:1-4)

A. Esta revelación surge de la gracia divina (3:1,2)

El apóstol Pablo menciona estar en la prisión no por un delito cometido sino por proclamar a Cristo Jesús, cuyo devenir histórico fue hacer una realidad el plan eterno de Dios: Establecer la Iglesia. El apóstol declara poseer una responsabilidad que le vino directamente de Dios: la "administración" de la gracia de Dios. La palabra "administración" es la traducción del griego "oikonomía", que significa "la administración de los negocios de otra persona", "manejar, dispensar, ordenar, regular, lo que no es de uno". ¿Y qué era lo que al apóstol se le había ordenado administrar? ¡"La gracia de Dios"! "Administrar el plan de salvación", "manejar el medio por el cual los hombres puedan ser salvos". ¡Cuán grande honor poseen aquellos que han sido llamados a predicar el Evangelio!

B. El apóstol desea que los creyentes conozcan este misterio (3:3,4)

El v.3 empieza con una confesión: "que por revelación me fue declarado el misterio…". ¿Cuándo le fue dada esta revelación? Hay varias posibilidades de ello: (1) que le fue comunicada en los tres días siguientes después de su conversión en Damasco (Hechos 9:1-18); (2) que le fue dada mientras se encontraba en Arabia (Gálatas 1:17); (3) que la recibió cuando fue transportado al tercer cielo, "al paraíso

18 BIBLE STUDY

THE CHURCH AS A MYSTERY

Biblical foundation
Ephesians 3:1-12

Objectives
As we develop the lesson you will be able to:
1. Understand with sufficient clarity what the church is.
2. Have a clear idea as to why Paul refers to the church as a "ministry".
3. Understand the place that God the Father, our Lord Jesus Christ, the Holy Spirit, and the believers have within this mystery.

Suggested date: _____ / _____ / _____

Main idea
The church is a mystery because it originated in the mind of God before the foundation of the world and can only be understood by divine revelation.

Golden verse
"That the Gentiles should be fellow heirs, of the same body, and partakers of His promise in Christ through the gospel" (Ephesians 3:6)

RESPONSIVE READING

Ephesians 3:1 "For this reason I, Paul, the prisoner of Christ Jesus for you Gentiles—
2 if indeed you have heard of the dispensation of the grace of God which was given to me for you,
3 how that by revelation He made known to me the mystery (as I have briefly written already,
4 by which, when you read, you may understand my knowledge in the mystery of Christ),
5 which in other ages was not made known to the sons of men, as it has now been revealed by the Spirit to His holy apostles and prophets:
6 that the Gentiles should be fellow heirs, of the same body, and partakers of His promise in Christ through the gospel,
7 of which I became a minister according to the gift of the grace of God given to me by the effective working of His power.
8 To me, who am less than the least of all the saints, this grace was given, that I should preach among the Gentiles the unsearchable riches of Christ,
9 and to make all see what is the fellowship of the mystery, which from the beginning of the ages has been hidden in God who created all things through Jesus Christ;
10 to the intent that now the manifold wisdom of God might be made known by the church to the principalities and powers in the heavenly places,
11 according to the eternal purpose which He accomplished in Christ Jesus our Lord,
12 in whom we have boldness and access with confidence through faith in Him."

INTRODUCTION

The word "church" is the translation of the Greek word "ekleisia", a word that is composed of the preposition "ek," which means "out of," and the verb "kaleo", meaning "to call". It therefore means, "to call someone out of". In the Septuagint (The Greek version of the Old Testament), the word applies to the assembly of the Israelites, especially when they gathered for sacred purposes. Dietrich Bonhoeffer, the great German Christian martyr, called the church the "community of faith". When we study the subject of the church, we must have as a starting point its eternity, its existence in the wisdom and sovereignty of God. According to the Apostle Paul, the Church existed in the mind of God as part of his redemptive plan (Ephesians 1:4).

STUDY DEVELOPMENT

I. THE MYSTERY OF THE CHURCH IS KNOWN ONLY BY DIVINE REVELATION (EPHESIANS 3:1-4)

A. This revelation arises from divine grace (3:1,2)
The apostle Paul mentions being in prison not because of a crime he committed but for proclaiming Christ Jesus, who's historic arrival brought to reality the eternal plan of God: the establishment of the church. The apostle here claims to possess a responsibility that came directly from God: the "administration" of the grace of God. The word "administration" is the translation of the Greek "oikonomia", which means "The administration of the affairs of another person", "to manage, dispense, order, or regulate what is not yours". What was it that the apostle had been ordered to administer? "The grace of God!" "Administer the plan of salvation", "manage the means by which men can be saved". What a great honor possess all those that have been called to preach the gospel!

B. The apostle desires that believers know this mystery (3:3,4)
Verse 3 begins with a confession, "that by revelation he made known to me the mystery." When was this revelation given? There are several possibilities to this: (1) that it was communicated in the three days after his conversion in Damascus (Acts 9:1-18); (2) that it was given to him when he was in Arabia (Galatians 1:17); (3) that he received it when he was transported to the third heaven, "into Paradise and heard inexpressible words, which it is not lawful for a man to utter"

de Dios donde oyó palabras inefables que no le es dado al hombre expresar" (2 Corintios 12:1-4). Lo más probable es que fue una revelación progresiva según lo que Dios deseaba que fuera conociendo el apóstol. Lo importante es que Pablo no proclamaba ocurrencias personales sino sólo lo que Dios le había revelado. Así se lo declaró a los gálatas: "Mas os hago saber, hermanos, que el evangelio anunciado por mí, no es según hombre; pues yo ni lo recibí ni lo aprendí de hombre alguno, sino por revelación de Jesucristo" (Gálatas 1:11,12).

II. EN QUÉ CONSISTE ESTE MISTERIO (EFESIOS 3:5-8)

A. La salvación es para todos: judíos y gentiles (3:5,6)

Ahora, el origen de la Iglesia es un misterio que ha sido revelado por el Espíritu Santo a través de los "santos apóstoles y profetas". El misterio no consiste en que los gentiles se hayan hecho judíos, o los judíos gentiles: consiste en que de ambos pueblos Dios hizo uno: la Iglesia, dentro de la cual no cuentan para nada la raza, el color, la localidad, el idioma, las costumbres y los niveles sociales: lo que cuenta es creer que Cristo es el Hijo de Dios, el Salvador del mundo, y que por su sacrificio en la cruz y su resurrección victoriosa ha dado origen a este nuevo pueblo de Dios: la Iglesia. El milagro de Pentecostés revela la universalidad de la Iglesia: los que recibieron el Espíritu Santo hablaron las maravillas de Dios en una diversa variedad de idiomas que fueron entendidos por personas de muchas naciones; el mensaje fue: La Iglesia la integran, sin excepción, todos aquellos que aceptan a Cristo como Salvador personal.

B. Solamente a quienes Dios escoge les es revelado este misterio (3:7,8)

En estos versículos hay muchos asuntos que deben ser entendidos por la Iglesia. Por ejemplo: (1) lo que significa e implica ser "hecho ministro"; (2) lo que conlleva el gran tema paulino de la "gracia" de Dios o "don inmerecido". El extenso uso de este término de parte del apóstol es para hacer comprender a los creyentes que todo lo que se recibe de Dios es un don gratuito e inmerecido de Dios, nadie se puede jactar de poseer algo particular de Dios. (3) La "operación del poder de Dios". La proclamación del Evangelio junto con la extensión del reino de Dios en el corazón de los hombres no se logra con técnicas y metodologías humanas, sino con "operación del poder de Dios". (4) la humildad del apóstol: "…a mí que soy menos que el más pequeño de todos los santos…". Aquí está el secreto de un ministerio fructífero y agradable a Dios: La humildad. ¡Las inescrutables riquezas de Cristo lo motivaban a reconocer su insignificancia y pequeñez!

III. DIOS DESEA QUE TODOS, AHORA, CONOZCAN ESTE MISTERIO (EFESIOS 3:9-12)

A. El Evangelio hace conocer la sabiduría de Dios (3:9,10)

En los vv.8 y 9 el apóstol señala dos responsabilidades que el Señor le ha asignado: "anunciar entre los gentiles el evangelio de las inescrutables riquezas de Cristo" (v.8), y "alumbrar a todos con la administración del misterio escondido desde los siglos en Dios". En el verbo "alum-

brar" se contienen varias ideas: (1) El mundo vive en una total oscuridad de las cosas espirituales que solamente son descubiertas cuando la "luz" del evangelio les llega. (2) La única luz que disipa las tinieblas espirituales del mundo es Jesucristo: "Yo soy la luz del mundo" (Juan 8:12), y esta luz es reflejada por los creyentes en Cristo con su buen testimonio: "Vosotros sois la luz del mundo" (Mateo 5:14). Esta verdad se la declaró el apóstol Pablo a los efesios: "Porque en otro tiempo erais tinieblas, mas ahora sois luz en el Señor; andad como hijos de luz" (Efesios 5:8).

B. El misterio redentor de Dios se basa en las obras meritorias de Cristo (3:11,12)

La Iglesia es la realización del plan que Dios elaboró desde antes de la fundación del mundo. Es la moneda de oro que por un lado tiene al pueblo judío y por el otro al gentil. Dentro de este misterio eterno desaparecen las distinciones de nacionalidades, colores, idiomas, rangos sociales, culturales, económicos, geográficos, ya que todos, ante Dios, somos iguales. La Iglesia no es un suceso terrenal como consecuencia de la integración de personas que decidieron profesar su creencia en Cristo. La Iglesia no es un accidente histórico; no es un fenómeno evolutivo ni híbrido: es la actualización terrenal de un plan divino diseñado desde la misma eternidad, con características específicas, bien definidas, inalterables. Por lo tanto, la Iglesia tiene una identidad inalterable que le fue dada por decreto irrevocable de Dios, y esa identidad se encuentra en el libro de los Hechos. A este libro magistral, que es mucho más que crónicas históricas, la Iglesia contemporánea tiene que volver en busca de identidad y conformidad a los planes divinos.

RESUMEN GENERAL

La Iglesia, por excelencia, es el "pueblo" de Dios, y reclama sobre ella un derecho de exclusividad. Pero este no es un pueblo más entre muchos: ¡es el pueblo verdadero y único! Los demás no son pueblo en el sentido escatológico. Carecen de identidad ante Dios; Dios no los reconoce. La razón es que su Iglesia vino a ser pueblo con identidad reconocida por Dios porque Dios mismo lo adquirió "pueblo adquirido" (1 Pedro 2:9). Por causa de esta particularidad, tanto en el Antiguo Testamento, como en el Nuevo, la Iglesia se presenta bajo diferentes figuras, tales como: "pueblo de Dios", "rebaño", "viña", "ciudad de Dios", "casa de Dios", "templo de Dios", "novia", "esposa", "cuerpo", "reino", y otras muchas más. Y, todo esto, es el misterio revelado en la carta a los Efesios. ¡Qué privilegio es ser parte de este misterio, esto es, de la Iglesia!

PREGUNTAS

1. ¿Cuál fue la responsabilidad declarada por el apóstol Pablo que le vino directamente de Dios?
2. ¿Cuál es el "misterio", que le fue revelado al apóstol Pablo?
3. Señale las dos responsabilidades que Dios le asignó al apóstol en los versículos 8,9.
4. ¿Por qué se dice que la iglesia tiene una identidad inalterable?
5. Mencione algunas figuras bajo las cuales se presenta la iglesia en la Biblia.

(2 Corinthians 12:4). The most likely explanation is that it was a progressive revelation according to what God wanted the apostle to know. The important thing is that Paul did not proclaim personal occurrences but only what God had revealed to him. That is how he declares it to the Galatians, "But I make known to you, brethren, that the gospel which was preached by me is not according to man. For I neither received it from man, nor was I taught it, but it came through the revelation of Jesus Christ" (Galatians 1:11,12).

II. WHAT DOES THIS MYSTERY CONSIST OF? (EPHESIANS 3:5-8)

A. Salvation is for all: Jews and Gentiles (3:5,6)

Now the origin of the church is a mystery that has been revealed by the Holy Spirit through the "holy apostles and prophets". The mystery does not consist in that the Gentiles have become Jews, or the Jews Gentiles. It consists in that both peoples God made one: the Church, where race, color, location, language, customs, or social levels are no longer important. What matters is believing in Christ the Son of God, as the savior of the world, and that by His sacrifice on the cross and victorious resurrection He has created the beginning of this new people of God, the Church. The miracle of Pentecost reveals how universal the church is. Those that received the Holy Spirit spoke the wonders of God in a variety of languages that were understood by people from many nations. The message was, the church is composed of, without exception, all those that accept Christ as their personal savior.

B. Only to those who God chooses is this mystery revealed (3:7,8)

In these verses there are many things that need to be understood by the church. For example: (1) What it means to be made a minister; (2) What the pauline theme of "grace of God" or "unmerited gift" consists of. The extensive use of this term by the apostle is to make the believers understand that all that is received by God is a free and undeserved gift from God. No one can boast about possessing anything particular from God. (3) The "effective working of his power". The proclamation of the gospel along with the extension of the kingdom of God in the hearts of men is not achieved by techniques or human methodologies but by the "working of the power of God". (4) The humility of the apostle: "to me, who am less than the least of all the saints". Here we see the secret to a fruitful Ministry that is pleasing to God: humility. The unsearchable riches of Christ are what motivated him to acknowledge his insignificance and pettiness.

III. GOD DESIRES THAT NOW ALL WOULD KNOW THIS MYSTERY (EPHESIANS 3:9-12)

A. The gospel makes known the wisdom of God (3:9,10)

In verses 8 and 9 the apostle highlights two responsibilities that the Lord has assigned to him: «to announce among the Gentiles the gospel of the unsearchable riches of Christ» (v.8), and «to make all see what is the fellowship of the mystery, which from the beginning of the ages has been hidden in God». This phrase, «to make all see», contains various ideas: (1) the world lives in total darkness as it pertains to spiritual things that can only be discovered when the «light» of the gospel arrives. (2) The only light that dissipates the spiritual darkness of the world is Jesus Christ: «I am the light of the world» (John 8:12), and this light is reflected by all of the believers in Christ through their testimony: «you are the light of the world» (Matthew 5:14). Paul declares this truth to the Ephesians: "For you were once darkness, but now you are light in the Lord. Walk as children of light" (Ephesians 5:8).

B. The redeeming mystery of God is based on the merit filled works of Christ (3:11,12)

The church is the realization of the plan that God elaborated since before the foundation of the world. It is the gold coin that on the one side has the Jewish people and on the other side the Gentiles. Within this eternal mystery distinctions of nationality, colors, languages, social status, cultures, economic status, geography disappear now that all, before God, are equal. The church is not an earthly occurrence arising from the integration of people who decided to profess their belief in Christ. The church is no historical accident. It is not an evolutionary phenomenon or hybrid. It is the earthly actualization of a divine plan designed from the beginning of eternity with specific characteristics, well defined and unchanging. Therefore, the church has an unalterable identity that was given to it by an irrevocable decree from God, and this is the identity that is found in the book of Acts. It is to this masterful book, which is much more than historical chronicles, that the contemporary church needs to return to and seek the identity and conformity to the divine plans.

GENERAL SUMMARY

The Church, by excellence, is the "people of God", and it reclaims an exclusive right. But this is not simply a people among many other people. It is the true and only people! The rest are not a people in the eschatological sense. They lack an identity before God; God does not recognize them. The reason is that His church has come to be a people with an identity that is known by God because God Himself acquired it (1 Peter 2:9). Because of this special feature, both in the Old Testament as in the New, the Church is presented in different forms, such as: "people of God", "flock", "vine", "city of God", "house of God", "temple of God", "bride", "wife", "body", "kingdom", and many more. And all of this is the mystery that is revealed in the letter to the Ephesians. What a privilege it is to be a part of this mystery, which is, the Church!

QUESTIONS

1. What was the responsibility declared by the apostle Paul that he received directly from God?
2. What is the "mystery" that was revealed to the apostle Paul?
3. List two responsibilities that God assigned to the apostle Paul in the verses 8 and 9.
4. Why is it said that the church has an inalterable identity?
5. Mention a few of the forms by which the church is represented in the Bible.

RAZONES POR LAS CUALES PABLO ORABA POR LOS EFESIOS

ESTUDIO BÍBLICO 19

Base bíblica
Efesios 3:13-21

Pensamiento central

Toda iglesia, en su forma congregacional, y todo creyente, en su forma individual, necesitan el respaldo espiritual de las oraciones de sus hermanos en Cristo.

Texto áureo

Para que os dé, conforme a las riquezas de su gloria, el ser fortalecidos con poder en el hombre interior por su Espíritu (Efesios 3:16).

Objetivos

Con el desarrollo de este estudio podrán:
1. Comprender la necesidad de orar los unos por los otros.
2. Conocer cuáles son las verdaderas necesidades por las cuáles orar.
3. Poner en práctica todo lo que hayan aprendido.

Fecha sugerida: _____ / _____ / _____

LECTURA BÍBLICA

Efesios 3:13 por lo cual pido que no desmayéis a causa de mis tribulaciones por vosotros, las cuales son vuestra gloria.
14 Por esta causa doblo mis rodillas ante el Padre de nuestro Señor Jesucristo,
15 de quien toma nombre toda familia en los cielos y en la tierra,
16 para que os dé, conforme a las riquezas de su gloria, el ser fortalecidos con poder en el hombre interior por su Espíritu;
17 para que habite Cristo por la fe en vuestros corazones, a fin de que, arraigados y cimentados en amor,

18 seáis plenamente capaces de comprender con todos los santos cuál sea la anchura, la longitud, la profundidad y la altura,
19 y de conocer el amor de Cristo, que excede a todo conocimiento, para que seáis llenos de toda la plenitud de Dios.
20 Y a Aquel que es poderoso para hacer todas las cosas mucho más abundantemente de lo que pedimos o entendemos, según el poder que actúa en nosotros,
21 a él sea gloria en la iglesia en Cristo Jesús por todas las edades, por los siglos de los siglos. Amén.

INTRODUCCION

Las tribulaciones y encarcelamiento de Pablo no eran motivo para que se considerara abandonado por Dios, ni para pensar que había cometido algún delito que ameritase ser castigado por las autoridades civiles. Sabía perfectamente bien que su conducta era irreprochable ante las autoridades judías y romanas, por lo tanto su conciencia estaba tranquila. Todo era por causa del evangelio, con el fin de que el reino de Dios fuera expandido, y para la gloria de Dios. El caso del apóstol nos conduce a un tema que a veces ha sido mal interpretado: la idea de que cuando un cristiano es atacado por los sufrimientos, es porque ha pecado. La realidad es otra: Ningún cristiano está exento del sufrimiento, y muchas veces Dios lo usa para que maduremos, veamos su providencia, y su nombre sea glorificado.

En 2 Corintios 6:4-10; 11:23-33, el apóstol hace referencia a sus sufrimientos que fueron, prácticamente, innumerables, pero de ninguno de ellos se quejó porque sabía perfectamente bien que todo lo que le había sucedido era por causa de Cristo. Pero, hay algo extraordinario en la manera de pensar del apóstol, y desea que los efesios lo entiendan: Si para él era un honor sufrir por Cristo, y si ese sufrimiento lo causaba su servicio a los efesios, por lo tanto, ellos eran participantes de ese honor. La generosidad de su espíritu, su carencia de egocentrismo y arrogancia, lo hacía sentirse acompañado en sus triunfos misioneros, sin que sus compañeros lo supieran, los efesios compartían de la gloria que engalanaba su ministerio.

DESARROLLO DEL ESTUDIO

I. EL APÓSTOL PABLO CONFIESA ESTAR ORANDO POR LOS EFESIOS (EFESIOS 3:13-15)

A. El apóstol no deseaba que los efesios se desanimaran (3:13)

Para el apóstol Pablo ser un prisionero de Jesucristo era una gran honra. Sufrir por causa de Cristo no era una vergüenza, sino un enorme honor. Esta apreciación solamente la poseen los que viven la vida cristiana en un nivel superior.

B. Para el apóstol, el remedio para el desánimo es la oración (3:14,15)

Las palabras iniciales del v.14 son muy sugestivas: "Por esta causa". Es común en las cartas paulinas encontrar pasajes en los cuales el apóstol les diga a los destinatarios que por cierta razón estaba orando por ellos. Hay quienes constantemente encuentran razones para estar disgustados, desconformes, preocupados, etc., pero el apóstol constantemente encontraban razones por las cuales estar en oración. ¡Cuánto se beneficiarían las iglesias y los cristianos si siguiéramos el ejemplo del apóstol! Ahora, sus oraciones eran dirigidas a Dios el Padre a través de los méritos de nuestro Señor Jesucristo. Para sorpresa del estudiante, en los escritos del

19 BIBLE STUDY

REASONS WHY PAUL PRAYED FOR THE EPHESIANS

Biblical foundation
Ephesians 3:13-21

Objectives
As we develop the lesson you will be able to:
1. Understand the need to pray for one another.
2. Know the real reasons they should pray.
3. Put into practice what they have learned.

Suggested date: _____ / _____ / _____

Main idea
Every church congregationally, and every believer individually, needs spiritual support through the prayers of their brothers in Christ.

Golden verse
"That He would grant you, according to the riches of His glory, to be strengthened with might through His Spirit in the inner man," (Ephesians 3:16)

RESPONSIVE READING

Ephesians 3:13 "Therefore I ask that you do not lose heart at my tribulations for you, which is your glory.
14 For this reason I bow my knees to the Father of our Lord Jesus Christ,
15 from whom the whole family in heaven and earth is named,
16 that He would grant you, according to the riches of His glory, to be strengthened with might through His Spirit in the inner man,

17 that Christ may dwell in your hearts through faith; that you, being rooted and grounded in love,
18 may be able to comprehend with all the saints what is the width and length and depth and height—
19 to know the love of Christ which passes knowledge; that you may be filled with all the fullness of God.
20 Now to Him who is able to do exceedingly abundantly above all that we ask or think, according to the power that works in us,
21 to Him be glory in the church by Christ Jesus to all generations, forever and ever. Amen."

INTRODUCTION

Paul's tribulations and imprisonment were not reasons for him to feel abandoned by God, nor reasons for him to think that he had committed some type of crime that merited punishment by civil authorities. He knew perfectly well that his conduct was above reproach before the Jewish and Roman authorities, so his conscience was clear. All that had happened was for the cause of the gospel so that the kingdom of God would be expanded and God would be glorified. The case of the apostle leads us to a topic that has been at times misinterpreted: the idea was that when a Christian is attacked by suffering it is because of sin. The truth is another: no Christian is exempt from suffering, and many times God uses that so that we mature, see His providence, and that His name be glorified.

STUDY DEVELOPMENT

I. THE APOSTLE PAUL CONFESSES TO BE PRAYING FOR THE EPHESIANS (EPHESIANS 3:13-15)

A. The apostle did not want the Ephesians to be discouraged (3:13)

For the apostle Paul being a prisoner for Jesus Christ was a great honor. Suffering for the cause of Christ was not a reason for shame, but of great honor. This appreciation is only possessed by those who live a Christian life at a higher level. In 2 Corinthians 6:4-10 and 11:23-33, the apostle makes reference

to his sufferings, they were practically innumerable, yet he did not complain about any of them because he knew perfectly well that all that had happened was for the cause of Christ. But there is something extraordinary in his way of thinking and he wants the Ephesians to understand. If it was an honor for him to suffer for Christ, and if the suffering was caused by his service to the Ephesians, then consequently, they were also participants in this honor. The generosity of their spirit, their lack of self-centeredness and arrogance, made him feel accompanied in his missionary triumphs. Unknowingly the Ephesians shared in the glory that so elegantly decorated his ministry.

B. For the apostle the remedy for discouragement is prayer (3:14,15)

The first few words in verse 14 are very suggestive: "for this reason". It is not uncommon in Paul's letters to find passages where the apostle tells his recipients that for certain reasons he is praying for them. There are those who constantly find reasons to be upset, displeased, worried, etc., but the apostle Paul constantly found reasons for why he should be in prayer. Oh, how churches and Christians would benefit if only we followed the apostle's example! Now his prayers were directed to God the Father through the merits of our Lord Jesus Christ. Perhaps to the surprise of the learner, in all of Paul's letters there is no one prayer directed at the Holy Spirit. Why?

apóstol Pablo no hay una sola oración dirigida al Espíritu Santo. ¿Por qué? Porque el Espíritu Santo es el que ora por nosotros. Es el Espíritu dentro de nosotros que nos ayuda para que nuestras oraciones sean correctas, interviniendo Él cuando nosotros no sabemos, que pedir correctamente (Romanos 8:26,27).

II. DIOS QUITA EL DESÁNIMO Y LO SUSTITUYE CON BENDICIONES CELESTIALES (EFESIOS 3:16-18)

A. Las bendiciones de Dios surgen de sus riquezas en gloria (3:16)

En el v.14 el apóstol les hace saber a los efesios que está orando por ellos, de acuerdo a "las riquezas de su gloria" (v.16). La gloria de Dios puede ser una referencia a la suma total de sus atributos. Ya que Dios es infinito y eterno, su gloria es inagotable, y provee la medida amplia de su generosidad cuando concede a sus hijos sus dones. Pero veamos las peticiones que tenía delante de Dios a favor de los efesios: "el ser fortalecidos con poder en el hombre interior por su Espíritu". Ahora, ¿a qué se refiere el apóstol cuando habla del "hombre interior"? Es la nueva creación interior engendrada por el Espíritu en aquellos que han creído en Cristo como Salvador. De un inconverso no se puede hablar de su hombre interior: esto solamente aplica a los que han nacido de nuevo, aquellos que han sido hechos hijos de Dios (Juan 1:12,13). Las palabras paulinas, "fortalecimiento" "con poder", no son mera redundancia literaria, sino una afirmación enfática de lo que hace el "Espíritu". ¡Cuántos recursos maravillosos pone Dios al alcance de sus hijos!

B. Las bendiciones ilimitadas de la gracia de Dios (3:17)

"Para que habite Cristo por la fe en vuestros corazones". El verbo que se traduce "habite" conlleva la idea de "sentirse o posesionarse de una casa", la idea es: "Que Cristo haga su residencia, se posesione, de una manera permanente". El tiempo del verbo tiene la fuerza de "entrar y quedarse ahí para siempre". Sería lo opuesto de entrar como visitante ocasional que se tiene que ir después de estar un tiempo. Mientras el creyente se mantenga fiel a Dios, la presencia de Cristo en su hombre interior será una realidad incuestionable: solamente el pecado grosero lo puede hacer salir. Recuérdese la oración de David: "…no quites de mí tu santo Espíritu" (Salmo 51:11), y el triste caso de Saúl: "El Espíritu de Jehová se apartó de Saúl, y le atormentaba un espíritu malo" (1 Samuel16:14). El apóstol añade algo que es preponderante en la vida cristiana: ¡El amor! Habiendo hecho Cristo su residencia en el creyente establece el terreno apropiado para que se pueda arraigar y cimentar en lo más sólido que existe: El amor.

III. EL AMOR DE CRISTO DEBE SER ENTENDIDO POR TODOS LOS CRISTIANOS (EFESIOS 3:18-21)

A. Este amor excede a todo conocimiento (3:18,19)

El v.18 es uno de los textos más difíciles de entender en toda la carta. El texto dice: "Seáis plenamente capaces de comprender con todos los santos cual sea la anchura, la longitud, la profundidad y la altura". Como se puede notar, el apóstol no indica el sujeto de lo que se ha llamado "las cuatro dimensiones". Algunos comentaristas sugieren que se refiere al "amor de Cristo" del cual habla a continuación. Pero surge el problema gramatical de que en el v.18 el apóstol empieza diciendo, "seáis plenamente capaces de comprender con todos los santos"; y luego, empieza el v.19 con las palabras, "y de conocer el amor de Cristo", sugiriendo que en el v.18 habla de un tema y en el 19 del amor de Cristo valiéndose de dos verbos: "comprender" y "conocer", sugiriendo dos asuntos distintos. Por lo tanto, siguiendo la interpretación de muchos eruditos bíblicos, creemos que en el v.18, el apóstol está hablando de la inmensa sabiduría de Dios, que los creyentes deben interesarse en conocer y profundizar (Job 11:6-9).

B. Una hermosa doxología (3:20,21)

El capítulo 3 concluye con una monumental doxología, es decir, una fórmula dc alabanza a Dios. Como toda doxología, es eminentemente teocéntrica, esto es: Dios es el centro de ella. "Y a Aquel que es poderoso", el apóstol hace referencia al poder de Dios. Y lo hace para que los efesios comprendan que este poder es para beneficio de sus hijos. No es un poder inactivo o estático, sino activo y efectivo. Como todos los atributos de Dios, su poder está fuera del alcance de la comprensión de los humanos. Si los humanos pudieran explicarlo con perfección, los hombres estarían al nivel de Dios, y Dios se reduciría al nivel de ellos. Hay ocasiones en que los creyentes nos incomodamos con Dios porque no nos concede lo que deseamos, pero Él sabe lo que es mejor para nosotros junto con el momento apropiado para contestarnos. Dios está muy por encima de las capacidades cognoscitivas del hombre, y el creyente debe aprender a vivir confiando en la soberanía y providencias divinas.

RESUMEN GENERAL

Una de las características sobresalientes del apóstol Pablo en su trato con las iglesias a las cuales les escribió es que, además de corregir situaciones anómalas que había en materia de conducta y de doctrina; además de instruirlos en los misterios de la fe, oraba intensamente por ellas. Hay en esto un aspecto de la vida cristiana que es fundamental: todo lo que se haga para el bien de otros debe ir acompañado de oración, y la oración genuina siempre es catapultada por el amor. Orar por otros es un acto de amor porque el amor procura el bien de los demás. Si alguna enseñanza verdaderamente útil, práctica y de verdadera trascendencia se puede derivar del estudio que nos ocupó es que, todos los creyentes, debemos hacer de la intercesión por nuestros hermanos una práctica diaria.

PREGUNTAS

1. ¿Por qué pide el apóstol Pablo a los efesios que no desmayen a causa de sus tribulaciones?
2. ¿Por qué Pablo no oraba al Espíritu Santo, sino al Padre en el nombre de Jesucristo?
3. Mencione las peticiones que hace Pablo por los creyentes en los versículos 16 y 17.
4. ¿Qué significa la expresión "habitar", que usa el apóstol en el versículo 17?
5. ¿Cómo concluye el apóstol este capítulo, después de pedir a favor de los efesios?

Because the Holy Spirit is the one who prays for us. It is the Spirit within us that helps our prayers to be correct, intervening when we do not know what to pray for or how to ask correctly (Romans 8:26, 27).

II. GOD REMOVES DISCOURAGEMENT AND REPLACES IT WITH HEAVENLY BLESSINGS (EPHESIANS 3:16-18)

A. The blessings from God arise from His riches in glory (3:16)

In verse 14 the apostle lets the Ephesians know that he is praying for them "according to the riches of His glory" (V.16). The glory of God may be a reference to the sum of his attributes. Being that God is infinite and eternal, His glory is unending, He provides ample measure of His generosity when He concedes gifts to His children. Let us look at the petitions that Paul had before God for the Ephesians: "that they be strengthened with might through his Spirit in the inner man". Now, what is Paul referring to when he speaks of the "inner man"? It is the new inner creation inherited by the Spirit in those who have believed in Christ as their Savior. We cannot speak of the inner man of a non-believer. This only applies to those that have been born again, those that have been made children of God (John 1:12, 13). Paul's words, "strengthening", "with power", are not simply literary redundancies, but an emphatic affirmation of what the Holy Spirit does. What marvelous resources God has put within reach of all of His children!

B. The unlimited blessings of the grace of God (3:17)

"That Christ may dwell in your hearts through faith." The verb that we translate, "dwell" carries the idea of "possessing a house". The idea is that Christ would "make His residence in us, would possess us in a permanent way". The verb tense connotes "entering and staying once and for all". The opposite would be to enter occasionally as a visitor who needs to leave after having been there a while. As long as the believer is faithful to God, the presence of Christ in his inner man will be an unquestionable reality. Only gross sin can cause him to leave. Do you remember the prayer of David, "… And do not take from me your Holy Spirit" (Psalm 51:11), and the sad case of Saul, "But the Spirit of the LORD departed from Saul, and a distressing spirit from the LORD troubled him." (1 Samuel 16:14). The apostle adds something that is powerful in Christian living: love! Having Christ make His residence in the believer establishes a territory that is owned by Him so that the believer can be rooted and cemented in that which is most solid: love.

III. THE LOVE OF CHRIST SHOULD BE UNDERSTOOD BY ALL CHRISTIANS (EPHESIANS 3:18-21)

A. This love surpasses all knowledge (3:18,19)

Verse 18 is one of the hardest verses to understand in this letter. The text says that they, «may be able to comprehend with all the saints what is the width and length and depth and height". As you can see the apostle does not point to the subject that has been called "the four dimensions". Some commentary

writers suggest that he is referring to "the love of Christ" of which he continues speaking. But a grammatical problem arises in that in verse 18 the apostle begins by saying that you "may be able to comprehend with all the saints", and then he begins verse 19 with the words "to know the love of Christ". This suggests that in verse 18 he speaks of one thing while in verse 19 he speaks of the love of Christ using two verbs: "to comprehend" and "to know", suggesting two different things. So, if we follow the interpretation of many Bible scholars, we believe that in verse 18 the apostle is speaking of God's immense wisdom which all believers should interest themselves in and seek to know deeper (Job 11:6-9).

B. A beautiful doxology (3:20,21)

Chapter 3 concludes with a monumental doxology, that is, a formula of praise to God. As with every doxology, it is eminently theocentric. That is, God is at its center. "Now to him who is able". The apostle here makes reference to the power of God. And he does it so that the Ephesians would understand that this power is for the benefit of His children. It is not an inactive or static power, but one that is active and effective. As all of God's attributes are, His power is outside of human comprehension. If humans would be able to explain it to perfection men would be at the level of God and God would be reduced to their level. There are times when believers are bothered by God because He doesn't give us what we desire; But he knows what is best for us as well as what is the appropriate time to answer us. God is well above the cognitive capabilities of man and the believer should learn how to live trusting in the sovereignty of God and His divine provisions

GENERAL SUMMARY

One of the outstanding characteristics of the apostle Paul and his dealing with the churches to whom he writes is that, in addition to correcting abnormal situations that had to do with conduct and doctrine, not only did he instruct them in the mysteries of the faith but he prayed intensely for them. In this we find a fundamental aspect of the Christian life: that all that is done for the good of others should be accompanied by prayer, and genuine prayer is always catapulted by love. Praying for others is an act of love because love seeks the good of others. If there is a teaching that is truly useful, practical and transcendent in this study it is that all believers should intercede for our brothers as a daily practice.

QUESTIONS

1. Why does the apostle Paul ask that the Ephesians not lose heart because of tribulations?
2. Why does Paul not pray to the Holy Spirit but to the Father in the name of Jesus Christ?
3. List the prayer requests that Paul makes on behalf of the believers in verses 16 and 17.
4. What does the expression "dwell" mean in verse 17?
5. How does the apostle conclude this chapter after having asked a favor of the Ephesians?

CÓMO DEBEN VIVIR LOS CREYENTES

Base bíblica
Efesios 4:1-10

Pensamiento central
Todo creyente en Cristo debe vivir lo que profesa; su buena conducta glorificará a Dios y propiciará la conversión de los irredentos.

Texto áureo
Yo pues, preso en el Señor, os ruego que andéis como es digno de la vocación con que fuisteis llamados (Efesios 4:1).

Objetivos
Al concluir esta lección serán capaces de:
1. Comprender que el profesar ser cristiano se prueba con una buena conducta.
2. Apropiarse de un buen conocimiento de las cosas de Dios para mantener una buena conducta.
3. Comprobar que la buena conducta siempre trae unidad entre los creyentes.

Fecha sugerida: _____ / _____ / _____

LECTURA BÍBLICA

Efesios 4:1 Yo, pues, preso en el Señor, os ruego que andéis como es digno de la vocación con que fuisteis llamados,
2 con toda humildad y mansedumbre, soportándoos con paciencia los unos a los otros en amor,
3 solícitos en guardar la unidad del Espíritu en el vínculo de la paz;
4 un cuerpo, y un Espíritu, como fuisteis también llamados en una misma esperanza de vuestra vocación;
5 un Señor, una fe, un bautismo,
6 un Dios y Padre de todos, el cual es sobre todos, y por todos, y en todos.
7 Pero a cada uno de nosotros fue dada la gracia conforme a la medida del don de Cristo.
8 Por lo cual dice: Subiendo a lo alto, llevó cautiva la cautividad, y dio dones a los hombres.
9 Y eso de que subió, ¿qué es, sino que también había descendido primero a las partes más bajas de la tierra?
10 El que descendió, es el mismo que también subió por encima de todos los cielos para llenarlo todo.

INTRODUCCIÓN

El creyente no es solo uno que profesa intelectualmente la fe cristiana: es también uno que la pone en práctica en su diario vivir. Es, precisamente, por las características que son dadas en el Nuevo Testamento que el creyente prueba ser lo que dice que es. Hacer profesión de fe, bautizarse, adquirir una Biblia, asistir a la iglesia son asuntos importantes, pero no es el todo de lo que es ser cristiano. El apóstol exhorta a los creyentes a vivir de acuerdo al llamamiento de parte de Dios que han recibido. El Dios santo que llama requiere de aquellos que son llamados que sean como Él.

DESARROLLO DEL ESTUDIO

I. EL GRAN DESEO DEL APÓSTOL PABLO A FAVOR DE LOS EFESIOS (EFESIOS 4:1-3)

A. Que vivieran de acuerdo a la dignidad de su llamamiento (4:1)

La exhortación del apóstol es a "andar" como es digno del llamamiento con que los efesios habían sido llamados. Hay dos razones por las cuales en la Biblia la vida cristiana se presenta como un "andar". La primera, porque "andar" es algo dinámico y no estacionario. Así también la conducta cristiana: es dinámica, implica acción. No puede haber en ella neutralidad, inacción. Por un lado, con ella se glorifica a Dios, y de no ser así, es una afrenta al Evangelio de Dios. Segunda, porque el andar del creyente tiene que estar en armo-

nía con el llamamiento que se le ha hecho. Este implica salir del mundo para entrar en el reino de Dios; salir del pecado para vivir en santidad; salir de la oscuridad para estar en la luz; salir de la garras de Satanás para estar en los brazos de Cristo; salir del infierno para disfrutar el cielo. Nadie puede ser llamado por Dios para continuar en el mismo estado y haciendo las mismas cosas.

B. Poseyendo las características de un creyente (4:2,3)

Estas cualidades son producidas por el Espíritu Santo. Ningún creyente, por más espiritual que sea las puede producir por su propia cuenta. La palabra griega "humildad" es muy rica en acepciones: "Tener una opinión sensata de uno mismo", "un profundo sentido del valor de los demás", "modestia", "carencia de altivez mental". La palabra "mansedumbre", se le define, "como la marca de los de mente elevada y noble, de los sabios que permanecen calmados aun frente el abuso". Fue un atributo de nuestro Señor Jesucristo: "Llevad mi yugo sobre vosotros, y aprended de mí, que soy manso y humilde de corazón" (Mateo 11:29). "Soportándoos", que entre otros significados posee el de "resistir pacientemente". Luego la "paciencia", que ha sido definida como: constancia, firmeza, perseverancia, clemencia, lentitud para vengar males". Luego la palabra excelsa: "amor". Es tan importante el amor, que sin él no puede haber ninguna otra virtud. El amor es la esencia de la fe cristiana, ya que "Dios es amor" (1 Juan 4:8).

20 BIBLE STUDY

HOW BELIEVERS SHOULD LIVE

Biblical foundation
Ephesians 4:1-10

Objectives
As we develop the lesson you will be able to:
1. Understand that when we profess to be a Christian we prove it by our good works.
2. Possess a good understanding of the things of God so as to keep good conduct.
3. Prove that good conduct always promotes unity among the believers.

Suggested date: _____ / _____ / _____

Main idea
Every believer should live what he professes. Their good conduct will glorify God and will lead to the conversion of the unredeemed.

Golden verse
"Therefore I, the prisoner of the Lord, implore you to walk in a manner worthy of the calling with which you have been called," (Ephesians 4:1)

RESPONSIVE READING

Ephesians 4:1 "I, therefore, the prisoner of the Lord, beseech you to walk worthy of the calling with which you were called,
2 with all lowliness and gentleness, with longsuffering, bearing with one another in love,
3 endeavoring to keep the unity of the Spirit in the bond of peace.
4 There is one body and one Spirit, just as you were called in one hope of your calling;
5 one Lord, one faith, one baptism;
6 one God and Father of all, who is above all, and through all, and in you all.
7 But to each one of us grace was given according to the measure of Christ's gift.
8 Therefore He says: "When He ascended on high, He led captivity captive, And gave gifts to men."
9 (Now this, "He ascended"—what does it mean but that He also first descended into the lower parts of the earth?
10 He who descended is also the One who ascended far above all the heavens, that He might fill all things.)"

INTRODUCTION

The believer is not just he who intellectually professes the Christian faith, it is also one who practices it in his daily living. It is precisely by the characteristics given in the New Testament that the believer proves to be who he says he is. Making a profession of faith, being baptized, acquiring a Bible, assisting church are important things, but it is not all that being a Christian is about. The apostle challenges believers to live according to the calling that they have received from God. The holy God that calls requires, of all whom he calls, that they be like Him.

STUDY DEVELOPMENT

I. THE APOSTLE PAUL'S GREAT DESIRE FOR THE EPHESIANS (EPHESIANS 4:1-3)

A. That they live lives worthy of their calling (4:1)

The apostle's admonishment is to "walk" worthy of the calling that the Ephesians had received. There are two reasons why in the Bible the Christian life is presented as a "walk". The first is because to walk is something dynamic and not stationary. So too is Christian conduct: it is dynamic and it implies action. In it we cannot find neutrality or inactivity. With our walk we glorify God, and if not, it is an insult to the gospel of God. The second is that the believer's walk must be in harmony with the calling that he has received. This implies coming out of the world to enter into the kingdom of God; coming out of sin to live in holiness; coming out of darkness to be in light; coming out of the claws of Satan to be in the arms of Christ; coming out of hell to enjoy heaven. No one can be called by God to then continue in the same state and doing the same things.

B. That they possess the characteristics of a believer (4:2,3)

These qualities are produced by the Holy Spirit. No believer, regardless of how spiritual they are, can produce them by their own account. The Greek word "lowliness" is very rich in meaning: "to have a sensible opinion of oneself", "a deep sense of the worth of others", "modesty", "lack of mental haughtiness". The word "gentleness", is defined as, "the sign of those with a noble and elevated way of thinking, of a wise person that remains calm even when facing abuse". It was an attribute of our Lord Jesus Christ: "Take My yoke upon you and learn from Me, for I am gentle and lowly in heart, and you will find rest for your souls." (Matthew 11:29). "Supporting you," which among other meanings possesses "resisting patiently." Then "patience," which has been defined as: constancy, firmness, perseverance, clemency, slow to avenge evils." Then the word: "love." Love is so important, because without it there could be no other virtue. Love is the essence of the Christian faith, since "God is love" (1 John 4:8).

II. ASPECTOS FUNDAMENTALES DE LA VIDA CRISTIANA (EFESIOS 4:4-6)

A. El glorioso llamamiento de Dios (4:4)

Los versículos 4 al 6, pudieron haber sido un credo o confesión de fe de la iglesia primitiva, recitados en los cultos, como lo fue el Credo de los Apóstoles y el Credo de Nicea. Hay varios pasajes del Nuevo Testamento que son llamados "pasajes credales" porque contienen una declaración de fe de los artículos más prominentes del evangelio que sostenía la iglesia primitiva. Por ejemplo, 1 Corintios 15:3,4 y 1 Timoteo 3:16. En el v.3, el apóstol exhorta a ser solícitos en guardar la unidad que produce el Espíritu Santo. Para fortalecer su argumento apela al hecho de que la Iglesia es el cuerpo de Cristo, creado por el Espíritu Santo utilizando a todos los creyentes. En la iglesia, como en el cuerpo humano, hay diversidad en unidad. Pero, como lo dice en el v.3, la unidad la produce el Espíritu Santo. Por lo tanto, la carnalidad del hombre no debe fragmentar la unidad que produce el Espíritu de Dios. ¡Cuando se preserva la unidad en el Espíritu, entonces se reafirma la esperanza eterna a la cual los creyentes hemos sido llamados!

B. La comunión con Cristo y con Dios el Padre (4:5,6)

Hablar de la Iglesia como "Un cuerpo" enfatiza la unidad que debe haber entre los creyentes a nivel local y a nivel universal. Lamentablemente la Iglesia se ha fragmentado tanto, y cada parte ostenta sus propias creencias, que procurar la unión conduce a un ecumenismo destructivo. Lo importante es que todos aquellos que mantienen la sana doctrina procuren practicar la unidad. "Una fe", añade el apóstol. Esta declaración implica dos cosas: Primera: Las mismas creencias doctrinales; segunda, la misma confianza en Cristo como Salvador. En ninguna de las dos debe haber variación. "Un bautismo". Las interpretaciones difieren. Unos creen que es una referencia al acto de ser hechos parte del cuerpo de Cristo en el momento de la conversión. Otros, insisten en que es una referencia al bautismo en agua, el cual se administra después de haber creído. Otros insisten que es una referencia al bautismo en el Espíritu Santo, como aquel que se recibió el día de Pentecostés (Hechos 2).

III. LOS CREYENTES SON DEPOSITARIOS DE LA GRACIA DE DIOS (EFESIOS 4:7-10)

A. La gracia de Dios va acompañada de dones espirituales (4:7,8)

La idea del v.7 es que la gracia salvadora con la cual Dios redime al pecador sigue fluyendo después de su ida al cielo a través de los dones espirituales que Dios comunica a los creyentes. "Por lo cual dice: Subiendo a lo alto, llevó cautiva la cautividad, y dio dones a los hombres" (v.8). Esta es una cita del Salmo 68:18, que ha recibido variadas interpretaciones. Es una descripción de lo que era una práctica antigua cuando concluía una guerra. El vencedor regresaba a su ciudad marchando al frente con sus generales; luego le seguían los cautivos tomados en la batalla, seguidos por los soldados de su ejército. Los cautivos eran exhibidos como un trofeo de la victoria y el botín tomado era repartido entre el pueblo que presenciaba el desfile. Cuando Cristo ascendió al Padre como una prueba de su victoria repartió, y sigue repartiendo, dones a los creyentes, repartición que empezó en el día de Pentecostés.

B. La gracia y los dones son resultado del triunfo de Cristo (4:9,10)

Nuevamente, este pasaje ha recibido varias interpretaciones de las cuales tres son las más prominentes: (1) Que Cristo, además de descender al seno de Abraham, para tomar de allí a los creyentes del Antiguo Testamento, estuvo en el mismo infierno, según 1 Pedro 3:18-20: "…y predicó a los espíritus encarcelados…", para probarles que lo que Noé predicó era de Dios. Otra explicación: Que cuando Noé predicó a los que perecieron en el diluvio, era el mismo Señor Jesucristo el que predicaba en espíritu; aquellos que, en tiempo de Noé, rechazaron el mensaje de salvación y perecieron en el diluvio. (2) Están aquellos que dicen que Efesios 4:9,10 es una referencia a la encarnación: Cristo "subió por encima de todos los cielos para llenarlo todo" en recompensa por haberse humillado al dejar el cielo para habitar entre los hombres. (3) Curiosamente, hay quienes dicen que Efesios 4:9,10 es una referencia a Pentecostés: Que, como recompensa a su triunfo en el Calvario, Cristo descendió el día de Pentecostés y dio dones a los hombres.

RESUMEN GENERAL

El Dios santo que llama requiere de aquellos que son llamados que sean como Él, ya que es imposible que un Dios santo tenga comunión con seres que no sean como Él. Por medio de un profeta Dios dijo: "¿Andarán dos juntos, si no estuvieren de acuerdo?" (Amós 3:3). El mismo apóstol Pablo escribió: "¿Qué compañerismo tiene la justicia con la injusticia? ¿Y qué comunión la luz con las tinieblas?" (2 Corintios 6:14). Lo fundamental del carácter de todo creyente son las características mencionadas por el apóstol, las cuales son producidas por el Espíritu Santo. De manera que si el creyente vive una vida rendida al Espíritu Santo, mostrará las virtudes que acompañan al Espíritu.

PREGUNTAS

1. Explique las dos razones por las cuales la vida cristiana se presenta como un "andar".
2. Mencione los elementos que todo creyente debe considerar para no romper la unidad de la iglesia.
3. ¿Cuáles son las diferentes interpretaciones que se han dado respecto al "bautismo", como parte de la unidad de la iglesia?
4. Explique el texto: "Subiendo a lo alto, llevó cautiva la cautividad, y dio dones a los hombres".
5. ¿Cuál cree que es la interpretación más adecuada al texto: "descendió a las partes más bajas de la tierra?

II. FUNDAMENTAL ASPECTS OF THE CHRISTIAN LIFE (EPHESIANS 4:4-6)

A. God's glorious calling (4:4)

Verses 4 through 6 could have been a creed or confession of faith of the early church, recited in their worship services, as was the apostles Creed and the Nicene Creed. There are various passages in the New Testament that are called "creedal passages" because they contain a declaration of faith of the most prominent articles of the gospel that sustained the early church. For example, 1 Corinthians 15:3, 4 and 1 Timothy 3:16. In verse 3, the apostle urges the Ephesians to make every effort to keep the unity of the Spirit. To strengthen his argument, he points to the fact that the church is the body of Christ, created by the Holy Spirit using all believers. In the church, as in the human body, there is unity in diversity. However, as emphasized in a verse three, this unity is produced by the Holy Spirit. Therefore, man's carnality should not fragment this unity that is produced by the Spirit of God. When we preserve the unity in the spirit, we then reaffirm the eternal hope to which believers have been called!

B. Communion with Christ and with God the Father (4:5,6)

To speak of the church as a "body" emphasizes the unity that should exist between believers on a local level as well as a universal level. Unfortunately the church has been fragmented so much, each part holding onto their own beliefs, that seeking unity can lead to a "destructive" ecumenism. What is most important is that all those who maintain sound doctrine strive to practice unity; "One faith", adds the apostle. This declaration implies two things: first, the same doctrinal beliefs; second, the same faith in Christ as Savior. There should be no variation in either. "One baptism"; interpretations of this differ. Some believe that it refers to the act of being made part of the body of Christ at the moment of conversion. Others insist that it refers to water baptism, which occurs after one has believed. Still others insist that it refers to the baptism of the Holy Spirit, such as the one received on the day of Pentecost (Acts 2).

III. BELIEVERS ARE TRUSTEES OF THE GRACE OF GOD (EPHESIANS 4:7-10)

A. The grace of God is accompanied by spiritual gifts (4:7,8)

The idea found in verse 7 is that the saving grace with which God redeems the sinner continues to flow, even after His return to heaven, through the spiritual gifts that God has communicated to believers. "Therefore He says: 'When He ascended on high, He led captivity captive, and gave gifts to men.'" (v.8). This quote from Psalm 68:18 has received various interpretations. It is a description of an ancient practice that happened when a war ended. The victor returned to his city marching upfront with his generals, followed by the captives

taken in battle, followed then by the soldiers of his army. The captives were displayed as a trophy from the victory and the spoils taken in the war were distributed among the people who were witnessing this parade. When Christ ascended to the Father, as proof of His victory, He gave, and continues to give, gifts to believers; a distribution that began on the day of Pentecost.

B. Grace and gifts are a result of Christ's triumph (4:9,10)

Once again, this passage has received several interpretations of which three are the most prominent: (1) that Christ, aside from descending to the bosom of Abraham to take from there the believers from the Old Testament, went to hell itself. According to 1 Peter 3:18-20, He, "preached to the spirits in prison", to prove to them that what Noah had preached was of God. Another explanation of this is that when Noah preached to those who perished in the flood, it was actually the Lord Jesus Christ preaching in spirit to those who at that time rejected the message of salvation. (2) There are those who say that Ephesians 4:9, 10 is a reference to the incarnation of Christ: that Christ, "ascended far above all the heavens, that He might fill all things" was a reward for having humbled Himself when leaving heaven to dwell among men. (3) Curiously, there are those that say that Ephesians 4:9,10 is a reference to Pentecost; that as a reward for His victory on Calvary, Christ descended on the day of Pentecost and gave gifts to men.

GENERAL SUMMARY

The holy God that calls requires, of all whom he calls, that they be like him, being that it is impossible for a holy God to have communion with beings that are not like Him. God said through one of His prophets: "Can two walk together, unless they are agreed?" (Amos 3:3). Paul himself writes: "For what fellowship has righteousness with lawlessness? And what communion has light with darkness?" (II Corinthians 6:14). Fundamental characteristics of every believer are those mentioned by the apostle, which are produced by the Holy Spirit; So that if a believer lives a life in submission to the Holy Spirit, he will demonstrate the virtues that accompany that Spirit.

QUESTIONS

1. Explain the two reasons why the Christian walk is referred to as a "walk".
2. Mention the elements that every believer should maintain to not break the unity of the church.
3. What are the different interpretations that have been given to "baptism", as part of the unity of the church?
4. Explain the text, "When He ascended on high, He led captivity captive, and gave gifts to men".
5. What do you think is the best interpretation of the text «He also first descended into the lower parts of the earth"?

EL EQUIPAMIENTO DE LA IGLESIA

Base bíblica
Efesios 4:11-19

Pensamiento central
La Iglesia no sirve al Señor con talentos naturales sino con los dones espirituales con los cuales Dios la ha dotado.

Texto áureo
Porque las armas de nuestra milicia no son carnales, sino poderosas en Dios para la destrucción de fortalezas (2 Corintios 10:4).

Objetivos
A través de este estudio estarán capacitados para:
1. Comprender que a Dios no se le sirve con talentos naturales, sino con los dones espirituales que ha provisto para la iglesia.
2. Estar convencidos que poseen dones espirituales para servir al Señor.
3. Conocer que los dones espirituales son para que todos los creyentes estemos activos en el servicio al Señor.

Fecha sugerida: _____ / _____ / _____

Efesios 4:11 Y él mismo constituyó a unos apóstoles; a otros profetas; a otros evangelistas; a otros pastores y maestros,
12 a fin de perfeccionar a los santos para la obra del ministerio, para la edificación del cuerpo de Cristo,
13 hasta que todos lleguemos a la unidad de la fe y del conocimiento del Hijo de Dios, a un varón perfecto, a la medida de la estatura de la plenitud de Cristo;
14 para que ya no seamos niños fluctuantes, llevados por doquiera de todo viento de doctrina, por estratagema de hombres que para engañar emplean con astucia las artimañas del error.
15 sino que siguiendo la verdad en amor, crezcamos en todo en aquel que es la cabeza, esto es, Cristo,
16 de quien todo el cuerpo, bien concertado y unido entre sí por todas las coyunturas que se ayudan mutuamente, según la actividad propia de cada miembro, recibe su crecimiento para ir edificándose en amor.
17 Esto, pues, digo y requiero en el Señor: que ya no andéis como los otros gentiles, que andan en la vanidad de su mente,
18 teniendo el entendimiento entenebrecido, ajenos de la vida de Dios por la ignorancia que en ellos hay, por la dureza de su corazón;
19 los cuales, después que perdieron toda sensibilidad, se entregaron a la lascivia para cometer con avidez toda clase de impureza.

INTRODUCCIÓN

Según la gran comisión registrada en los evangelios, la Iglesia debe ir por todo el mundo y predicar el evangelio con la potestad que le fue dada por Cristo después de su resurrección (Mateo 28:18-20); la proclamación debe ir acompañada de portentos operados por el Señor (Marcos 16:14-20), una vez que hubiesen recibido poder al venir sobre ellos el Espíritu Santo (Lucas 24:47-52; Hechos 1:8). A la luz de estos pasajes bíblicos, no podemos minimizar los recursos espirituales con los cuales Dios desea que le sirva su Iglesia. No hay alternativas ni sustitutos, para los dones que Dios imparte a su Iglesia.

DESARROLLO DEL ESTUDIO

I. LOS DONES ESPIRITUALES (EFESIOS 4:11-13)

A. Dones ministeriales (4:11)

Después de haber sido exaltado a la diestra del Padre, Cristo repartió dones a los hombres. La palabra "dones" aquí se refiere a "apóstoles, profetas, evangelistas, pastores, y maestros" conocidos como "dones ministeriales". "Apóstol" proviene de una palabra, que significa "ser enviado con una misión". Los doce discípulos íntimos del Señor fueron lla-

mados "apóstoles" porque fueron, (1) escogidos directamente por el Señor; (2) se les entregó una misión específica, (3) se les asignó el área donde tenían que hacerlo. Por lo tanto, un "apóstol" tiene que ser un "misionero" a un campo específico, de lo contrario, no tiene derecho de usar ese calificativo. Los "profetas" eran aquellos, que espontáneamente y sin haberlo estudiado previamente tenían un mensaje inspirado para alguien o para la iglesia. "evangelistas", eran predicadores itinerantes que recorrían las iglesias. Luego los pastores, esto es aquellos que estaban a cargo de una congregación.

B. El propósito de los dones (4:12,13)

Nótense las razones por las cuales Dios equipa a su Iglesia: (1) "Para la obra del ministerio". Aquí no se está refiriendo a los cinco ministerios del v.11, sino al trabajo que todos los creyentes tienen en la obra del Señor. Todo creyentes tienen una misión importante que cumplir, (2) "para la edificación del cuerpo de Cristo". La idea es que la Iglesia es un templo que se va levantando con la conversión de las personas; que es un edificio que cuando esté completo, regresará Cristo (1 Pedro 2:4,5), (3) "...hasta que todos lleguemos a la unidad de la fe...". Es una clara referencia a estar de acuerdo en lo que es el contenido del evangelio. "...(4) Y del conocimiento del Hijo de Dios". La palabra que se traduce "conocimiento"

21 BIBLE STUDY

THE EQUIPPING OF THE CHURCH

Biblical foundation
Ephesians 4:11-19
Objectives
As we develop the lesson you will be able to:
1. Understand that God is not served with natural talents but with spiritual gifts He has provided to the Church.
2. Be convinced that they possess spiritual gifts to serve the Lord.
3. Know that the spiritual gifts are for all believers who are actively in the Lord's service.

Suggested date: _____ / _____ / _____

Main idea
The Church does not serve the Lord with natural talents but with spiritual gifts given by God.

Golden verse
"For the weapons of our warfare are not carnal but mighty in God for pulling down strongholds."s
(2 Corinthians 10:4)

RESPONSIVE READING

Ephesians 4:11 "And He Himself gave some to be apostles, some prophets, some evangelists, and some pastors and teachers,
12 for the equipping of the saints for the work of ministry, for the edifying of the body of Christ,
13 till we all come to the unity of the faith and of the knowledge of the Son of God, to a perfect man, to the measure of the stature of the fullness of Christ;
14 that we should no longer be children, tossed to and fro and carried about with every wind of doctrine, by the trickery of men, in the cunning craftiness of deceitful plotting,
15 but, speaking the truth in love, may grow up in all things into Him who is the head—Christ—

16 from whom the whole body, joined and knit together by what every joint supplies, according to the effective working by which every part does its share, causes growth of the body for the edifying of itself in love.
17 This I say, therefore, and testify in the Lord, that you should no longer walk as the rest of the Gentiles walk, in the futility of their mind,
18 having their understanding darkened, being alienated from the life of God, because of the ignorance that is in them, because of the blindness of their heart;
19 who, being past feeling, have given themselves over to lewdness, to work all uncleanness with greediness."

INTRODUCTION

According to the great commission found in the Gospels, the church should go into all the world and preach the gospel with the power that was given to it by Christ after his resurrection (Matthew 28:18-20). This proclamation should be accompanied by wonders worked by the Lord (Mark 16:14-20), once the Holy Spirit has come upon them (Luke 24:47-52; Acts 1:8). In light of these biblical passages, we cannot undervalue the spiritual resources with which God desires His church to serve Him. There are no alternatives or substitutes for the gifts that God bestows on his church.

STUDY DEVELOPMENT

I. THE SPIRITUAL GIFTS (EPHESIANS 4:11-13)

A. Ministerial gifts (4:11)

After having been exalted to the right hand of the Father, Christ distributed gifts to men. The word "gifts" here refers to "apostles, prophets, evangelists, pastors, and teachers" known as "ministerial gifts". The word "apostle" is derived from a word that means "to be sent with a mission". The 12 intimate disciples of the Lord were called "apostles" because they were, (1) chosen directly by the Lord, (2) they were given a specific

mission, (3) they were assigned an area where they needed to carry it out. Therefore, an apostle must be a "missionary" to a specific field, otherwise he has no right to use that qualifier. "Prophets" were those that spontaneously and without study had received an inspired message for an individual or for the church. "Evangelists" were traveling preachers that went throughout the churches. Then "pastors" were those that were in charge of a congregation.

B. The purpose of the gifts (4:12,13)

Notice the reasons for which God equips His church: (1) "For the work of ministry". This is not a reference to the 5 ministries from verse 11 but rather to the job that all believers have in the work of the Lord. Every believer has an important mission to fulfill. (2) "For the edifying of the body of Christ." The idea here is that the church is a temple being built with the conversion of people. It is a building that, when complete, will usher in the return of Christ (1 Peter 2:4,5). (3) "Till we all come to the unity of the faith", is a clear reference to being united in the content of the gospel. (4) "And of the knowledge of the Son of God." The word that is used to translate "knowledge" refers to a "knowledge that is precise and correct", as well it should be one that is from personal experience.

se refiere a "un conocimiento preciso y correcto", además debe ser un conocimiento experimental, o sea, por experiencia personal.

II. LOS DONES SON UNA PROTECCIÓN PARA LA IGLESIA (EFESIOS 4:14-16)

A. De los falsos maestros y las falsas doctrinas (4:14)

(5) "...A un varón perfecto". Aquí no se habla de una perfección absoluta, ya que mientras estemos en esta vida, estamos sujetos a cometer errores por causa de nuestra humanidad. La idea entonces es: "un varón que no le falte nada de lo que Dios quiere que tenga". (5) "...a la medida de la estatura de la plenitud de Cristo". La idea en estas palabras es que los creyentes, se consagren totalmente a Dios como lo hizo nuestro Señor Jesucristo. Pero el hecho de que seamos humanos no es una excusa para que pequemos. Santiago por eso dice: "Someteos, pues, a Dios; resistid al diablo, y huirá de vosotros" (Santiago 4:7). La inmadurez es la razón por las cuales muchos tropiezan en la fe (v.14), y esta tiene dos causantes: la ignorancia de la Palabra de Dios, y la falta de consagración. Estos son víctimas de los falsos maestros, que utilizan estratagemas y manejan sus erradas enseñanzas con astucias y artimañas.

B. Los dones ofrecen crecimiento a los creyentes (4:15,16)

Los dones no son para que uno se sienta bien, mucho menos para ser entretenido, ni para dar la impresión de ser más espiritual que los demás: son para crecimiento y edificación. El crecimiento del creyente no ocurre de una manera solitaria; lo es de una manera colectiva. ¿Por qué? Porque es un miembro del cuerpo de Cristo, la Iglesia. Físicamente, si un miembro del cuerpo enferma, lo resiente todo el organismo. Sin importar qué tan sencillo sea el creyente. Resumiendo el contenido de estos dos versículos: (1) el creyente y la Iglesia deben crecer; (2) este crecimiento debe ser en amor; (3) el crecimiento debe ser siguiendo la verdad; (4) estando el cuerpo unido a la cabeza, que es Cristo; (5) procurando todos estar en perfecta armonía. ¿Qué nos impide seguir esta exhortación?

III. LO QUE EL APÓSTOL PIDE A LOS CREYENTES (EFESIOS 4:17-19)

A. Que no vivan como los gentiles (4:17)

Desde el v.17 hasta el v.20 del capítulo 5, el apóstol da una serie de consejos que son todo un monumento de conducta cristiana. Cosas que no se deben hacer y cosas que en su lugar se deben hacer. Hacerlas, fortalecen el carácter cristiano; hacer lo contrario es poner en cuestionamiento la experiencia cristiana de los que así procedan. En nuestros días se enseña en el mundo inconverso que todo es relativo; que no hay absolutos. Pero Pablo insiste "...que ya no andéis como los otros gentiles, que andan en la vanidad de su mente". Estas palabras se pueden interpretar como una advertencia para que no intenten hacer lo que antes hacían, o

se puede entender que algunos miembros de la iglesia efesia, que provenían del gentilismo, seguían manteniendo prácticas paganas que reñían con la fe cristiana. ¿Cuál era la causa de la mala conducta de los gentiles inconversos? ¡Andaban en la vanidad de sus mentes!

B. Porque los gentiles están perdidos en el pecado (4:18,19)

"Teniendo el entendimiento entenebrecido..." (v.18). Esta es una excelente traducción que no le resta fuerza al texto original. Pablo no niega que los gentiles no tengan entendimiento, pero lo tienen entenebrecido. Sin la ayuda de Dios, no hay manera en que el ser humano entienda las cosas celestiales. "...Ajenos de la vida de Dios..." Estas palabras se pueden traducir: "...excluidos de la vida de Dios". Esta vida es la vida espiritual que recibe la persona al nacer de nuevo por el Espíritu Santo (Juan 3:1-8; 1:12-13), y que le hace una nueva creación (2 Corintios 5:17). "...por la ignorancia que en ellos hay, por la dureza de su corazón". Cuando la persona, después de haber oído reiteradas veces el llamamiento de Dios decide rechazarlo, Dios mismo le endurece el corazón: "Por lo cual también Dios los entregó a la inmundicia..." (Romanos 1:24); "Por esto Dios los entregó a pasiones vergonzosas..." (Romanos 1:26); "Y como ellos no aprobaron tener en cuenta a Dios, Dios los entregó a una mente reprobada..." (Romanos 1:28).

RESUMEN GENERAL

"Los cuales, después que perdieren toda sensibilidad, se entregaron a la lascivia para cometer con avidez toda clase de impureza" (v.19). Es una descripción de la persona que "pierde todo escrúpulo, todo sentido de vergüenza y pundonor". La repetición que hace una persona de lo malo se convierte en un estilo de vida de tal manera que a dicho estilo de vida llama normalidad. Un joven de veinte años de edad, miembro de un cartel de la droga, comentó que ya llevaba más de doscientas personas asesinadas; que había empezado desde muy joven, prácticamente siendo un niño; comentó cómo destrozaba a sus víctimas. Cuando le preguntaron si sentía remordimiento de conciencia por todo lo que había hecho, contesto tranquilo que ¡No! Una conciencia encallecida, sencillamente, deja de ser conciencia porque el hábito repetido, más la influencia del demonio, hacen del criminal que crea que su estilo de vida es normal, que no tiene nada de malo.

PREGUNTAS

1. Mencione los cinco "dones ministeriales" que Cristo entregó a la iglesia.
2. ¿Por qué fueron llamados "apóstoles" los discípulos de Jesús?
3. ¿Cuál es el propósito de Dios al equipar a su Iglesia con los dones?
4. ¿Cuáles son las razones por la que muchos tropiezan en la fe?
5. Resuma el contenido de los versículos 15 y 16, respecto al propósito de los dones.

II. THE GIFTS ARE TO PROTECT THE CHURCH (EPHESIANS 4:14-16)

A. From false teachers and false doctrines (4:14)

(5) "To a perfect man." Here we are not speaking of an absolute perfection, because while we are in this life we are subject to making mistakes because of our humanity. The idea here then is to be a "Man who lacks nothing of what God desires him to have". (6) "To the measure of the stature of the fullness of Christ." The thought captured in these words is that believers be completely consecrated to God as was our Lord Jesus Christ; but the fact that we are humans is not an excuse for us to sin. This is why James says: "submit therefore to God. Resist the devil and he will flee from you" (James 4:7). Immaturity is the reason why many falter in the faith (V.14), and there are two causative factors for this: "ignorance of the word of God and a lack of consecration. These individuals are victims of false teachers that utilize trickery and manipulate their flawed teaching with cunning craftiness of deceitful plotting.

B. The gifts offer growth to the believers (4:15,16)

The gifts are not for one simply to have a good feeling, or even less to be entertained, nor to give the impression that one is more spiritual than others. They are for growth and edification. The believer's growth does not happen in a solitary way; It happens collectively. Why? Because he is a member of the body of Christ, the Church. Physically speaking, if a member of the body gets sick, the entire organism feels it. This too spiritually, regardless of how green the believer is. In summarizing the content of these two verses we see that: (1) The believer and the church should grow; (2) this growth must be in love; (3) growth should be in keeping with the truth; (4) the body must be united to the head, who is Christ; (5) seeking to all be in perfect harmony. So what keeps us from following this admonition?

III. WHAT THE APOSTLE ASKS OF BELIEVERS (EPHESIANS 4:17-19)

A. That they not live as the Gentiles do (4:17)

From verse 17 of this chapter to verse 20 of the next, the apostle gives a series of cautions that are monumental to Christian conduct; things that should not be done and things that should be done instead. In doing them, we strengthen our Christian character. Yet to do the opposite is to put in question the Christian experience of those who choose that path. These days the unbelieving world teaches that everything is relative, that there are no absolutes. But Paul insists that we, «should no longer walk as the rest of the Gentiles walk, in the futility of their mind.» These words can be seen as a warning to not do the things that they did before. It can also be understood that some members of the Ephesian church, that had come from a gentile way of living, continued their pagan practices that clashed with the Christian faith. What was the cause of the unbelieving gentiles› bad conduct? That they walked in the futility of their minds!

B. Because they are lost in sin (4:18,19)

"Having their understanding darkened..." (V.18). This is an excellent translation that does not take away the strength of the original text. Paul does not deny that the Gentiles have understanding, but they have it darkened. Without God's help there is no way for human beings to understand heavenly things. "Being alienated from the life of God." These words can be translated, "being excluded from the life of God." This life is the spiritual one that a person receives when he is born again of the Holy Spirit (John 3:1–8; 1:12-13), which makes him a new creation (2 Corinthians 5:17). "Because of the ignorance that is in them, because of the blindness of their heart." When a person, after having heard God's call multiple times, decides to reject Him, God Himself can harden their hearts: "Therefore God gave them over in the lusts of their hearts to impurity..." (Romans 1:28).

GENERAL SUMMARY

"Who, being past feeling, have given themselves over to lewdness, to work all uncleanness with greediness," (v.19). Here we see a description of someone who has lost all "conscience, moral sense, and honor". A person's repetition of that which is evil turns into a lifestyle and that lifestyle is then called normal. A 20-year-old young man, member of a drug cartel, mentions that he had already killed more than 200 people; and that he had begun at a very young age being practically a child. He detailed how he tore apart his victims. When they asked him if he felt remorse for all that he had done he very calmly answered, "No!" A calloused conscience can simply cease to be a conscience because habitual repetition, in addition to demonic influence, leads the criminal to believe that their lifestyle is normal and that there is no wrong in it.

QUESTIONS

1. List the five "ministerial gifts" that Christ gave to the church.
2. Why were the disciples of Jesus called "apostles"?
3. What is God›s purpose in equipping the church with the gifts?
4. What are the reasons why many falter in the faith?
5. Summarize the content of verses 15 and 16 regarding the purpose of the gifts.

EL DEBER DE ABANDONAR LO MALO Y PROCURAR LO BUENO

ESTUDIO BÍBLICO 22

Pensamiento central
Lo malo y lo bueno no pueden coexistir en el cristiano; pero para poseer lo que es bueno es necesario abandonar lo que es malo.

Texto áureo
Antes sed benignos unos con otros, misericordiosos, perdonándoos unos a otros, como Dios también os perdonó a vosotros en Cristo (Efesios 4:32).

Base bíblica
Efesios 4:20-32

Objetivos
Por medio del presente estudio podrán:
1. Comprender que el creyente debe perfeccionarse constantemente.
2. Obtener el discernimiento de lo que es bueno y lo que es malo.
3. Determinar lo que es agradable ante Dios.

Fecha sugerida: _____ / _____ / _____

LECTURA BÍBLICA

Efesios 4:20 Mas vosotros no habéis aprendido así a Cristo,
21 si en verdad le habéis oído, y habéis sido por él enseñados, conforme a la verdad que está en Jesús.
22 En cuanto a la manera pasada de vivir, despojaos del viejo hombre, que está viciado conforme a los deseos engañosos,
23 y renovaos en el espíritu de vuestra mente,
24 y vestíos del nuevo hombre, creado según Dios en la justicia y santidad de la verdad.
25 Por lo cual, desechando la mentira, hablad verdad cada uno con su prójimo; porque somos miembros los unos de los otros.
26 Airaos, pero no pequéis; no se ponga el sol sobre vuestro enojo,

27 ni deis lugar al diablo.
28 El que hurtaba, no hurte más, sino trabaje, haciendo con sus manos lo que es bueno, para que tenga qué compartir con el que padece necesidad.
29 Ninguna palabra corrompida salga de vuestra boca, sino la que sea buena para la necesaria edificación, a fin de dar gracia a los oyentes.
30 Y no contristéis al Espíritu Santo de Dios, con el cual fuisteis sellados para el día de la redención.
31 Quítense de vosotros toda amargura, enojo, ira, gritería y maledicencia, y toda malicia.
32 Antes sed benignos unos con otros, misericordiosos, perdonándoos unos a otros, como Dios también os perdonó a vosotros en Cristo.

INTRODUCCIÓN

Si la raza humana tuviera que ser dividida en dos: una sería el pueblo de Dios, la Iglesia; la otra, la gente que no es parte de la Iglesia. La peculiaridad de la Iglesia se debe a varias razones. Es un pueblo: (1) que ha reconocido a Cristo como el Hijo de Dios y salvador, (2) que, habiendo reconocido su condición pecaminosa, (3) que experimentó una transformación espiritual radical, (4) en quien Dios reside por medio de Su Santo Espíritu; (5) que posee las características morales de Dios; (6) que ha aceptado gustoso el señorío de Cristo sobre su vida; (7) que procura regir su conducta de acuerdo al carácter de Dios; (8) que tiene la misión de proclamar el Evangelio, y (9) que tiene la esperanza de vivir con Dios por toda una eternidad. Es un pueblo cuyo objetivo mayor es ser semejante a Dios para poder hacer el bien a todos los que se crucen en su camino.

DESARROLLO DEL ESTUDIO

I. CRISTIANISMO ES COMUNIÓN CON CRISTO (EFESIOS 4:20-23)

A. El conocimiento de Cristo es experimental (4:20,21)

La vida cristiana no consiste en seguir enseñazas, pre-

ceptos, mandamientos, conceptos espirituales: es asunto de tener una íntima relación con Cristo, morir espiritualmente para que Él pueda vivir dentro uno: "Con Cristo estoy juntamente crucificado, y ya no vivo yo, mas vive Cristo en mí" (Gálatas 2:20). Ser cristiano no es creer en una doctrina sino tener relación con una persona; no consiste en ir al templo, sino en ser templos donde Dios reside. Cuando los judíos discutieron con la persona a quien Cristo había sanado de ceguera, esgrimieron toda clase de argumentos para probarle al ciego que Jesús era un charlatán y que ningún milagro había sucedido en su vida. De una manera irrebatible el hombre sanado les dijo: "Si es (Jesús) pecador, no lo sé; una cosa sé, que habiendo yo sido ciego, ahora veo" (Juan 9:25).

B. Dos estilos de vida diferentes (4:22,23)

El apóstol no desea pasar por alto algo que es muy importante saber: "En cuanto a la pasada manera de vivir despojaos del viejo hombre…". Significa: "Quitarse algo que uno lleva puesto, tirar algo, renunciar a algo". Pero la acción de despojarse de algo es para tirarlo a la basura, para no volverlo a recoger. Nadie recoge el agua con que se baña, ni la guarda para usarla después, "…que está viciado en los

22 BIBLE STUDY

THE NEED TO ABANDON EVIL AND PURSUE WHAT IS GOOD

Biblical foundation
Ephesians 4:20-32

Objectives
As we develop the lesson you will be able to:
1. Understand that a believer should constantly seek to perfect themselves.
2. Discern what is good and what is evil.
3. Determine what is pleasing before God.

Main idea
Good and evil cannot coexist in the Christian. In order to possess that which is good it is necessary to abandon evil.

Golden verse
"And be kind to one another, tenderhearted, forgiving one another, even as God in Christ forgave you."
(Efesios 4:32)

Suggested date: _____ / _____ / _____

RESPONSIVE READING

Ephesians 4:20 "But you have not so learned Christ,
21 if indeed you have heard Him and have been taught by Him, as the truth is in Jesus: that you put off,
22 concerning your former conduct, the old man which grows corrupt according to the deceitful lusts,
23 and be renewed in the spirit of your mind,
24 and that you put on the new man which was created according to God, in true righteousness and holiness.
25 Therefore, putting away lying, "Let each one of you speak truth with his neighbor," for we are members of one another.
26 "Be angry, and do not sin": do not let the sun go down on your wrath,

27 nor give place to the devil.
28 but rather let him labor, working with his hands what is good, that he may have something to give him who has need.
29 Let no corrupt word proceed out of your mouth, but what is good for necessary edification, that it may impart grace to the hearers.
30 And do not grieve the Holy Spirit of God, by whom you were sealed for the day of redemption.
31 Let all bitterness, wrath, anger, clamor, and evil speaking be put away from you, with all malice.
32 And be kind to one another, tenderhearted, forgiving one another, even as God in Christ forgave you."

INTRODUCTION

If the human race were to be divided in two, one part would be the people of God, the Church; the other, those that are not part of the Church. The Church's particularity is owed to various reasons. It is a people: (1) that has acknowledged Christ as the son of God and Savior; (2) that, having understood their sinful condition, (3) has experienced a radical spiritual transformation; (4) in whom God resides through His Holy Spirit; (5) that possesses the moral characteristics of God; (6) that has graciously accepted the lordship of Christ over their life; (7) that has the mission of proclaiming the Gospel; and (9) that has the hope of living with God for all eternity. The Church is a people whose main objective is to be like God, to be able to do good to all those who cross their paths.

STUDY DEVELOPMENT

I. CHRISTIANITY IS COMMUNION WITH CHRIST (EPHESIANS 4:20-23)

A. Knowing Christ is experiential (4:20,21)

Christian living is not about following teachings, precepts, Commandments, or spiritual concepts. It is about having an intimate relationship with Christ, dying spiritually so that He can live in us: "I have been crucified with Christ; it is no longer I who live, but Christ lives in me;" (Galatians 2:20). Being a Christian is not believing in a doctrine but having a relationship with a person; it's not about going to a temple, but it is being temples in which God resides. When the Jews argued with the man who had been healed of blindness, they wielded all kinds of arguments to prove to him that Jesus was a con man and that no miracle had taken place in his life. But in an irrefutable way the healed man answered, "Whether He (Jesus) is a sinner or not I do not know. One thing I know: that though I was blind, now I see;" (John 9:25).

B. Two different lifestyles (4:22,23)

The apostle does not want to overlook something that is important to know: "that you put off, concerning your former conduct, the old man." This means taking off something that you are wearing, throwing it away, turning away from something. But this action of putting something off is to throw it away, not to pick it up again. No one collects the water that you use to take a bath to save it for later use. "Which grows corrupt according to the deceitful lusts." One Bible version says, "that grows corrupt following deceitful desires." The verb, "corrupt"

deseos engañosos". Una versión de la Biblia que traduce: "…que se corrompe siguiendo los deseos engañosos". El verbo "corromper" contiene la idea de "podrirse"; "…y renovaos en el espíritu de vuestra mente". Una vez que el creyente se ha despojado de aquello que pertenece al hombre viejo, no se va a quedar en un punto neutro, en que no sea ni viejo ni nuevo, ni carnal ni espiritual: necesita renovarse en el espíritu de su mente.

II. LA VIDA DEL CRISTIANO ES UNA VIDA TRANSFORMADA (EFESIOS 4:24-27)

A. El nuevo hombre es creado conforme a la imagen de Dios (4:24)

"Y vestíos del nuevo hombre…". El texto posee varias enseñanzas importantes: Una: El tiempo del verbo "vestir" da la idea de una acción radical que no tenga necesidad de repetirse. No es asunto de estarse vistiendo y desvistiendo espiritualmente, es asunto de desechar el hombre viejo para siempre, y vestirse el nuevo también para siempre. El hombre nuevo no es como un traje de gala que se utiliza en ocasiones especiales, tampoco es un disfraz para aparentar, de acuerdo a las circunstancias. Dos: También significa que uno debe producir la acción y recibirla, uno tiene el deber de vestirse del nuevo hombre. ¡Dios no viste a nadie con el nuevo hombre si no hay el deseo de abandonar el viejo y poseer el nuevo! Tres: La palabra "justicia", debe traducirse "rectitud de vida", una rectitud de acuerdo al carácter de Dios, que va acompañada de "santidad". Ambas, brotan de la "verdad", esto es, de Cristo, ya que él "es el camino, la verdad, y la vida" (Juan 14:6).

B. No hay que dar lugar al diablo (4:25-27)

"Por lo cual, desechando la mentira, hablad verdad…". La Biblia condena la mentira y afirma que el padre de toda mentira es el diablo (Juan 8:44). La mentira es tan grave que se afirma que ningún mentiroso entrará en el reino de Dios (Apocalipsis 21:27). Hay quienes piensan que hay diferentes clases de mentiras: blancas, grises, negras, inocentes. Otros hay que las utilizan para salir de apuros. "Airaos, pero no pequéis…". El apóstol no está justificando la ira, ya que a continuación exhorta a que "no se ponga el sol sobre vuestro enojo". Lo que está diciendo es "indignaos". Hay ocasiones en que el disgusto frente a la injusticia o el pecado es justificable. Incluso, tanto nuestro Señor Jesucristo, mostró indignación por causa de un celo santo. "Ni deis lugar al diablo". El diablo no espera a que el creyente le abra de par en par las puertas; lo que él busca es una pequeña rendija por la cual introducirse.

III. EL PRESENTE Y EL PASADO NO PUEDEN COEXISTIR (EFESIOS 4:28-32)

A. El creyente debe evitar todo lo que no es agradable a Dios (4:28,29)

"El que hurtaba no hurte más…". De acuerdo a la Real Academia Española, "hurtar" significa: "Tomar o retener bienes ajenos contra la voluntad de su dueño", "quitar o tomar para sí con violencia o con fuerza lo ajeno". De manera que hurtar es quitarle a la gente, sea de una manera violenta o de una manera sutil, lo que es de ellos; ya sea por medio de un asalto, o utilizando una mentira conmovedora, el pecado es el mismo. "Ninguna palabra corrompida salga de vuestra boca…". El significado de la palabra que se traduce "corrompida" es "putrefacto", "podrido". Hay versiones que traducen, "Ninguna palabra mala"; otras, "Ninguna palabra torpe", pero su significado en griego es mucho más fuerte. ¿Cómo debe ser el hablar del creyente? "Sea vuestra palabra siempre con gracia… para que sepáis cómo debéis responder a cada uno" (Colosenses 4:6).

B. El creyente no debe contristar al Espíritu Santo (4:30-32)

"Y no contristéis al Espíritu Santo…". Estas palabras son parecidas a aquellas que se encuentran en Isaías 63:10: "Mas ellos fueron rebeldes, e hicieron enojar su santo espíritu; por lo cual se les volvió enemigo, y él mismo peleó contra ellos". También hay pasajes donde se exhorta a vivir en íntima comunión con Él: "No apaguéis al Espíritu" (1 Tesalonicenses 5:19). Este texto tiene que ver con la manifestación de los dones espirituales en la Iglesia, principalmente el don de profecía. Puede suceder que el Espíritu Santo tiene un mensaje para la iglesia, pero no se da oportunidad por seguir la agenda o un programa ya establecido. No "resistir" al Espíritu Santo. Resistir al Espíritu Santo fue el pecado mayor del cual acusó Esteban a sus malhechores: (Hechos 7:51). En oposición a estos graves pecados, el apóstol nos exhorta a "ser llenos del Espíritu" (Efesios 5:18), y a "avivar el fuego del don de Dios" (2 Timoteo 1:6).

RESUMEN GENERAL

Al perdonar Dios los pecados del que se convierte también lo transforma y el Espíritu Santo entra a residir en él, convirtiéndolo así en un templo de Dios. Como Dios es santo, el creyente, tiene que ser santo también. Por lo tanto, todas aquellas cosas que son típicas del mundo pecaminoso, no pueden existir en el creyente. Es imposible que Dios resida en un creyente cuya conducta es lo opuesto al carácter de Dios. La santidad es un requisito indiscutible ya que sin ella nadie verá a Dios. Si el creyente descuida su relación con Dios, si deja de orar, estudiar la Palabra de Dios, asistir a la iglesia, y no aviva el fuego del Espíritu Santo, entonces las obras de la carne empezarán a manifestarse en su diario vivir, haciendo que el Espíritu Santo se contriste. Además, debe velar para que las virtudes que son propias del Espíritu Santo se manifiesten constantemente en él: en su manera de pensar, hablar, tratar a los demás. ¡Vivamos de tal manera que el Espíritu Santo, se agrade de nuestra obediencia y nos use para la honra y la gloria de Dios!

PREGUNTAS

1 ¿En qué consiste la práctica de la vida cristiana?
2. ¿Qué significa despojarse del viejo hombre?
3. ¿Cree que el apóstol Pablo está justificando la ira cuando dice: "airaos pero no pequéis"?
4. Una vez que el creyente se ha despojado del hombre viejo, ¿qué debe hacer ahora?
5. ¿Qué sucede cuando el creyente descuida su relación con Dios, deja de orar, estudiar la Palabra de Dios y asistir a la iglesia?

connotes the idea of something rotting. "And be renewed in the spirit of your mind." Once a believer has put off all that belongs to the old man, he doesn't remain in a neutral place, where he is neither old or new, carnal nor spiritual. He must be renewed in the spirit of his mind.

II. THE LIFE OF A CHRISTIAN IS A TRANSFORMED LIFE (EPHESIANS 4:24-27)

A. The new man is made in the image of God (4:24)

"And that you put on the new man." This verse has several important teachings: (1) the verb tense of "put on" communicates a radical action that does not need to be repeated. It is not about continuously being dressed and undressed spiritually. It has to do with putting off the old man forever and being clothed with the new forever. Being clothed with the new man is not like wearing a formal outfit that is used on special occasions. Nor is it a costume used to pretend based on the circumstances around you. (2) It also means that you should produce the action and receive it. We have a duty to put on the new man. God does not clothe anyone with the new man if there is no desire to abandon the old in order to possess the new! (3) The word, "righteousness" should be translated as "rectitude of life," one that is according to God's character and that is accompanied by "holiness." Both righteousness and holiness sprout from truth, that is of Christ, as He is the way, the truth and the life;" (John 14:6).

B. There is no room for the devil (4:25-27)

"Therefore, putting away lying, let each one of you speak truth." The Bible condemns lying and affirms that the father of all lies is the devil (John 8:44). Lying is so serious that the Bible says that no one who practices lying shall enter the kingdom of God (Revelation 21:27). There are those who think that there are different kinds of lies: white, grey, black and innocent ones. There are others who use them to get out of a bind. "Be angry, and do not sin." The apostle is not justifying anger since he continues to say, "do not let the sun go down on your wrath." What he is saying, "show displeasure." There are occasions where displeasure when facing injustice or sin is justifiable. In fact, our Lord Jesus Christ was outraged as a result of a holy zeal. "Nor give place to the devil." The devil does not wait for the believer to open the door wide open. What he seeks is a small crease through which he can make his way in.

III. THE PRESENT AND THE PAST CANNOT COEXIST (EPHESIANS 4:28-32)

A. The believer should avoid all that does not please God (4:28,29)

"Let him who stole steal no longer." According to the Royal Spanish Academy, "to steal," is to "take or keep goods that are not one's own against the will of the rightful owner," "to take away another's belongings with violence or by force." So to steal is to take away from others, be it violently or subtly, what is theirs; whether by assault, or using a convincing lie, the sin is the same. "Let no corrupt word proceed out of your mouth." The meaning of the word that is used to translate "corrupt," is "putrid," or "rotten." There are some versions that will translate, "Let no unwholesome word," others say, "let no foul words," but the original Greek meaning is much stronger. So how should a believer speak? "Let your speech always be with grace, seasoned with salt, that you may know how you ought to answer each one" (Colossians 4:6).

B. The believer should not grieve the Holy Spirit (4:30-32)

"And do not grieve the Holy Spirit of God." these words are very similar to those found in Isaiah 63:10, "But they rebelled and grieved His Holy Spirit; So He turned Himself against them as an enemy, and He fought against them." There are also passages where the believer is counseled to live in intimate communion with Him, "Do not quench the Spirit." (I Thessalonians 5:19). This text has to do with the manifestation of the gifts of the Spirit within the church, especially the gift of prophecy. It can happen that the Holy Spirit can have a message for the church but He is not given the opportunity because there is an agenda or a prearranged program to follow. We should not resist the Holy Spirit. Resisting the Holy Spirit was the principal sin that Steven accused those who later assaulted him of committing (Acts 7:51). As opposed to committing these grave sins, the apostle encourages us to be, "filled with the Spirit" (Ephesians 5:18), and to, "stir up the gift of God which is in you..." (2 Timothy 1:6).

GENERAL SUMMARY

When God forgives the sins of a new convert He also transforms them, and the Holy Spirit will now reside in them making them a temple of God. Because God is holy, the believer, therefore, should be holy as well. As a result, all of the things that are customary in a world of sin cannot exist in the life of a believer. It is impossible for God to reside in a believer whose conduct is opposite to the character of God. Holiness is an unquestionable requisite because without it no one can see God. If a believer neglects his relationship with God and stops praying, studying the word of God, going to church, and does not stir up the flame of the Spirit, then the works of the flesh will become more evident in his daily living causing the Holy Spirit to become grieved. Believers should seek to have the virtues that are proprietary of the Holy Spirit to be manifested constantly in them: in their way of thinking, speaking, and treating others. Let us live in such a way that the Holy Spirit is pleased with our obedience so that He uses us for the honor and glory of God!

QUESTIONS

1. What does the practice of Christian living consist of?
2. What does putting off the old man mean?
3. Do you think the apostle Paul is justifying anger when he says, "Be angry, and do not sin."
4. Once a believer has put off the old man what should he now do?
5. What happens when a believer neglects his relationship with God and stops praying, studying the word of God, and going to church?

EL CREYENTE, UN IMITADOR DE DIOS

Base bíblica
Efesios 5:1-10

Pensamiento central
El privilegio más grande
que un creyente puede poseer es ser
un imitador de Dios.

Texto áureo
*Sed, pues, imitadores de Dios como hijos
amados (Efesio 5:1).*

Objetivos
Al finalizar esta lección podrán:
1. Entender bien el pasaje que se estará estudiando.
2. Saber diferenciar entre aquello que debe repudiar y lo que debe procurar.
3. Vivir como lo enseña el pasaje bíblico que se estudiará.

Fecha sugerida: _____ / _____ / _____

LECTURA BÍBLICA

Efesios 5:1 Sed, pues, imitadores de Dios como hijos amados.
2 Y andad en amor, como también Cristo nos amó, y se entregó a sí mismo por nosotros, ofrenda y sacrificio a Dios en olor fragante.
3 Pero fornicación y toda inmundicia, o avaricia, ni aun se nombre entre vosotros, como conviene a santos;
4 ni palabras deshonestas, ni necedades, ni truhanerías, que no convienen, sino antes bien acciones de gracias.
5 Porque sabéis esto, que ningún fornicario, o inmundo, o avaro, que es idólatra, tiene herencia en el reino de **Cristo y de Dios.**
6 Nadie os engañe con palabras vanas, porque por estas cosas viene la ira de Dios sobre los hijos de desobediencia.
7 No seáis, pues, partícipes con ellos.
8 Porque en otro tiempo erais tinieblas, mas ahora sois luz en el Señor; andad como hijos de luz.
9 (porque el fruto del Espíritu es en toda bondad, justicia y verdad),
10 comprobando lo que es agradable al Señor.

INTRODUCCIÓN

La carta a los Efesios posee dos características que son inconfundibles: Una profundidad teológica impresionante, y, una dimensión práctica que es difícil desdeñar. Y en esto se esconde una de las peculiaridades más sobresalientes del evangelio: ¡La teología es eminentemente práctica! ¡No hay tal cosa como teología teórica! ¡Es imposible divorciar la conducta cristiana de la doctrina! Es como una moneda que tiene dos caras: la doctrinal y la práctica, pero una no puede existir sin la otra. Aquí el apóstol consideró apropiado enfatizar el aspecto práctico de la fe colocando en 5:1-20 varios de los asuntos que cubrió en 4:17-32.

DESARROLLO DEL ESTUDIO

I. DOS ACCIONES QUE LE CORRESPONDEN AL CREYENTE (EFESIOS 5:1,2)

A. Imitar a Dios (5:1)

El pasaje empieza con un imperativo: "Sed". Los imperativos no son recomendaciones, sugerencias ni opiniones: ¡Son mandamientos! Por lo tanto, de esa manera hay que implementarlo en el carácter cristiano. Ahora, hay algo fundamental en el imperativo, "Sed…imitadores", que no es en sentido negativo en que muchas veces se usa en español, haciéndolo sinónimo de imitador, sino en un sentido positivo y siempre en referencia a Dios o las cosas de Dios, por ejemplo: "Por tanto, os ruego que me imitéis…" (1 Corintios 4:16); "Sed imitadores de mí, así como yo de Cristo" (1 Corintios 11:1). La exhortación, entonces, no es a ser un remedo, un imitador sino una verdadera representación el carácter de Dios y de lo que es bueno. Si Dios lo ordena, es porque se puede hacer, siempre con su ayuda. La imitación de Dios tiene como base el amor que Dios tiene hacia nosotros.

B. Andar en amor (5:2)

El apóstol inicia el v.2 con otro imperativo: "Andad". Lo utiliza en todas sus cartas, excepto 1 y 2 Timoteo, Tito y Filemón. Este vasto uso revela la importancia que el apóstol dio a la conducta del creyente. Nótese que el apóstol utiliza en el versículo 1 a Dios como ejemplo, y en el 2 a nuestro Señor Jesucristo: ¡los dos más grandes ejemplos que el hombre puede encontrar en el mundo! ¡Qué transformación, que revolución, surgiría en la Iglesia si todos los creyentes nos dedicáramos a implementar los dos imperativos del apóstol! "…Como también Cristo nos amó y se entregó a sí mismo por nosotros…". No se nos exhorta a amar como nosotros solemos amar, con ventaja y egoísmo. Es a la manera Divina, a la manera de Cristo: incondicional, sin beneficios personales. Cómo una "…ofrenda y sacrificio a Dios en olor fragante". La muerte de Cristo fue una ofrenda agradable a Dios. Si obedecemos la instrucción paulina, ¡seremos como ofrendas de olor grato delante del Señor!

23 BIBLE STUDY

THE BELIEVER, AN IMITATOR OF GOD

Biblical foundation
Ephesians 5:1-10

Objectives
As we develop the lesson you will be able to:
1. Clearly understand the passage we will be studying.
2. Know how to differentiate between that which we should reject and what we should pursue.
3. Live the life that this Bible passage calls us to live.

Suggested date: _____ / _____ / _____

Main idea
The greatest privilege a believer can have is to be an imitator of God.

Golden verse
"Therefore be imitators of God as dear children." (Ephesians 5:1)

RESPONSIVE READING

Ephesians 5:1 **"Therefore be imitators of God as dear children.**
2 And walk in love, as Christ also has loved us and given Himself for us, an offering and a sacrifice to God for a sweet-smelling aroma.
3 **But fornication and all uncleanness or covetousness, let it not even be named among you, as is fitting for saints;**
4 neither filthiness, nor foolish talking, nor coarse jesting, which are not fitting, but rather giving of thanks.
5 **For this you know, that no fornicator, unclean person,** nor covetous man, who is an idolater, has any inheritance in the kingdom of Christ and God.
6 Let no one deceive you with empty words, for because of these things the wrath of God comes upon the sons of disobedience.
7 **Therefore do not be partakers with them.**
8 For you were once darkness, but now you are light in the Lord. Walk as children of light
9 **(for the fruit of the Spirit is in all goodness, righteousness, and truth),**
10 finding out what is acceptable to the Lord."

INTRODUCTION

The letter to the Ephesians possesses two characteristics that are unmistakable: an impressive theological depth, and a practical dimension that is difficult to dismiss. Hidden in these we find one of the most remarkable peculiarities of the Gospel: the theology is eminently practical! There is no such thing as a theology in theory! It is impossible to divorce Christian conduct from doctrine! It is like a coin that has two faces: The doctrinal side and the practical one; but one cannot exist without the other. Here the apostle considers it appropriate to emphasize the practical aspects of the faith placing in Chapter 5:1-20 various points which he covered in Chapter 4:17-32.

STUDY DEVELOPMENT

I. TWO ACTIONS THAT PERTAIN TO EVERY BELIEVER (EPHESIANS 5:1,2)

A. To imitate God (5:1)

The passage begins with an imperative: "Therefore, be..." An imperative is not a recommendation, suggestion, or opinion... It is a command! And so, it should be implemented as such in our Christian character. Now there is something fundamental in this imperative, "Be...imitators," which is not in the negative sense as many times we see used where the word become synonymous with "copycat," but this has a positive connotation and always in reference to God and the things of God; for example: "Therefore I urge you, imitate me." (1 Corinthians 4:16), "Imitate me, just as I also imitate Christ." (1 Corinthians 11:1). The instruction then is not to be a shadow or copycat, but a true representation of the character of God and all that is good. If God so orders it, it is because it can be done, always with His help. Imitating God is rooted in the love that He has towards us

B. To walk in love (5:2)

The apostle begins verse 2 with another imperative: "Walk." He uses it in all of his letters except 1 and 2 Timothy, Titus and Philemon. This vast use reveals the importance that the apostle gives to the conduct of the believer. Note that the apostle uses God as the example in verse 1, and in verse 2 he uses our Lord Jesus Christ: the two greatest examples that man can find in this world! What a transformation and revolution that would occur in The Church if all believers would dedicate themselves to implementing these two imperatives! "And walk in love, as Christ also has loved us and given Himself for us." We are not charged to love as we are used to loving, seeking gain or out of egotism; but in a divine way, in the way of Christ: unconditionally and without personal gain. "As an offering and a sacrifice to God for a sweet-smelling aroma." The death of Christ was a pleasing offering to God. If we obey the instructions of the apostle Paul, we will be a sweet smelling offering unto the Lord.

II. PRÁCTICAS DE LAS CUALES HUIR (EFESIOS 5:3-6)

Porque son ajenas a la vida cristiana (5:3,4)

"Fornicación". Esta palabra denota todo tipo de corrupción sexual: prostitución, falta de castidad, inmoralidad, infidelidad. Es la palabra que se usa en Mateo 19:9 como una justificación para el divorcio: "Os digo que cualquiera que repudia a su mujer, salvo por causa de fornicación…". En español "fornicación" se aplica para solteros y "adulterio" para casados, hay quienes, dicen que el Señor enseñó, que si alguno se casa y encuentra que su esposa es virgen, tiene bases para solicitar el divorcio. Lo que el Señor enseñó es que cuando la esposa se prostituye, o es dada a la infidelidad, que en esos casos hay base para el divorcio. "…Y toda inmundicia…". Significa literalmente: "desecho"; se usaba en referencia a los cuerpos putrefactos de las tumbas que despedían mal olor", "impureza". "…O avaricia…". La definición de avaricia es: "Afán desordenado de poseer y adquirir riquezas para atesorarlas". Su gravedad la expone el apóstol al decir que la avaricia es idolatría, uno de los pecados más graves que condena la Biblia.

B. Porque provocan la ira de Dios (5:5,6)

"Nadie os engañe". Esta advertencia se debió a que habían entrado en la Iglesia falsos maestros que enseñaban que entre uno más pecaba, más se manifestaba la gracia de Dios. El apóstol Pablo los atacó en su carta a los Romanos, capítulo 6: "¿Qué, pues, diremos? ¿Perseveraremos en el pecado para que la gracia abunde? En ninguna manera. Porque los que hemos muerto al pecado, ¿cómo viviremos aún en él?" (v.1, 2). "Porque por estas cosas viene la ira de Dios sobre los hijos de desobediencia" (Romanos 6:15; Efesios 5:6). Recordemos la historia del diluvio, que vino por causa de la maldad de los hombres (Génesis 6:5). También la de Sodoma y Gomorra (Génesis 18:20,21). Hay una fuerte amonestación en contra de la vida en el pecado que el creyente debe siempre recordar: "No os engañéis: Dios no puede ser burlado: pues todo lo que el hombre sembrare, eso también segará. Porque el que siembra para su carne, de la carne segará corrupción; mas el que siembra para el Espíritu, del Espíritu segará vida eterna" (Gálatas 6:7,8).

III. RESULTADOS DE LA CONVERSIÓN (EFESIOS 5:8-10)

A. El creyente viene a ser luz (5:8)

"Porque en otro tiempo erais tinieblas…". ¡Expresión clásica en los escritos del apóstol Pablo! Con ella se describe el cambio radical que experimenta quien recibe a Cristo como su Salvador. Esta última palabra es la favorita del apóstol Juan, quien la cual usa en su Evangelio y primera carta, catorce veces. De manera que en el Nuevo Testamento se hace referencia a las tinieblas cuarenta y ocho veces. Además de estas palabras, hay pasajes donde la palabra "noche", se usa en sentido espiritual para denotar el mundo y la vida opuestas al reino de Dios. Todo aquello que es pecado, que es opuesto al carácter de Dios, es llamado en el Nuevo Testamento "tinieblas". Además de este signifi-

cado, "tinieblas" se usa como sinónimo de "ignorancia". Bíblicamente, uno que no ha conocido a Cristo se encuentra en las "tinieblas" de la ignorancia y en el reino de Satanás. Pero, el apóstol no dice: "Porque en otro tiempo estabais en las tinieblas", sino "erais". La razón es, porque, quien practica el pecado se hace uno con él, así como el que está en Cristo se hace uno con Él. "…Mas ahora sois luz en el Señor; andad como hijos de luz".

B. Con su vida puede agradar a Dios (5:9,10)

La versión Cantera-Burgos e Iglesias González, traduce: "Pues el fruto de la luz (consiste) en toda clase de bondad, justicia y verdad", traducción que consideramos correcta. Cristo, como la luz del mundo, y la fuente de la vida espiritual del creyente, se manifiesta en los creyentes por medio de la bondad, la justicia y la verdad. La palabra "bondad", ocurre en el Nuevo Testamento únicamente cuatro veces: Gálatas 5:22; Efesios 5:9; Romanos 15:14 y 2 Tesalonicenses 1:11. Como se puede ver, solamente el apóstol Pablo utiliza esta palabra. Tiene las acepciones de "benevolencia", "rectitud de corazón y vida", "generosidad". En Gálatas 5:22 el apóstol Pablo dice que el fruto del Espíritu es "…benignidad, bondad…". Estos términos en español son sinónimos, pero en el griego bíblico, "benignidad" era una cualidad interna, mientras que la "bondad" era la exteriorización de la "benignidad". Esto es, el que es bondadoso es porque es benigno por dentro. A continuación el apóstol menciona la "justicia", que en este caso se refiere a la "rectitud de vida", y por fin, como fruto de la luz, coloca la "verdad".

RESUMEN GENERAL

Se escogió como título para nuestra lección, "El creyente, un imitador de Dios", basado en el texto: "Sed, pues, imitadores de Dios como hijos amados" (5:1). Esto está en consonancia con lo que es médula de la fe cristiana: Dios no pide de nosotros bagatelas sino lo más preciado. Dios no nos pide superficialidades ni pequeñeces que no impliquen sacrificio, dedicación y determinación. A Noé le ordenó que construyera un arca; a Abraham le ordenó que dejara su patria y su parentela; a Moisés le pidió, a los ochenta años, que sacara de la esclavitud egipcia a toda una nación, a los apóstoles les ordenó que dejaran todo para que le siguieran. Y a nosotros nos ha pedido que seamos imitadores suyos. En el amor, en el perdón, en la santidad, en la bondad, en la benignidad, en la misericordia, y en la disposición de servir al prójimo. ¡Qué gran privilegio es asemejarnos a Dios!

PREGUNTAS

1. Mencione las dos características que son inconfundibles en las cartas del apóstol Pablo.
2. ¿Cuáles son los dos imperativos que menciona Pablo, en Efesios 5:1,2?
3. En Efesios 5:3, el apóstol menciona algunas prácticas de las cuales hay que huir, ¿cuáles son?
4. ¿Por qué según el apóstol Pablo el creyente no debe practicar el pecado?
5. ¿En qué cosas el creyente debe ser imitador de Cristo?

II. PRACTICES FROM WHICH TO FLEE (EPHESIANS 5:3-6)

A. Because they are foreign to the Christian life (5:3,4)

"Fornication." This word indicates all types of sexual corruption: prostitution, lack of chastity, immorality, and infidelity. It is the word that is used in Matthew 19:9 as a justification for divorce: "And I say to you, whoever divorces his wife, except for sexual immorality." In Spanish, "fornication" is used for those who are single and "adultery," is used for those who are married. There are those that say that the Lord taught that if a man gets married and finds out that his wife is not a virgin that he has a basis for requesting a divorce. What the Lord taught is that if his wife prostitutes herself, or is given to infidelity, that in those cases there is a basis for divorce. "And all uncleanness," literally means: "waste." It was used when referring to the rotting corpses in the tombs that let off a foul odor, "an impurity." "Or covetousness." The definition of covetousness is: "an inordinate or wrongful desire of wealth or possessions." Its gravity is exposed by the apostle when he says that covetousness is idolatry, one of the most serious sins condemned by the Bible.

B. Because they provoke the wrath of God (5:5,6)

"Let no one deceive you." This warning is given due to the fact that there had been false teachers that had entered the church teaching that the more you sinned the more the grace of God was manifested. The apostle Paul attacks these teachers in his letter to the Romans: "What shall we say then? Shall we continue in sin that grace may abound? Certainly not! How shall we who died to sin live any longer in it?" (Romans 6:1,2). "For because of these things the wrath of God comes upon the sons of disobedience." (Ephesians 5:6; Romans 6:15). If we remember the story of the flood, we recall that it came because of the wickedness of man (Genesis 6:5). We also remember Sodom and Gomorrah (Genesis 18:20,21). There's a strong admonishment against a life of sin that the believer should always remember; "Do not be deceived, God is not mocked; for whatever a man sows, that he will also reap. For he who sows to his flesh will of the flesh reap corruption, but he who sows to the Spirit will of the Spirit reap everlasting life." (Galatians 6:7-8).

III. THE RESULTS OF A CONVERSION (EPHESIANS 5:8-10)

A. The believer becomes light (5:8)

"For you were once darkness." A classic expression in the writings of the apostle Paul. With that, he describes the radical change that is experienced by anyone who receives Christ as their Savior. This last word is a favorite of the apostle John, Who uses it in his gospel and also in his first letter 14 times. Consequently, the New Testament makes reference to "darkness," 48 times. In addition to these words, there are passages where the word "night," is used in a spiritual sense to signify the world and the life that opposes the kingdom of God. All that is sin, all that is opposed to the character of God, is called "darkness" in the New Testament. In addition to this meaning, "darkness" is used as a synonym for "ignorance." Biblically, anyone who has not known Christ is found in the "darkness" of ignorance and in the kingdom of Satan. However, the apostle does not say: "For you were once in darkness," but he says "you were once darkness." The reason for this is that whoever practices sin becomes one with it, just as he who is in Christ becomes one with Him. "But now you are light in the Lord. Walk as children of light."

B. The believer, with his life, can please God (5:9,10)

The Cantera-Burgos and Iglesias Gonzalez version of the Bible translates: "for the fruit of light (consists) of all types of goodness, righteousness, and truth," a translation that is considered correct. Christ, as light of the world and the source of the spiritual life of every believer, is manifested in believers through goodness, righteousness, and truth. The word "goodness," appears only four times in the New Testament: Galatians 5:22, Ephesians 5:9, Romans 15:14, and 2 Thessalonians 1:11. As we can see, only the apostle Paul uses this word. We can include "benevolence," "upright in heart and life," and "generosity," as exceptions. In Galatians 5:22, the apostle Paul says that the fruit of the Spirit is: "kindness, goodness." These terms in Spanish are synonymous, but in the biblical Greek, "kindness" was an internal quality, while "goodness" was the externalization of "kindness." So, he who shows goodness is filled with kindness. The apostle follows by mentioning "righteousness," which in this case refers to being "upright," and finally, as a fruit of light, he speaks of "truth."

GENERAL SUMMARY

"The believer, an imitator of God," was chosen as the title for our lesson based on the verse: "Therefore be imitators of God as dear children" (5:1). This is in line with what is at the center of the Christian faith: God does not ask of us that which is worthless but that which is most precious. He does not ask for superficialities or petty things that do not require sacrifice, dedication, and determination. He ordered Noah to build an ark; he ordered Abraham to leave his homeland and family; of Moses, he asked, at 80 years old, to free a nation from Egyptian slavery; he ordered the apostles to leave all they had to follow Him. Of us, He asks to be His imitators: in love, in forgiveness, in holiness, in goodness, in kindness, in mercy, and in the disposition to serve our neighbor. What a great privilege it is to be an imitator of God!

QUESTIONS

1. List the two unmistakable characteristics of Paul's letters.
2. What are the two imperatives that Paul mentions in Ephesians 5:12?
3. In Ephesians 5:3, the apostle mentions practices that we should flee from. What are they?
4. According to the apostle Paul, why should the believer not practice sin?
5. In what ways should a believer be an imitator of Christ?

NORMAS QUE EL CREYENTE NO PUEDE PASAR POR ALTO

ESTUDIO BÍBLICO 24

Base bíblica
Efesios 5:11-20

Pensamiento central
Hay normas de conducta cristiana que Dios ha establecido para el bien del creyente y para protección del testimonio de la Iglesia.

Texto áureo
Y no participéis en las obras infructuosas de las tinieblas, sino más bien reprendedlas (Efesios 5:11).

Objetivos
Este estudio permitirá que pueda:
1. Comprender bien que la conducta del creyente está regida por absolutos divinos.
2. Saber que estos absolutos no se pueden violar sin acarrear perjuicios.
3. Reafirmar que la mejor proclamación del evangelio es la buena conducta de los creyentes.

Fecha sugerida: _____ / _____ / _____

LECTURA BÍBLICA

Efesios 5:11 Y no participéis en las obras infructuosas de las tinieblas, sino más bien reprendedlas; 12 porque vergonzoso es aun hablar de lo que ellos hacen en secreto. **13 Mas todas las cosas, cuando son puestas en evidencia por la luz, son hechas manifiestas; porque la luz es lo que manifiesta todo.** 14 Por lo cual dice: Despiértate tú que duermes, y levántate de los muertos, y te alumbrará Cristo. **15 Mirad, pues, con diligencia cómo andéis, no como necios sino como sabios.**

16 aprovechando bien el tiempo, porque los días son malos. **17 Por tanto, no seáis insensatos, sino entendidos de cual sea la voluntad del Señor.** 18 No os embriaguéis con vino, en lo cual hay disolución; antes bien sed llenos del Espíritu, **19 hablando entre vosotros con salmos, con himnos y cánticos espirituales, cantando y alabando al Señor en vuestros corazones.** 20 dando siempre gracias por todo al Dios y Padre, en el nombre de nuestro Señor Jesucristo.

INTRODUCCIÓN

La vida cristiana no se puede esconder, como tampoco se puede esconder la conducta de alguien que está distanciado de Dios. El estilo de vida que se describe en el pasaje citado lo produce el Espíritu Santo, pero para que esto suceda, el creyente debe aportar su deseo de vivir la vida cristiana en su plenitud. Esto es fundamental, porque lo bueno no puede manifestarse si previamente no se ha despojado de lo malo. Lo bueno y lo malo no pueden coexistir en el creyente, como no se puede mezclar el aceite con el agua. Es ley de la vida espiritual que el bien desplaza al mal y viceversa; el hombre nuevo no puede vivir con el viejo, ni este con aquel. Cuando en la primavera empiezan a surgir los nuevos brotes de los árboles, las hojas secas que se quedaron prendidas en el invierno, van cayendo, porque no pueden resistir el empuje de la nueva savia.

DESARROLLO DEL ESTUDIO

I. EL CREYENTE NO DEBE PARTICIPAR DE LO QUE ES MALO (EFESIOS 5:11-13)

A. Porque lo malo es reprensible (5:11,12)

"Y no participéis en las obras infructuosas de las tinieblas, sino más bien reprendedlas" (v.11). Cuando la Biblia exhorta a no hacer lo malo da la impresión de que está colocando un muro entre el bien y el mal que debe ser infranqueable; como que si fuesen dos campos divididos por un abismo sobre el cual no se pueden colocar puentes. Se puede ilustrar con el paso del mar Rojo por los israelitas que salieron de Egipto: Dios les abrió las aguas para que pasaran al otro lado, pero se las cerró para que no regresaran. Este cruce lo llamó el apóstol Pablo un "bautismo", (1 Corintios 10:1-3) ya que representa el bautismo cristiano con el cual uno determina romper con el pasado y nunca más volver a él. El bautismo cristiano también representa muerte y resurrección: Muerte al pecado, y resurrección a la nueva vida en Cristo Jesús. Las obras del mal son llamadas por el apóstol Pablo "infructuosas". Esto es, que no producen "buen fruto", que son estériles para el bien, que son obras de las cuales no se puede esperar algo bueno.

B. Porque lo malo nunca queda oculto (5:13)

"Este texto se ha prestado para muy variadas interpretaciones. Algunos eruditos bíblicos dan las siguientes explicaciones: "Porque todo lo que es iluminado por la luz, viene a ser luz"; "Porque todas las cosas que son probadas por la luz de la doctrina de Cristo, nadie necesita mantenerlas en secreto; sin embargo, todo lo que uno puede hacer abiertamente, es en sí luz". La idea, entonces, es: que cuando el que practica cosas aberrantes es reprendido y expuesto a la luz de Cristo y su palabra, experimenta vergüenza, se arrepiente, y viene

24 BIBLE STUDY

STANDARDS THAT A BELIEVER MUST NOT OVERLOOK

Biblical foundation
Ephesians 5:11-20

Objectives
As we develop the lesson you will be able to:
1. Clearly understand that a believer's conduct is governed by divine absolutes.
2. Know that these absolutes cannot be violated without incurring harm.
3. Affirm that the best proclamation of the Gospel is a believer's good conduct.

Main idea
There are standards of Christian conduct that God has established for the good of the believer and to protect the testimony of The Church.

Golden verse
"And have no fellowship with the unfruitful works of darkness, but rather expose them." (Ephesians 5:11)

Suggested date: _____ / _____ / _____

RESPONSIVE READING

Ephesians 5:11 "And have no fellowship with the unfruitful works of darkness, but rather expose them.
12 For it is shameful even to speak of those things which are done by them in secret.
13 But all things that are exposed are made manifest by the light, for whatever makes manifest is light.
14 Therefore He says: "Awake, you who sleep, Arise from the dead, And Christ will give you light."
15 See then that you walk circumspectly, not as fools but as wise,

16 redeeming the time, because the days are evil.
17 Therefore do not be unwise, but understand what the will of the Lord is.
18 And do not be drunk with wine, in which is dissipation; but be filled with the Spirit,
19 speaking to one another in psalms and hymns and spiritual songs, singing and making melody in your heart to the Lord,
20 giving thanks always for all things to God the Father in the name of our Lord Jesus Christ"

INTRODUCTION

The Christian life cannot be hidden, neither can the conduct of someone who is alienated from God. The lifestyle that is described in our Bible passage is produced by the Holy Spirit. But for this to happen, the believer must contribute a desire to live the Christian life in its fullness. This is fundamental, since what is good cannot be manifested unless one has previously put off evil. Good and evil cannot coexist in the believer just as you cannot mix oil and water. It is spiritual law that good displaces evil and vice versa. The new man cannot live with the old. When springtime arrives and trees begin to blossom, the dry leaves that still are still hanging from winter begin to fall, as they cannot resist the flow of new sap.

STUDY DEVELOPMENT

I. A BELIEVER SHOULD NOT PARTICIPATE IN EVIL (EPHESIANS 5:11-13)

A. Because what is evil is reprehensible (5:11,12)

"And have no fellowship with the unfruitful works of darkness, but rather expose them" (v11). When the Bible warns against doing what is evil, we get the impression that it is creating an impassable wall between good and evil; as if two fields were separated by an abyss that is impossible to bridge. We can illustrate this with the crossing of the Red Sea

by the Israelites when they left Egypt: God parted the sea so that they could cross to the other side, but then closed it so that they would not return. This crossing was referred to as a "baptism" by Paul, (1 Corinthians 10:1-3), since it represents the Christian baptism through which one determines to break with the past and never return to it. The Christian baptism also represents death and resurrection: death to sin, and resurrection to a new life in Christ Jesus. The works of evil are called "unfruitful" by the apostle Paul. That is, they do not produce "good fruit," they are sterile to that which is good. They are works where nothing good can be expected.

B. Because evil never remains hidden (5:13)

This verse has lent itself to various interpretations. Some Bible scholars give the following explanations: "Because all things that are illuminated by the light become light;" "Because all things that are tested by the light of the doctrine of Christ need not be kept in secret; however, all things that can be done openly are in effect light." The idea, then, is that when he who practices aberrant things is rebuked and exposed to the light of Christ and His Word, they experience shame, they repent, and they come to be light, fulfilling what is said in verse 8: "For you were once darkness, but now you are light in the Lord. Walk as children of light." Evil, when it is exposed to the light, must disappear since evil exists only in darkness. Therefore, when a sinner, who belongs to

a ser luz, cumpliéndose así lo que dice el v.8: "Porque en otro tiempo erais tinieblas, mas ahora sois luz en el Señor: andad como hijos de luz". Lo malo, cuando es expuesto a la luz, tiene que desaparecer ya que el mal únicamente existe en las tinieblas; por lo tanto, cuando el pecador, que es parte de las tinieblas, es confrontado con la luz de Cristo, muere a las tinieblas y viene a ser parte de la luz.

II. EL CREYENTE DEBE SER CUIDADOSO EN SU CONDUCTA (EFESIOS 5:14-17)

A. Su conducta debe ser sabia (5:14,15)

Los expositores bíblicos llaman a esta cita (v.14), "una estrofa con tres líneas", o un "triplete": y constituían una estrofa de un canto que entonaba la iglesia primitiva cuando el que se bautizaba emergía de las aguas. Ahora hace un llamado a "Andar con diligencia" (v.15). "Andar" equivale a vivir, lo cual denota acción ya que la vida cristiana es un estilo de vida que se expresa ininterrumpidamente. ¿Cómo deben vivir los creyentes? La respuesta viene con un contraste que es típico en los escritores del Nuevo Testamento: "…no como necios, sino como sabios". Estos contrastes son característicos en el Evangelio de Juan: Día–noche; luz–tinieblas; verdad–mentira; vida–muerte; buen pastor–asalariado; rama que da fruto–rama estéril, etc. En el v.15 el apóstol utiliza los opuestos de necio–sabio, sin ningún punto intermedio. Para el apóstol, no es sabio aquel que sabe mucho, sino el que vive bajo el temor de Dios (Proverbios 1:7; 9:10).

B. Debe conocer la voluntad de Dios (5:16,17)

"Aprovechando bien el tiempo…" (v.16). La versión Reina-Valera de 1909, traduce "redimiendo". Ambos transmiten la idea, como la acción de "emplear útilmente algo, hacerlo provechoso o sacarle el máximo rendimiento". La misma exhortación se encuentra en Colosenses 4:5: "Andad sabiamente con los de afuera, redimiendo el tiempo". Esta exhortación nos ayuda a penetrar profundamente en la mentalidad del apóstol. Pablo deseaba ver a cada creyente como un administrador sabio de la vida y todas las cosas relacionadas con ella. Bíblicamente, el mal uso del tiempo es un despilfarro de la vida, y qué triste es llegar al fin de nuestros días sin haber hecho un buen manejo del tiempo, de las facultades naturales y de los dones que Dios nos dio. "…Porque los días son malos" (v.16). El apóstol se refirió al tiempo presente como un "siglo malo", porque "el príncipe de la potestad del aire, el espíritu que ahora opera en los hijos de desobediencia" (Efesios 2:2)

III. EL CREYENTE DEBE VIVIR EN EL ESPÍRITU (EFESIOS 5:18-20)

A. Siendo lleno de Él (5:18)

"No os embriaguéis con vino, en lo cual hay disolución; antes bien sed llenos del Espíritu". El apóstol Pablo reprendió a algunos miembros de la Iglesia en Corinto que al celebrar la Cena del Señor se embriagaban (1 Corintios 11:21), y ya antes les había dicho que los borrachos no heredarán el reino de Dios (1 Corintios 6:10). No se sabe exactamente si el caso de Éfeso haya sido el mismo que el de Corinto; más

parece ser que el apóstol está tomando medidas preventivas para que no sucediera en Éfeso lo que había ocurrido en Corinto. Esta parece ser la idea. La embriaguez conduce a la disolución; como traducen algunas versiones de la Biblia, "al desenfreno". La embriaguez es un peligro para el que bebe y para los que están cerca de él. Lo más importante es que el apóstol ofrece una antítesis que debería ser norma para todos los miembros de la iglesia: "…antes bien sed llenos del Espíritu". ¡Cuánto habla el Nuevo Testamento sobre el imperativo de ser llenos del Espíritu Santo!

B. Alabando siempre a Dios y siendo agradecido (5:19,20)

Este versículo (v.19), es casi idéntico a Colosenses 3:16, y cuando se estudian juntos, exponen una bellísima descripción de lo que era el estilo de vida entre los creyentes primitivos y la liturgia de sus cultos. En primer lugar, se refieren a dos formas de la alabanza: (a) al canto antifonal que era muy común en Israel y en la iglesia primitiva; (b) y el canto que era usado para edificarse mutuamente. Segundo, "cánticos espirituales", se refiere a cánticos inspirados por el Espíritu Santo. Tercero, por "salmos" se entiende los salmos del Antiguo Testamento o himnos compuestos siguiendo dicho modelo; "himnos" se refiere a aquellas composiciones como las que se encuentran en los himnarios, y "cánticos", a alabanzas espontáneas. Cuarto, la alabanza era resultado del conocimiento y uso de la Palabra de Dios en los cultos. Sexto, la alabanza debe surgir del corazón y expresarse con los labios. Séptimo, todo debe ser hecho con sabiduría. Octavo, con un espíritu sincero de agradecimiento (v.20).

RESUMEN GENERAL

(1) Las obras malas, no solamente deben ser rechazadas por el creyente, sino además "reprendidas" (v.11). (2) El solo hecho de hablar acerca de las cosas malas puede ser peligroso para la vida espiritual. (3) Se requiere diligencia para vivir la vida cristiana (v.15). No existe ninguna profesión que requiera más atención que la vida cristiana. (4) La administración del tiempo (v.16), muchos administran muy bien su dinero, pero derrochan su tiempo. (5) El creyente debe ser sumamente sensible a la voluntad de Dios (v.17). Hay quienes provocan problemas para sus vidas porque hacen cosas sin considerar lo que Dios dice al respecto. (6) Y por último, debemos ser agradecidos por todo (v.20), por lo espectacular y por lo rutinario, por lo grande y por lo chico, por un milagro portentoso y por el agua que bebemos y el aire que respiramos.

PREGUNTAS

1 ¿Qué elementos son indispensables para vivir una auténtica vida cristiana?

2. ¿Cómo ilustra el apóstol Pablo en 1 Corintios 10:1-3, el cambio de vida que experimenta el creyente?

3. ¿Cómo llaman los expositores bíblicos a Efesios 5:14? y ¿cómo se usaba?

4. ¿Qué antídoto da el apóstol Pablo a la Iglesia en contra de la tentación de las bebidas embriagantes?

5. ¿Qué es lo que describe el apóstol Pablo en Efesios 5:19,20?

the darkness, is confronted by the light of Christ, he dies to darkness and becomes part of the light.

II. THE BELIEVER SHOULD BE CAREFUL IN HIS CONDUCT (EPHESIANS 5:14-17)

A. His conduct should be wise (5:14,15)

Bible expositors call this text (v14) a "verse with three lines," or a "triplet," and was part of a verse in a song sung by the primitive church when someone who had just been baptized was emerging from the water. Paul now calls believers to "walk circumspectly," or with diligence (v15). "Walk," here is the same as "live," which denotes an action since the Christian life is a lifestyle that is expressed without interruption. How then should believers live? The answer comes with a contrast that is typically used by the writers of the New Testament: "not as fools but as wise." These contrasts are features in the Gospel of John: day-night, light-darkness, truth-lie, life-death, good shepherd-hired hand, branch that bears fruit-sterile branch, etc. In verse 15, the apostle uses the opposites "fool-wise," with no in-between. To the apostle, it is not the one who knows much that is wise, but he who lives in the fear of God (Proverbs 1:7; 9:10).

B. He should know the will of God (5:16,17)

"Redeeming the time," or "making the most of every opportunity (NIV)." Both translations transmit the idea of "putting something to good use to get the most benefit, to make the best use of something." The same counsel is found in Colossians 4:5, "Walk in wisdom toward those who are outside, redeeming the time." This instruction allows us to see deeper into the thinking of the apostle. Paul wanted to see every believer as a wise administrator of life and all things related to it. Biblically speaking, misuse of time is a waste of life, and it is sad to have reached the end of one's days without having made the best use of our time, natural abilities, and God-given gifts, "Because the days are evil" (v16). The apostle referred to the present time as an "evil age," because of "the prince of the power of the air, the spirit who now works in the sons of disobedience," (Ephesians 2:2)

III. THE BELIEVER SHOULD LIVE IN THE SPIRIT (EPHESIANS 5:18-20)

A. Being filled with Him (5:18)

"And do not be drunk with wine, in which is dissipation; but be filled with the Spirit." The apostle Paul rebuked some members of the church in Corinth who, when celebrating The Lord's supper, would get drunk (1 Corinthians 11:21), and he had already warned them that drunkards would not inherit the kingdom of God (1 Corinthians 6:10). It is not known, exactly, if the same thing that happened in Corinth was happening in Ephesus; but it appears that the apostle was taking preventive measures to avoid that from happening. This appears to be the idea in this text. Drunkenness leads to dissipation, or as some versions would translate it, "to debauchery." Drunkenness is a danger to the one who drinks as well as to those around him. The most important thing here is that the apostle offers a contraposition that should be the norm for all members of The Church: "but be filled with the Spirit." And, oh, how the New Testament speaks of the command to be filled with the Holy Spirit!

B. Praising God always and showing gratitude (5:19,20)

Verse 19 is almost identical to Colossians 3:16, and when studied together they present a beautiful description of what the lifestyle of the early believers was like and how was the liturgy of their worship services. First, there are two forms of praise referenced: (a) the responsive song which was very common in Israel and in the early church; (b) and the song that was used for mutual edification. Second, "spiritual songs," which were songs inspired by the Holy Spirit. Third, by "psalms," we understand the Psalms of the Old Testament or hymns composed using the aforementioned model; "Hymns" refers to those compositions found in hymnals, and "songs," to a spontaneous praise. Fourth, praise was the result of knowledge and use of the Word of God in their church services. Fifth, praise should originate in the heart and be expressed with the lips. Sixth, everything should be done with wisdom, and seventh, with a sincerely grateful spirit.

GENERAL SUMMARY

(1) Evil deeds should not only be rejected by the believer but should also be "exposed" (v11). (2) The simple act of speaking about evil things could be dangerous to our spiritual life. (3) Diligence is required to live the Christian life (v15). No other profession exists that requires more attention than the Christian life. (4) Managing time (v16), many people administer their money well but squander their time. (5) The believer should be highly sensible to the will of God (v17). There are those that add problems to their lives by doing things without considering what God says about it. (6) Finally, we should be thankful in all things (v20), for the spectacular and for the routine, for big and small things, for a powerful miracle but also for the water we drink and the air that we breathe.

QUESTIONS

1. What elements are indispensable in order to live an authentic Christian life?
2. In 1 Corinthians 10:1-3, how does Paul illustrate the change that a believer experiences?
3. What do Bible expositors call Ephesians 5:14? How was this used?
4. What antidote does the apostle Paul give the Church against the temptation of intoxicating drinks?
5. What is it that Paul describes in Ephesians 5:19,20?

EL HOGAR CRISTIANO

Base bíblica
Efesios 5:21-33

Pensamiento central
La presencia de Cristo en los integrantes de un hogar es la mejor manera de mantener su paz y su felicidad.

Texto áureo
Maridos, amad a vuestras mujeres, así como Cristo amó a la Iglesia, y se entregó a sí mismo por ella (Efesios 5:25).

Objetivos
Con el desarrollo de este estudio podrán:
1. Tener un claro entendimiento del pasaje estudiado.
2. Comprender que la relación entre esposo y esposa debe ser como la relación que existe entre Cristo y la Iglesia.
3. Determinar que Cristo sea el Señor del hogar.

Fecha sugerida: _____ / _____ / _____

LECTURA BÍBLICA

Efesios 5:21 Someteos unos a otros en el temor de Dios.
22 Las casadas estén sujetas a sus propios maridos, como al Señor;
23 porque el marido es cabeza de la mujer, así como Cristo es cabeza de la Iglesia, la cual es su cuerpo, y él es su Salvador.
24 Así que, como la Iglesia está sujeta a Cristo, así también las casadas lo estén a sus maridos en todo.
25 Maridos, amad a vuestras mujeres, así como Cristo amó a la Iglesia, y se entregó a sí mismo por ella,
26 para santificarla, habiéndola purificado en el lavamiento del agua por la palabra,
27 a fin de presentársela a sí mismo, una Iglesia gloriosa, que no tuviese mancha ni arruga ni cosa semejante, sino
que fuese santa y sin mancha.
28 Así también los maridos deben amar a sus mujeres como a sus mismos cuerpos. El que ama a su mujer, a sí mismo se ama.
29 Porque nadie aborreció jamás a su propia carne, sino que la sustenta y la cuida, como también Cristo a la Iglesia,
30 porque somos miembros de su cuerpo, de su carne y de sus huesos.
31 Por esto dejará el hombre a su padre y a su madre, y se unirá a su mujer, y los dos será una sola carne.
32 Grande es este misterio; mas yo digo esto respecto de Cristo y de la Iglesia.
33 Por lo demás, cada uno de vosotros ame también a su mujer como a sí mismo, y la mujer respete al marido.

INTRODUCCIÓN

Ninguna sociedad, ninguna Iglesia, ningún hogar, ninguna institución pueden lograr lo que un buen matrimonio tiene la capacidad de alcanzar. No debe sorprendernos, pues, que el apóstol Pablo haya considerado necesario hablar acerca del matrimonio, su importancia que tiene en el hogar, y el gran simbolismo que tiene de la unión que existe entre Cristo y la Iglesia. Se ha sugerido que toda sociedad es producto de los matrimonios que la integran, y desde la perspectiva bíblica, se puede afirmar también que toda Iglesia local es producto de sus matrimonios. Consideremos, pues, el hermoso pasaje que está para nuestra consideración.

DESARROLLO DEL ESTUDIO

I. CÓMO DEBE SER EL TRATO ENTRE LOS ESPOSOS (EFESIOS 5:21-24)

A. Todos estamos sujetos a alguien (5:21)

"Someteos unos a otros en el temor de Dios" (v.21). Sometimiento no debe ser tomado como servilismo o una sujeción injusta. Y, aquellos que ejercen la autoridad no deben abusar de ella. El sometimiento del cual habla el apóstol en este pasaje y en Colosenses 3:18-4:1 es un orden establecido por Dios en las relaciones humanas para el bienestar, del matrimonio, el hogar, la Iglesia y la sociedad. Es un orden de beneficios mutuos, ya que de lo contrario se implantaría la anarquía que es, quizá, el peor de los desórdenes. "Sometimiento" significa que hay un orden para que las cosas marchen bien, en el cual nadie se debe considerar superior ni inferior sino partes de un todo para que haya armonía. Ahora, este noble sometimiento del cual habla el apóstol Pablo tiene un carácter espiritual ya que debe ser "en el temor de Dios".

B. La relación esposo-esposa (5:22-24)

"Las casadas estén sujetas a sus propios maridos, como al Señor" (v.22). El apóstol da una razón para esta sumisión, razón que conlleva tres argumentos: "Porque el marido es cabeza de la mujer, así como Cristo es cabeza de la Iglesia, la cual es su cuerpo, y él es su Salvador" (v.23). Así como Cristo ofrece lo mejor para su Iglesia, lo mismo el esposo para su esposa. La cabeza ofrece dirección, y la buena dirección siempre es sinónimo de seguridad y protección. Por lo tanto, esta es una posición muy sagrada que Dios le ha dado al hombre en el hogar. Ahora, si el marido asume su papel en el hogar como Cristo lo hace con su Iglesia, la esposa debe

25 BIBLE STUDY

THE CHRISTIAN HOME

Biblical foundation
Ephesians 5:21-33

Objectives
As we develop the lesson you will be able to:
1. Have a clear understanding of the passage in our study.
2. Understand that the relationship between husband and wife should be like that of Christ and the Church.
3. Be determined to have Christ be Lord of the home.

Suggested date: _____ / _____ / _____

Main idea
The presence of Christ in the members of a home is the best way to keep its peace and happiness.

Golden verse
"Husbands, love your wives, just as Christ also loved the church and gave Himself for her."
(Ephesians 5:25)

RESPONSIVE READING

Ephesians 5:21 "submitting to one another in the fear of God.
22 Wives, submit to your own husbands, as to the Lord.
23 For the husband is head of the wife, as also Christ is head of the church; and He is the Savior of the body.
24 Therefore, just as the church is subject to Christ, so let the wives be to their own husbands in everything.
25 Husbands, love your wives, just as Christ also loved the church and gave Himself for her,
26 that He might sanctify and cleanse her with the washing of water by the word,
27 that He might present her to Himself a glorious church, not having spot or wrinkle or any such thing, but that she should be holy and without blemish.

28 So husbands ought to love their own wives as their own bodies; he who loves his wife loves himself.
29 For no one ever hated his own flesh, but nourishes and cherishes it, just as the Lord does the church.
30 For we are members of His body, of His flesh and of His bones.
31 "For this reason a man shall leave his father and mother and he joined to his wife, and the two shall become one flesh."
32 This is a great mystery, but I speak concerning Christ and the church.
33 Nevertheless let each one of you in particular so love his own wife as himself, and let the wife see that she respects her husband."

INTRODUCTION

No society, nor church, nor home, nor any other institution can accomplish what a good marriage has the capability of reaching. It should not surprise us, then, that the apostle Paul considers it necessary to speak about marriage, its importance in the home, and the great symbolism it has as it relates to the union that exists between Christ and the church. It has been suggested that every society is a product of the marriages that make it up, and from a Biblical perspective, we can also affirm that every local church is a product of its marriages. Let us consider, then, this beautiful passage before us today.

STUDY DEVELOPMENT

I. HOW SHOULD SPOUSES DEAL WITH ONE ANOTHER (EPHESIANS 5:21-24)

A. We are all subject to someone (5:21)

"Submitting to one another in the fear of God," (v.21). Submission here should not be taken as servility or an unjust subjection; and those that exercise authority should not abuse of it. The submission that the apostle speaks of in this passage and in Colossians 3:18-4:1 is an order that is established by God in human relations for the well-being of marriage, the home, the church, and society. It is a command that has mutual benefits; otherwise, we would see anarchy, which is, perhaps, the worst of all disorders. "Submission," means that there is a specified order for things to go well, where no one should consider themselves superior or inferior, but part of a whole in order for there to be harmony. Now, this noble submission, of which the apostle Paul speaks, has a spiritual characteristic since it should be, "in the fear of God."

B. The relationship between husband and wife (5:22-24)

"Wives, submit to your own husbands, as to the Lord," (v.22). The apostle gives a reason for this submission, one that has three arguments: "For the husband is head of the wife, as also Christ is head of the church; and He is the Savior of the body," (v.23). Just as Christ offers the best to His church, so should a husband do to his wife. The head offers leadership, and good leadership is always synonymous with security and protection. So we see that this is a very sacred position that God has given man within the home. Now, if the husband assumes his role within the home as Christ has within the church, the wife should be submitted to him "in all things," that is, in all things that are according to the will of God. Within the home

estar sujeta a él "en todo", sugiriéndose en todo aquello que es conforme a la voluntad de Dios. En el hogar no pueden haber dos cabezas: dos personas que piensen distinto. ¡Todo debe ser hecho, siguiendo los valores de Dios, revelados en su Palabra, la Biblia!

II. EL MARIDO DEBE SEGUIR EL EJEMPLO DE CRISTO (EFESIOS 5:25-28)

A. Amar a su esposa como Cristo amó a la Iglesia (5:25a)

"Maridos amad a vuestras mujeres…". Aquí nos encontramos con una situación que riñe con el concepto popular de lo que es el amor. Se habla de que el amor es un asunto del corazón sobre el cual uno no tiene control. El justificativo casi siempre es que en los asuntos del amor el que controla es el corazón y no la razón. Pero, ¿será cierto que el amor y la razón son incompatibles? Todo depende en lo que se entienda por amor. En muchos de los casos, lo que existe es infatuación, pero no amor. En el amor se desea lo mejor para el otro; en la infatuación predomina el egoísmo, el capricho, la emoción descontrolada. La infatuación es de arranques esporádicos y torpes; el amor es consistente, sólido y equilibrado. El amor es inteligente, mientras que la infatuación y el emocionalismo conducen al fanatismo y a la torpeza. El amor verdadero desea el bienestar y lo mejor para el otro.

B. El amor de Cristo por la Iglesia consiste en acciones (5:25b-28)

"…y se entregó a sí mismo por ella". (v.25b). Cristo probó su amor por la Iglesia entregándose por ella voluntariamente. La entrega de Cristo por su Iglesia no fue consecuencia de alguna coerción que el Padre le haya impuesto. Su determinación de morir por la humanidad fue una decisión voluntaria y decidida porque así son las acciones del amor. Este es el ejemplo máximo y el modelo perfecto para el amor que el esposo debe de tener para su esposa. El amor entre esposos es una decisión de la voluntad, es una determinación inteligente que se cultiva día a día, con grandes y con pequeñas acciones. El amor se cultiva, empezando por ejemplo, con la eliminación de todo aquello que lo daña: asperezas, desatenciones, faltas de respeto, egoísmo, lenguaje rudo, falta de comunicación, etc. Luego practicando pequeños detalles diarios: la palabra dulce, la conversación mesurada, el ceder el paso, el abrir la puerta, el saber decir "gracias", estos y muchos más detalles pequeños son expresiones y fertilizantes del amor.

III. EN EL MATRIMONIO SE DESPLIEGA UN MISTERIO (EFESIOS 5:29-33)

A. El cuidado de Cristo por su Iglesia, un ejemplo para el esposo (5:29,30)

Es muy probable que el apóstol Pablo, al escribir el pasaje de nuestro estudio, haya tenido en mente Ezequiel 16:9-14, donde Dios, bajo una bellísima figura literaria de esposo y esposa, le dice a su pueblo apóstata lo que había hecho por él: "Te lavé", "te ungí", "te vestí", "te calcé", "te ceñí", "te atavié", "puse", "fuiste adornada", "comiste", "fuiste hermoseada", "prosperaste", "mi hermosura que yo puse en ti". Todos estos actos divinos tienen su equivalente en la experiencia cristiana, como también todos los objetos a los cuales se hace alusión: agua, aceite, bordado, lino, seda, adornos, collar, joyas, etc. El "agua", símbolo de la sangre de Cristo que limpia de todo pecado; "unción", símbolo del Espíritu Santo; "vestir", símbolo de la justificación; "joyas", símbolos de los dones del Espíritu; "hermosa diadema", el nombre nuevo del cual habla Apocalipsis, y luego, una condición: "perfección". Esto último tiene su equivalente en Efesios 5:27: "a fin de presentársela a sí mismo, una Iglesia gloriosa, que no tuviese mancha ni arruga ni cosa semejante…". ¡Lo mismo tiene que hacer el esposo con su esposa! ¡Debe proveerle todo lo que coadyuva para su bienestar general!

B. El esposo debe amar a su esposa; la esposa debe respetar a su esposo (5:31-33)

"Por esto dejará el hombre a su padre y a su madre, y se unirá a su mujer, y los dos serán una sola carne" (v.31). Es cierto que el pasaje es una referencia a la unión íntima entre esposos, pero el énfasis está también en la integración total, mental, emocional y espiritual, que debe existir entre esposo y esposa. No es tanto el placer físico el asunto medular, sino la similitud en las áreas mencionadas que hacen de dos seres uno en esencia. En el pensamiento paulino, y en el de nuestro Señor Jesucristo, el acto íntimo entre un hombre y una mujer, origina y expresa el envolvimiento total de la personalidad, de tal manera que viene a ser el pacto de una entrega y un compromiso total y permanente. Tan sagrada es esta unión que el Señor prohibió el divorcio, excepto por una razón: Infidelidad. ¿Por qué la infidelidad? Porque la infidelidad es un rompimiento brusco e intolerable de un compromiso sagrado, hecho ante Dios. Hay dos lazos que le dan seguridad y permanencia al matrimonio: el amor del esposo hacia su esposa, y el respeto de la esposa hacia su esposo (v.33).

RESUMEN GENERAL

El apóstol empieza hablando del sometimiento voluntario y benéfico que debe existir entre los cristianos. Primero habla de la sujeción bajo la cual las esposas deben de estar a sus maridos. Porque Dios ha establecido que el hombre sea la cabeza de la esposa, y de haber hijos, de todo el hogar. Las esposas tienen un modelo de sujeción en la Iglesia, la cual existe sujeta a Cristo. La sujeción de la esposa al marido se hace gustosa cuando el marido la ama y la trata como Cristo lo hace con la Iglesia. Finalmente hay dos lazos que garantizan la estabilidad y protección del un matrimonio, y ellos son: el amor del esposo hacia la esposa, y el respeto de la esposa hacia su esposo.

PREGUNTAS

1. Explique lo que Pablo quiere decir con la expresión: "someteos unos a otros".
2. ¿Cuál es el mejor ejemplo de amor que tienen los esposos?
3. ¿Se puede justificar que en los asuntos del amor el que controla es el corazón y no la razón?
4. ¿Qué quiere decir la expresión: "…y se unirá a su mujer, y los dos serán una sola carne"?
5. Mencione los dos lazos que le dan seguridad y permanencia al matrimonio.

there cannot be two heads, or two people that think differently. All things should be done following the values established by God, revealed in His Word, the Bible!

II. A HUSBAND SHOULD FOLLOW THE EXAMPLE OF CHRIST (EPHESIANS 5:25-28)

A. Loving his wife as Christ loved The Church (5:25a)

"Husbands, love your wives." Here we find a situation that clashes with the popular concept of what love is. It is said that love is an issue of the heart over which one has no control. The justification is usually that with issues of love the controlling factor is the heart and not reasoning. But is it true that love and reasoning are incompatible? It all depends on what is understood by love. In many cases, what actually exists is infatuation, but not love. In love, you desire the best for the other person; with infatuation, self-centeredness, impulse and uncontrollable emotions is what predominates. In infatuation we see sporadic and abrupt surges; love, however, is consistent, solid, and balanced. Love is intelligent, while infatuation and emotionalism lead to fanaticism and blunders. True love desires well-being and the best for the other person.

B. The love of Christ for the Church consists of actions (5:25b-28)

"And gave Himself for her" (v.25b). Christ approved His love for the church giving Himself voluntarily for her. That Christ gave Himself for the church was not a result of coercion from the Father. His determination to die for humanity was a decision that was voluntary and decisive, because that is how actions of love are. This is the supreme example and a perfect model of the love that a husband should have for his wife. Love between spouses is a decision of will. It is an intelligent determination that is cultivated day by day with big and small actions. Love is cultivated first by eliminating everything that harms: harshness, neglect, disrespect, self-centeredness, rude language, lack of communication, etc.; Then practicing small daily details: kind words, subdued conversations, giving way, opening doors, knowing how to say "thank you." These are just some of the many details that express and nurture love.

III. WITHIN MARRIAGE A MINISTRY IS DEPLOYED (EPHESIANS 5:29-33)

A. The care that Christ shows for the Church, an example for the husband (5:29,30)

It is very possible that the apostle Paul, while writing this passage, was thinking of Ezekiel 16:9-14, where God, using a beautiful literary illustration of husband and wife, tells his apostate people what He had done for them: "I washed you," "I anointed you," "I clothed you," I covered you," "I adorned you," "you ate," "you were made beautiful," "you prospered," "I bestowed my splendor upon you." All of these divine acts have their equivalent in the Christian experience, as well as all of the objects that are alluded to: water, oil, embroidery, linen, silk, adornments, necklace, jewelry, etc. "Water," is symbolic of the blood of Jesus that cleanses all sin; "anoint-ing," is symbolic of the Holy Spirit; "clothe," symbolic of justification; "jewelry," symbolic of the gifts of the Spirit; "Beautiful crown," represents the new man that is spoken of in Revelation; then we have a condition... "Perfection." This last equivalent we find in Ephesians 5:27, "that He might present her to Himself a glorious church, not having spot or wrinkle or any such thing." A husband should do the same with his wife! He should provide everything that contributes to her well-being!

B. A husband should love his wife; a wife should respect her husband (5:31-33)

"For this reason a man shall leave his father and mother and be joined to his wife, and the two shall become one flesh," (v.31). While it is true that this passage is referring to the intimate union between spouses, the emphasis is also on the complete, mental, emotional, and spiritual integration that should exist between husband and wife. Physical pleasure here is not the central point as much as is similarity in the aforementioned areas that make two individuals in essence become one. In the thinking of the apostle Paul, and of our Lord Jesus Christ, the intimate act between one man and one woman originates and expresses the complete involvement of the person in such a way that it becomes a covenant of submission and complete and permanent commitment. This union is so sacred that the Lord prohibited divorce except for one reason: infidelity. Why infidelity? Because infidelity is an abrupt and intolerable shattering of a sacred commitment made before God. There are two cords that gives security and permanence to marriage: the love of a husband towards his wife and the respect of a wife towards her husband (v.33).

GENERAL SUMMARY

The apostle begins speaking about a voluntary and benefi-cial submission that should exist among Christians. He first speaks about the submission that wives should have towards their husbands, because God has established for man to be the head of the wife, and if there are children, of the entire home. Wives have a model of submission in the Church, which is subject to Christ. The submission of a wife to her husband is made enjoyable when the husband loves her and treats her as Christ does the church. Finally there are two cords that guarantee stability and protection in a marriage, and they are the love of a husband towards his wife, and the respect of a wife towards her husband.

QUESTIONS

1. Explain what Paul means with the expression: "submitting to one another."
2. What is the best example of love that spouses have?
3. Can we justify that in issues of love, what controls is the heart and not reasoning?
4. What does the following expression mean: "...and be joined to his wife, and the two shall become one flesh."
5. List the two cords that give security and permanence to a marriage.

LA ARMADURA DEL CRISTIANO

Pensamiento central

Todo creyente es un soldado del Señor que lucha contra las fuerzas del demonio, y para vencerlo es necesario vestirse la armadura que Dios ha provisto para cada uno de sus hijos.

Texto áureo

Por tanto, tomad toda la armadura de Dios, para que podáis resistir en el día malo, y habiendo acabado todo, estar firmes (Efesios 6:13).

Base bíblica
Efesios 6:10-20

Objetivos

Al concluir esta lección serán capaces de:
1. Entender que existe una lucha espiritual contra las fuerzas del demonio.
2. Saber que en esta lucha todos los creyentes, sin excepción, están involucrados.
3. Confiar en que Dios ha provisto para todos los creyentes la armadura necesaria para vencer al demonio.

Fecha sugerida: _____ / _____ / _____

LECTURA BÍBLICA

Efesios 6:10 Por lo cual, hermanos míos, fortaleceos en el Señor y en el poder de su fuerza.
11 Vestíos de toda la armadura de Dios, para que podáis estar firmes contra las asechanzas del diablo.
12 Porque no tenemos lucha contra sangre y carne, sino contra principados, contra potestades, contra los gobernadores de las tinieblas de este siglo, contra huestes espirituales de maldad en las regiones celestes.
13 Por tanto, tomad toda la armadura de Dios, para que podáis resistid en el día malo, y habiendo acabo todo, estar firmes.
14 Estad, pues, firmes, ceñidos vuestros lomos con la verdad, y vestidos con la coraza de la justicia,
15 y calzados los pies con el apresto del evangelio de la paz.
16 Sobre todo, tomad el escudo de la fe, con que podáis apagar todos los dardos de fuego del maligno.
17 Y tomad el yelmo de la salvación, y la espada del Espíritu, que es la palabra de Dios;
18 orando en todo tiempo con toda oración y suplica en el Espíritu, y velando en ello con toda perseverancia y súplica por todos los santos;
19 y por mí, a fin de que al abrir mi boca me sea dada palabra para dar a conocer con denuedo el misterio del evangelio,
20 por el cual soy embajador en cadenas; que con denuedo hable de él, como debo hablar.

INTRODUCCIÓN

El apóstol Pablo se refiere ahora a las fuerzas demoníacas, y considera necesario exhortar a los creyentes a estar debidamente equipados para no ser vencidos por el mal. Cuando se habla del diablo, generalmente, se asume una de las tres opiniones siguientes: (1) Están aquellos que niegan la existencia del diablo y los demonios. (2) Están aquellos que todo lo malo lo asocian con la manifestación del diablo y de los demonios. (3) Están aquellos que llamaremos, los del centro, que reconocen que sí existe un ser perverso con sus secuaces que le obedecen. Consideremos, pues, lo que el apóstol dice respecto a la lucha que el creyente tiene con el diablo y sus huestes infernales.

DESARROLLO DEL ESTUDIO

I. EL CREYENTE Y SU LUCHA CONTRA LAS FUERZAS DEL MALIGNO (EFESIOS 6:10-12)

A. En esta lucha se requiere el poder y la armadura del Señor (6:10,11)

"Por lo demás, "Además de todo lo ya dicho", sugiere ahora el apóstol que no ha terminado, que tiene algo más que decirles: "… fortaleceos en el Señor…" Tratar de vivir la vida cristiana dependiendo de nuestras propias fuerzas no solamente es difícil, sino imposible. Por eso hay muchos débiles en la fe y muchos han caído: porque no procuraron ser fortalecidos por el Señor. La vida cristiana es imposible vivirla dependiendo de las propias fuerzas, mucho menos querer servir al Señor y luchar contra el diablo. Con cuánta razón el Señor les dijo a sus discípulos: "…porque separados de mí, nada podéis hacer" (Juan 15:5). "Vestíos de toda la armadura de Dios" (v.11). No es asunto de que alguien los vista: ustedes tienen que asumir la responsabilidad de hacerlo ya que toda la armadura de Dios está a su disposición".

B. Las huestes del enemigo (6:12)

En primer lugar, nótese que la palabra "contra" la usa cinco veces en este texto. El motivo es para enfatizar la tremenda lucha que tenemos contra diferentes clases de demonios. Las cuatro categorías de fuerzas malignas representan las jerarquías demoníacas que existen, así como hay jerarquía de ángeles: arcángel, ángeles, querubines, serafines. El Señor habló de la jerarquía de demonios cuando reprendió el demonio que los apóstoles no pudieron expulsar de un joven (Mateo 17:19-21). También el caso de Daniel 10, que habla de demonios que poseen gran autoridad. El mismo Señor fue tentado tres veces por el diablo (Mateo 4:1-11); también Pabló confesó que en varias ocasiones el diablo lo estorbó (1 Tesalonicenses 2:19); el apóstol Pedro nos dice que el

26 BIBLE STUDY

THE CHRISTIAN ARMOR

Biblical foundation
Ephesians 6:10-20

Objectives
As we develop the lesson you will be able to:
1. Understand that there is a spiritual battle against demonic forces.
2. Know that every believer, without exception, is involved in this battle.
3. Trust that God has provided the necessary armor to overcome these demonic forces for all believers.

Suggested date: _____ / _____ / _____

Main idea
Every believer is a soldier of the Lord and battles against demonic forces. To overcome them he must be clothed with the armor that God has provided for each one of His children.

Golden verse
"Therefore take up the whole armor of God, that you may be able to withstand in the evil day, and having done all, to stand."
(Ephesians 6:13)

RESPONSIVE READING

Ephesians 6:10 "Finally, my brethren, be strong in the Lord and in the power of His might.
11 Put on the whole armor of God, that you may be able to stand against the wiles of the devil.
12 For we do not wrestle against flesh and blood, but against principalities, against powers, against the rulers of the darkness of this age, against spiritual hosts of wickedness in the heavenly places.
13 Therefore take up the whole armor of God, that you may be able to withstand in the evil day, and having done all, to stand.
14 Stand therefore, having girded your waist with truth, having put on the breastplate of righteousness,
15 and having shod your feet with the preparation of the gospel of peace;
16 above all, taking the shield of faith with which you will be able to quench all the fiery darts of the wicked one.
17 And take the helmet of salvation, and the sword of the Spirit, which is the word of God;
18 praying always with all prayer and supplication in the Spirit, being watchful to this end with all perseverance and supplication for all the saints—
19 and for me, that utterance may be given to me, that I may open my mouth boldly to make known the mystery of the gospel,
20 for which I am an ambassador in chains; that in it I may speak boldly, as I ought to speak."

INTRODUCTION

The apostle Paul now refers to demonic forces and considers it necessary to warn believers about being properly equipped so that they are not defeated by evil. When we speak of the devil, generally, we find the following three opinions: (1) There are those who deny the existence of Satan and demons. (2) There are those who associate everything bad that happens with the devil and his demons. (3) There are those, who we will call "in the center," that acknowledge that a perverse being exists with his henchmen that obey him. Let us consider, then, what the apostle says regarding this battle that the believer has with Satan and his infernal hosts.

STUDY DEVELOPMENT

I. THE BELIEVER AND HIS FIGHT AGAINST THE FORCES OF EVIL (EPHESIANS 6:10-12)

A. This battle requires the power and armor of God (6:10,11)

"Finally," "after all that has been said," suggests that the apostle is not finished but has more to say: "be strong in the Lord!" To try to live the Christian life relying on our own strength is not only difficult, but impossible. That is why there are many who are weak in the faith and many who have fallen because they did not seek to be strengthened by the Lord. Living a Christian life, serving the Lord, and fighting the devil is impossible to do depending on one's own strength. With much reason the Lord told His disciples: "without me you can do nothing" (John 15:5). "Put on the whole armor of God" (v.11). This is not a matter of having someone clothe us. We must assume the responsibility of clothing ourselves knowing that the whole armor of God is at our disposition.

B. The enemy's army (6:12)

First, notice that the word "against" is used 5 times within this verse. The motive is to emphasize the tremendous battle that we have against different types of demons. The four categories of evil forces represent demonic hierarchies that exist, just as there are angelic hierarchies: archangels, angels, cherubim, seraphim. The Lord spoke about this demonic hierarchy when He rebuked the demon that the apostles were not able to expel from a young man (Matthew 17:19-21); Also in the case of Daniel chapter 10, where it speaks of demons that possess great authority. The Lord Himself was tempted three times by the devil (Matthew 4:1-11); Paul also confessed that on various occasions the devil disturbed him (1 Thessalonians 2:18); The apostle Peter tells us that the devil prowls around, like a roaring lion, seeking whom to devour (1 Peter 5:8). Who are we to not be clothed with the full armor of God?

diablo anda en alrededor, como león rugiente, buscando a quien devorar (1 Pedro 5:8), ¿quiénes somos nosotros para no vestirnos de toda la armadura de Dios?

II. LA ARMADURA DE DIOS CON LA CUAL SE DEBE VESTIR EL CREYENTE (EFESIOS 6:13-17)

A. La armadura es de Dios y no del hombre (6:13,14)

Hay una diferencia entre utilizar los recursos que Dios provee, y aquellos que son humanos, carnales. Cuando David enfrentó a Goliat, el rey Saúl le dio toda su armadura, pero lo único que lograron fue estorbar: podía más una piedra del arroyo y una honda que la armadura de Saúl (1 Samuel 17). Las palabras "para que podáis resistir" sugieren mantenerse firmes, luchando cara a cara, sin ceder nada de terreno. La lucha arreciará, se hará furibunda, pero sin retroceder del puesto asignado. Santiago nos dice: "Someteos, pues a Dios; resistid al diablo, y huirá de vosotros" (Santiago 4:7), y el apóstol Pedro añade: "Sed sobrios, y velad; porque vuestro adversario el diablo, como león rugiente, anda alrededor buscando a quien devorar; al cual resistid en la fe..." (1 Pedro 5:8,9). El sometimiento a Dios, el ser sobrios y vigilantes, equivale a ponerse la armadura de Dios, con la cual uno, no solamente lo resiste, sino que lo hace huir (Mateo 8:32).

B. La armadura es para fines ofensivos y defensivos (6:15-17)

Analicemos la armadura: (1) En la cintura se llevaba un cinto grueso de donde se colgaban pertrechos de guerra. La verdad citada, es la verdad del Evangelio en la cual no hay engaños; (2) la coraza representa la justicia, esto es, la vida recta que Dios ha dado al creyente; (3) el apresto, es el ánimo gustoso, para propagar el evangelio de paz; (4) la fe que Dios otorga, es el escudo donde se quiebran las flechas encendidas del enemigo; (5) el yelmo es el casco que protege la cabeza, la salvación genuina que protege la mente de todo error y de toda mentira; (6) la espada, es arma de defensa y de ofensa, es la Palabra de Dios. Cristo derrotó y humilló a Satanás citándole tres veces la Palabra (Mateo 4:4, 7,10). Ahora, algo que es fundamental: El creyente no puede usar solamente una parte de la armadura de Dios: tiene que ponérsela toda.

III. EL LUGAR QUE TIENE LA ORACIÓN EN ESTA LUCHA (EFESIOS 6:18-20)

A. Cómo debe ser la oración (6:18)

La oración es el agente que le da buen uso y autoridad a la armadura que el creyente debe vestirse. La oración no es un dogma, no es una parte de la liturgia cristiana: es la esencia misma de la experiencia cristiana. Un inconverso es obvio que no sabe orar ya que la oración es la conversación que los hijos de Dios tienen con su Padre, y mientras uno no experimente esa filiación nunca sabrá orar. El gran Maestro en la oración es el Espíritu Santo. Por eso el apóstol Pablo nos exhorta a orar en el Espíritu, esto es, a dejar que el Espíritu nos guíe en la oración, la inspire y nos ayude a hacerla debidamente (v.18). Ya antes, el apóstol les había escrito a los romanos: "Y de igual manera el Espíritu nos ayuda en nuestra debilidad; pues qué hemos de pedir como conviene, no lo sabemos, pero el Espíritu mismo intercede por nosotros con gemidos indecibles" (Romanos 8:26). Esto nos prueba que la oración es algo espiritual, ya que por medio de ella, permitimos que el Espíritu nos ministre y nos ayude acercarnos a Dios.

B. La oración hace efectiva la predicación (6:19,20)

No hay ninguna actividad cristiana que pueda hacerse estando ausente el Espíritu Santo. El ejemplo del apóstol Pablo, es extraordinario. El gran apóstol de los gentiles, el de las grandes experiencias con el Señor (2 Corintios 12:2-5), el que llenó Asia y Europa con el Evangelio, el que escribió tanto acerca del Evangelio, el que sanó enfermos y expulsó demonios, pide que oren por él para ser efectivo en el ministerio. Desgraciadamente, hay cristianos que piensan ser tan fuertes que no se dan cuenta de lo débiles e inútiles que son. ¡Cuántos casos hemos conocido de creyentes que tuvieron el atrevimiento de querer expulsar un demonio y fueron ridículamente avergonzados por él! Les ha pasado como a los siete hijos de Esceva, los cuales tuvieron el arrojo de querer echar fuera un demonio, pero "el espíritu malo, saltando sobre ellos y dominándolos, pudo más que ellos" (Hechos 19:16). ¡Cuán distinta la actitud del apóstol Pablo! Reconociendo sus debilidades y limitaciones les implora a los efesios que oren siempre por él.

RESUMEN GENERAL

Consideremos algunas de las enseñanzas que se derivan de nuestro estudio: (1) La única fortaleza espiritual que puede hacer firme al creyente, proviene de Dios. (2) Todo creyente debe vestirse con toda la armadura de Dios. No solo los ministros, pastores, evangelistas, misioneros, y aquellos que tienen cargos en la iglesia. (3) La armadura de Dios es vitalísima porque el diablo está enojado con el hijo de Dios, y buscará toda manera para hacerlo miserable y reniegue contra el Señor. (4) El creyente debe vestirse la armadura de Dios en su totalidad. (5) La oración es la que le da fuerza a la armadura. (6) Todos debemos ser humildes como para reconocer nuestras limitaciones y debilidades.

PREGUNTAS

1. ¿Qué opiniones asumen, generalmente, las personas cuando se habla del diablo?
2. ¿Por qué es necesario fortalecerse en el Señor y colocarse toda la armadura?
3. Mencione las cuatro jerarquías demoníacas a las que se refiere el apóstol Pablo.
4. Mencione las partes de la armadura que nos exhorta Pablo a que vistamos.
5. ¿Qué es lo que le da fortaleza y autoridad a la armadura?

II. THE ARMOR OF GOD WITH WHICH A BELIEVER SHOULD BE CLOTHED (EPHESIANS 6:13-17)

A. This armor is of God and not of man (6:13,14)

There is a difference between using the resources that God provides and those that are human, or of the flesh. When David faced Goliath, King Saul gave him all of his armor; but, this only served to hinder him. A stone from the brook and a sling were more effective than Saul's armor (1 Samuel 17). The words, "that you may be able to withstand," suggest standing firm, fighting face-to-face, without giving up any ground. The battle may become harsh and furious but we must not retreat from our assigned post. James tells us: "Therefore submit to God. Resist the devil and he will flee from you" (James 4:7). The apostle Peter adds: "Be sober, be vigilant; because your adversary the devil walks about like a roaring lion, seeking whom he may devour. Resist him, steadfast in the faith," (1 Peter 5:8-9). Submitting to God, being sober and vigilant, is equivalent to putting on the armor of God, with which not only do we resist the enemy, but we make him flee (Matthew 8:32).

B. The armor is for both offensive and defensive purposes (6:15-17)

Let us analyze this armor: (1) At the waist was a thick belt where ammunition could be hung. The truth cited, is the truth of the Gospel in which there is no deceit; (2) The breastplate represents justice, that is, an upright life that God has given to the believer; (3) preparation speaks of a willing disposition to propagate the Gospel of peace; (4) the faith that God gives is the shield where the fiery darts of the enemy are broken; (5) the helmet is the equipment that protects the head, it is the genuine salvation that protects the mind from all error and falsehood; (6) the sword, an offensive and defensive weapon, is the Word of God. Christ defeated and humiliated Satan citing the Word three times (Matthew 4:4,7,10). Now, something that is foundational is: A believer cannot just use one part of the armor of God, he must wear it completely.

III. THE PLACE THAT PRAYER HAS IN THIS BATTLE (EPHESIANS 6:18-20)

A. How should prayer be? (6:18)

Prayer is the agent that brings good use of and authority to the armor that a believer should wear. Prayer is not a dogma, or merely a part of Christian liturgy. It is the essence of the Christian experience. A nonbeliever would obviously not know how to pray being that prayer is a conversation that the children of God have with their father. Unless one experiences that connection one will never know how to pray. The great teacher in prayer is the Holy Spirit. That is why the apostle Paul exhorts us to pray in the spirit, that is, to allow the Holy Spirit to guide us in prayer, to inspire it, and to help us pray correctly (v.18). The apostle had previously written to the Romans saying: "Likewise the Spirit also helps in our weaknesses. For we do not know what we should pray for as we ought, but the Spirit Himself makes intercession for us with groanings which cannot be uttered."

B. Prayer makes the preaching effective (6:19,20)

There is no Christian activity that can be done in the absence of the Holy Spirit. The example that the apostle Paul gives is extraordinary. The great apostle of the Gentiles, of great experiences with the Lord (2 Corinthians 12:2-5), who filled Asia and Europe with the Gospel, who wrote so much about the Gospel, who healed the sick and cast out demons, asks for prayer so that he could be effective in ministry. Unfortunately, there are Christians who believe they are so strong that they don't realize how weak and ineffective they are. How many cases do we know of believers who dared to try and cast out a demon and they were ridiculed and shamed by it; just as the seven sons of Sceva, who dared to want to cast out a demon but, the evil spirit, " leaped on them, overpowered them, and prevailed against them," (Acts 19:16). What a different attitude we find in the apostle Paul! Understanding his weaknesses and limitations, he implores the Ephesians to always pray for him.

GENERAL SUMMARY

Let us consider a few of the lessons from our study: (1) The only spiritual strength that can make a believer stand firm comes from God. (2) Every believer must clothe themselves with the whole armor of God, not just ministers, pastors, evangelists, missionaries, or those who have a position in the church. (3) The armor of God is critical since the devil hates every child of God and will look for every way to make him miserable and have him turn from the Lord. (4) Believers should clothe themselves with the armor of God in its totality. (5) Prayer is what gives strength to the armor. (6) We must all be humble enough to acknowledge our limitations and weaknesses.

QUESTIONS

1. What opinions do people assume when speaking of the devil?
2. Why is it necessary to be strong in the Lord and to put on the full armor of God?
3. List the four demonic hierarchies that the apostle Paul makes reference to.
4. List each of the pieces of armor that Paul instructs us to wear?
5. What is it that gives strength and authority to the armor?

OBRAS NUEVAS de SENDA de VIDA

RECURSOS PRELIMINARES DE RECUPERACIÓN ACADÉMICA

Con este libro, que con placer pongo en sus manos, me propongo que cada uno de los interesados, ya sea a partir de un programa de estudios o producto del empeño individual, pueda revivir experiencias y conocimientos útiles dirigidos a la recordación y recuperación de los elementos básicos del saber.

Cuán halagado me siento al saber que los conocimientos e ideas compartidas en este libro le motiven a incursionar en el interesante mundo de la redacción literaria.

¡Éxitos y bendiciones!

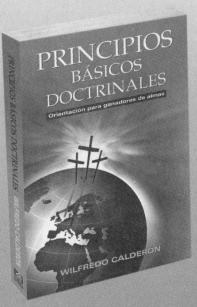

PRINCIPIOS BÁSICOS DOCTRINALES

Se diseñó con el propósito de servir como curso inicial al estudio de la doctrina cristiana. Debe ser considerado como una introducción del curso de Teología Práctica. Es recomendable que sea impartido en los institutos de capacitación bíblica ministerial antes del curso de Teología Bíblica.

Les presentamos a los directores de institutos bíblicos y organizadores de programas para la formación pastoral este material de Principios Básicos Doctrinales que consta de once temas de carácter introductorio. Su finalidad es hacer del estudiante un obrero apto para desempeñar cualquier función que se le asigne dentro de la iglesia.

"...todo escriba docto en el reino de los cielos es semejante a un padre de familia, que saca de su tesoro cosas nuevas y cosas viejas" (Mateo 13:52).

Otras obras en producción
Salmos, Adoración, Tipología